# RABELAIS

# PANTAGRUEL
# GARGANTUA

CONTE

TEXTES CHOISIS

*Texte conforme à l'édition originale de 1542
(graphie modernisée) et translation
en français moderne de M. Lazard.*

*Notes explicatives, questionnaires, bilans,
documents et parcours thématique*

*établis par*

Madeleine LAZARD,
*Agrégée de l'Université,
Docteur ès Lettres, Professeur
émérite à la Sorbonne Nouvelle.*

*Classiques Hachette*

**Couverture** : Laurent Carré

## Crédits photographiques

**P. 4** : Hachette / BN. **P. 8** : Photo Hachette. **P. 9** : Grandgousier, Gargamelle et leur fils Gargantua. Frontispice de *Gargantua*, édition de 1537. Hachette / BN. **P. 18** : Roger-Viollet. **P. 19** : photo Alinari. **P. 21** : Hachette / BN. **P. 47** : Bibliothèque des Arts décoratifs. **P. 49** : Photo Hachette. **P. 57** : Photo Hachette. **P. 59** : Photo Hachette. **P. 75** : Le jeu de paume. Gravure du XVIᵉ siècle. Photo Hachette. **P. 84** : Photo Jean-Loup Charmet. **P. 97** : Photo Hachette. **P. 107** : Photo Hachette. **P. 119** : Photo Hachette / BN. **P. 121** : Agence de presse Bernand. **P. 133** : Photo Hachette / BN. **P. 145** : Reconstitution de l'abbaye de Thélème par J. Crozet, 1840. Photo Hachette. **P. 149** : Photo Hachette / BN. **P. 154** : Gargantua pleurant, par Sotain. Photo Hachette. **P. 155** : Pantagruel portant son berceau, dessin de Gustave Doré. Photo Hachette. **P. 157** : Photo Hachette / BN. **P. 165** : Musée historique de Versailles, photo Hachette. **P. 174** : Pantagruel étudie l'astronomie. Illustration de Gustave Doré, photo Hachette. **P. 175** : Scène de dissection. Gravure parue dans l'*Anatomie* de Mundini en 1532. Bibliothèque de l'ancienne faculté de Médecine. Photo Jean-Loup Charmet. **P. 179** : Photo Hachette. **P. 187** : photo Hachette. **P. 199** : Photo Hachette. **P. 212** : Photo Jean-Loup Charmet. **P. 215** : Photo Kharabine-Tapabor. **P. 256** : *Rabelais* joué par la Compagnie Renaud-Barrault, mis en scène par Jean-Louis Barrault à l'Élysée Montmartre, décembre 1968. Agence de presse Bernand. **P. 266** : Brueghel, « Danse des paysans », Florence, Galerie des Offices. Photo Roger-Viollet.

© HACHETTE LIVRE 2006, 58, rue Jean Bleuzen, CS 70007, 92178 Vanves Cedex

ISBN : 978-2-01-169384-6

**www.hachette-education.com**

*Portrait de François Rabelais. Gravure sur bois de Jonnard.*

*Rabelais, en 1532, exerce la médecine hospitalière à plein temps à l'hôtel-Dieu du Pont du Rhône à Lyon. Il approche de la cinquantaine et n'a encore rien publié. Mais, cette même année, il fait paraître des publications savantes (des éditions d'Hippocrate et de Galien) et un livret dont le titre est celui d'un recueil de contes populaires, Pantagruel. Il est signé par Alcofribas Nasier (l'anagramme de François Rabelais), édité par Claude Nourry, spécialiste d'ouvrages à destination populaire, de grande diffusion, en caractères gothiques (le public peu cultivé n'était pas encore habitué aux caractères romains). Le succès des Grandes et Inestimables Chroniques du grand et énorme Gargantua, paru à Lyon la même année, avait encouragé l'auteur, dit-il dans son prologue, à publier un ouvrage « de même billon » (monnaie), sorte de geste populaire qui relève du roman chevaleresque et du roman de géants. On y retrouve les mêmes personnages, les mêmes types d'aventures, les mêmes procédés narratifs. Mais Pantagruel n'a guère de ressemblance avec l'ouvrage médiocre dont son auteur prétend reprendre la tradition. Il y fait passer ses préoccupations d'humaniste, et son talent d'écrivain lui donne une valeur littéraire incontestable.*

*Le succès vif et immédiat du Pantagruel détermine Rabelais à lui donner une suite. En 1534, il revient d'Italie, après un séjour à Rome où il avait accompagné, en qualité de médecin, l'évêque de Paris, Jean du Bellay, envoyé en mission diplomatique. En octobre, il est à Lyon lorsque « l'affaire des Placards » (pamphlets contre la messe placardés sur la porte de la chambre du roi) déclenche les persécutions contre les luthériens et tous ceux dont les convictions religieuses et les*

*idées novatrices sont suspectes. Rabelais est du
nombre. Sans prendre congé de l'hôpital, il quitte
Lyon en février 1535 et y revient quand le climat
est apaisé.*

*La date de la parution de <u>Gargantua</u> est incertaine :
en 1534 ou en 1535? Rabelais y conte la vie du
père après celle du fils, et ce second roman
deviendra le livre I dans les éditions postérieures.
Le plan identique et la reprise des mêmes motifs
dans ces deux «romans d'apprentissage» montrent
qu'ils sont animés du même esprit. Mais la
différence des prologues de chacun des livres
accuse aussitôt la différence de leurs intentions.
L'appartenance à la pensée humaniste, beaucoup
plus nette dans le <u>Gargantua</u>, se marque par
l'exposé des idées nouvelles et des principes qui
président à la sagesse dans la conduite de la vie
humaine comme au bon ordre de la vie sociale.
Condensé des aspirations et des espoirs de la
Renaissance, <u>Gargantua</u> nous amène dans un
univers plus humanisé, où Rabelais prend part aux
questions les plus brûlantes de l'actualité et
rappelle, par de fréquentes allusions, les problèmes
qui agitent l'Europe.
Ce serait pourtant une erreur de croire que, dans
ces «folastries joyeuses», le comique ne sert qu'à
faire passer divers messages destinés au public
averti. Il fait partie intégrante du texte. Puisque le
rire (qui lui est «propre», le distingue des
animaux) a été donné à l'homme, c'est à la joie de
vivre, de bien et sainement vivre, que l'auteur
convie son lecteur.*

*Curieux de tous les spectacles de la vie, Rabelais a su faire revivre la France de son temps, villes et campagnes, milieux sociaux les plus divers. Les problèmes qui se posaient à ses contemporains, éducation, guerre et paix, administration, convictions religieuses, se reflètent dans <u>Pantagruel</u> et <u>Gargantua</u>, moins ambigus que le <u>Tiers</u> et le <u>Quart Livre</u>. Mais ce ne sont pas seulement l'évolution de la langue et la complexité de l'invention verbale qui en rendent l'accès difficile. Ce sont l'univers mental, la culture exceptionnelle de Rabelais qui ne sont plus les nôtres et font de son œuvre « la plus difficile de toute la littérature française », selon P. Zumthor.*

*Renoncer pour cela à la lire serait pourtant se priver du plaisir de découvrir une pensée encore capable d'éveiller des échos dans la conscience moderne et de plonger dans une langue d'une saveur inventive inimitable, dans un climat de gaieté communicative. La thérapeutique du rire, qui exorcise les inquiétudes d'une époque tumultueuse et troublée comme la nôtre, garde son efficacité.*

*Autant que celui du xvi<sup>e</sup> siècle, le lecteur d'aujourd'hui peut être sensible à cette extraordinaire maîtrise de toutes les possibilités d'un langage qui joue sur les registres les plus variés sans dissocier rire et réflexion.*

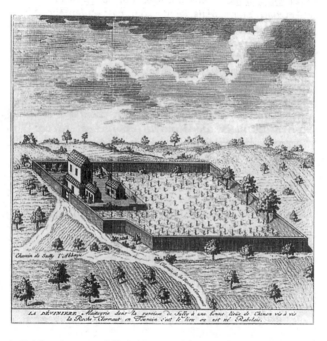

*La Devinière, où naquit probablement François Rabelais. Gravure du XVIIᵉ siècle.*

# Gargantua.

## M D. XXXVII.

# GARGANTUA\*

## AUX LECTEURS

Amis lecteurs, qui ce livre lisez,
Dépouillez-vous de toute affection ;
En le lisant ne vous scandalisez :
Il ne contient mal ne infection.
5    Vrai est qu'ici peu de perfection
Vous apprendrez, sinon en cas de rire ;
Autre argument ne peut mon cœur élire,
Voyant le deuil qui vous mine et consomme :
Mieux est de ris que de larmes écrire,
10   Pour ce que rire est le propre de l'homme.

\* Le texte proposé dans la présente édition en page de gauche est le dernier
que Rabelais ait revu et corrigé pour lui donner sa forme définitive dans l'édition parue à Lyon chez François Juste, en 1542.
La graphie originale (qui représente l'orthographe de l'éditeur, non celle de
Rabelais), de même que la ponctuation et l'accentuation ont été modernisées
pour rendre la lecture plus facile. À titre d'exemple cependant, le chapitre 8 de
*Pantagruel* (p. 166) est présenté avec la graphie et la ponctuation originales.

Transcription de certaines lettres :
*y, j* transcrits par *i* ; *z* transcrit par *s*
Les graphies *y, j, z* se conforment d'ailleurs à une coutume des manuscrits qui
« allongeaient » le *i* ou le *s* pour des raisons esthétiques.

Suppression de certaines lettres :
*s*    (respondre : répondre)
*b*    (soubz : sous)
*l*    (ceulx : ceux, aultres : autres)
*u*    (guaigné : gagné)
*i*    (campaigne : campagne)

Terminaisons de l'imparfait : *oit* transcrit par *ait* (estoit : était).

L'ordre des livres a été également modifié par Rabelais. Le *Pantagruel*, rédigé
en premier (1532), devient le second livre, et *Gargantua* (1534-1535) le premier, la vie du fils se plaçant ainsi logiquement après celle du père.

Les mots suivis du signe (\*) sont expliqués dans le lexique, p. 287.

# GARGANTUA

## AUX LECTEURS

Amis lecteurs, qui lisez ce livre,
Dépouillez-vous de toute passion — *colère*
Et ne soyez pas scandalisés en le lisant :
Il ne contient ni mal ni perverse intention.
5    Il est vrai qu'il y a peu de perfection
À y trouver, si ce n'est en matière de rire.
Mon cœur ne peut choisir d'autre sujet
Quand je vois la peine qui vous mine et consume.
Il vaut mieux traiter du rire que des larmes
10   Parce que le rire est le propre de l'homme.

# PROLOGUE DE L'AUTEUR

Buveurs très illustres, et vous, vérolés très précieux (car à vous, non à autres, sont dédiés mes écrits). Alcibiades, au[*][1] dialogue de Platon intitulé *Le Banquet,* louant son précepteur Socrates, sans controverse prince des philosophes, entre
5 autres paroles le dit être semblable ès[*] Silènes. Silènes étaient jadis petites boîtes, telles que voyons de présent ès boutiques des apothicaires, peintes au-dessus de figures joyeuses et frivoles, comme de harpies, satyres, oisons bridés, lièvres cornus[2], canes bâtées[3], boucs volants, cerfs limonniers[4] et
10 autres telles peintures contrefaites à plaisir pour exciter le monde à rire (quel[5] fut Silène, maître du bon Bacchus[6]) ; mais au-dedans l'on réservait[7] les fines drogues, comme baume, ambre gris, amomon[8], musc, civette[9], pierreries et autres choses précieuses. Tel disait[10] être Socrates, parce que, le
15 voyant au dehors et l'estimant par l'extérieure apparence, n'en eussiez donné un coupeau d'oignon tant laid il était de corps et ridicule en son maintien, le nez pointu, le regard d'un taureau, le visage d'un fol, simple en mœurs, rustique en vêtements, pauvre de fortune, infortuné en femmes, inepte à tous offices
20 de la république, toujours riant, toujours buvant d'autant à un chacun[11], toujours se guabelant, toujours dissimulant son divin savoir ; mais, ouvrant[12] cette boîte, eussiez au dedans trouvé une céleste et impréciable drogue : entendement plus que humain, vertu merveilleuse, courage invincible, sobresse non
25 pareille, contentement certain, assurance parfaite, déprisement incroyable de tout ce pourquoi les humains tant veillent, courent, travaillent, naviguent et bataillent[13].

---

1. *au* : dans le.
2. *oisons bridés, lièvres cornus* : jeux de mots, synonymes de *sots.*
3. *canes bâtées* : portant un bât (calembour : *âne bâté*).
4. *cerfs limonniers* : attelés aux *limons* (bras) d'une charrette.
5. *quel* : tel que.
6. *Bacchus* : dieu du Vin chez les Romains.
7. *réservait* : mettait en *réserve.*

# PROLOGUE

Buveurs très illustres, et vous vérolés très précieux (car c'est à vous, non à d'autres que sont dédiés mes écrits). Alcibiade, quand il loue, dans le dialogue de Platon intitulé *Le Banquet,* son précepteur Socrate, sans conteste
5 prince des philosophes, le déclare, entre autres propos, semblable aux Silènes. (Les Silènes étaient jadis de petites boîtes, comme nous en voyons à présent dans les boutiques des apothicaires, peintes par-dessus de figures plaisantes et frivoles : harpies, satyres, oisons bridés,
10 lièvres cornus, canes bâtées, boucs volants, cerfs attelés, et autres peintures telles, imaginées à plaisir pour inciter le monde à rire (tel était Silène, maître du bon Bacchus) ; mais au-dedans, l'on gardait de précieuses essences : baume, ambre gris, amone, musc, civette, pierreries et
15 autres choses précieuses. C'est ainsi, disait-il, qu'était Socrate, parce qu'en considérant son extérieur, et en le jugeant sur l'apparence, on n'en aurait pas donné une pelure d'oignon, tant son corps était laid et son maintien ridicule : le nez pointu, un regard de taureau, un visage de
20 fou, simple de manière, grossièrement vêtu, pauvre de biens, malheureux en amour, inapte à toutes les fonctions publiques, toujours riant, toujours défiant chacun à boire, toujours raillant, toujours dissimulant son divin savoir. Mais en ouvrant cette boîte, vous y auriez trouvé une
25 céleste et inappréciable drogue : intelligence plus qu'humaine, extraordinaire vertu, courage invincible, sobriété sans égale, indiscutable constance, certitude parfaite, mépris incroyable de tout ce pourquoi les humains veillent, courent, travaillent, naviguent et bataillent.

---

8.   *amomon* : parfum tiré d'une herbe aromatique.
9.   *civette* : sécrétion animale utilisée comme parfum.
10.   *tel disait* : le sujet sous-entendu de *disait* est Alcibiade.
11.   *buvant d'autant à un chacun* : buvant autant que chacun.
12.   *ouvrant* : au XVIᵉ siècle, une participiale subordonnée à un verbe au conditionnel *(eussiez trouvé)* a elle-même une valeur conditionnelle.
13.   *bataillent* : cette comparaison entre Socrate et les boîtes appelées Silènes avait été vulgarisée par Érasme dans un de ses *Adages.*

13

À quel propos, en votre avis, tend ce prélude et coup d'essai ? Pour autant que vous, les bons disciples et quelques

30 autres fols de séjour[1], lisant les joyeux titres d'aucuns• livres de notre invention, comme *Gargantua, Pantagruel*[2], *Fesse-pinte, La Dignité des Braguettes, Des Pois au lard cum commento*[3], etc., jugez trop facilement n'être au-dedans traité que moqueries, folâtreries et menteries joyeuses : vu que

35 l'enseigne extérieure (c'est le titre), sans plus avant enquérir, est communément reçue à dérision et gaudisserie. Mais par telle légèreté ne convient estimer les œuvres des humains : car vous-mêmes dites que l'habit ne fait pas le moine, [...] et tel est vêtu de cape espagnole qui en son courage nullement

40 affiert à Espagne. C'est pourquoi faut ouvrir le livre et soigneusement peser ce qui est déduit. Lors connaîtrez que la drogue dedans contenue est bien d'autre valeur que ne promettait la boîte. C'est-à-dire que les matières ici traitées ne sont tant folâtres comme le titre au-dessus prétendait.

45 Et, posé le cas qu'au sens littéral vous trouvez• matières assez joyeuses et bien correspondantes au nom, toutefois pas demeurer là ne faut, comme au chant des sirènes, ains à plus haut sens[4] interpréter ce que par aventure cuidiez dit en gaîté de cœur.

50 Crochetâtes-vous onques bouteilles ? Caîgne[5] ! Réduisez à mémoire la contenance qu'aviez. Mais vîtes-vous onques chien rencontrant quelque os médullaire ? C'est comme dit Platon, *lib. II De Rep.*, la bête du monde plus philosophe[6]. Si vu l'avez, vous avez pu noter de quelle dévotion il le guette,

55 de quel soin il le garde, de quel ferveur[7] il le tient, de quelle prudence il l'entame, de quelle affection il le brise, et de quelle

---

1. *de séjour* : de loisir, désœuvrés.
2. *Pantagruel* : le *Pantagruel* a été publié dix-huit mois avant le *Gargantua*.
3. *Des Pois au lard cum commento* : ouvrages de fantaisie, déjà mentionnés au prologue du *Pantagruel*, puis dans le catalogue de la bibliothèque de Saint-Victor (*Pantagruel*, ch. 7).

30 À quoi tend, selon vous, ce prélude et coup d'essai ?
C'est que vous, mes bons disciples, avec quelques autres
fous désœuvrés, en lisant les titres joyeux de certains
livres de notre invention, *Gargantua, Pantagruel, Fesse-
pinte, La Dignité des braguettes, Des pois au lard accompa-
35 gnés d'un commentaire,* etc., vous estimez trop facilement
qu'on y traite seulement de railleries, de bagatelles et de
mensonges joyeux, puisque l'enseigne extérieure (c'est-
à-dire le titre), si l'on ne cherche pas plus loin, offre
ordinairement matière à dérision ou à plaisanterie. Mais il
40 ne faut pas juger si légèrement les œuvres des hommes.
Vous dites bien vous-mêmes que l'habit ne fait pas le
moine, [...] et tel est vêtu d'une cape espagnole qui n'a
rien à voir avec l'Espagne. C'est pourquoi il faut ouvrir le
livre et peser soigneusement ce qui y est exposé. Vous
45 connaîtrez alors que l'essence contenue au-dedans est de
bien autre valeur que ne le promettait la boîte, c'est-à-
dire que les matières ici traitées ne sont pas aussi frivoles
que le titre ci-dessus le laissait entendre.
      Et, en supposant qu'au sens littéral vous trouviez
50 matières assez joyeuses, en accord avec le titre, il ne faut
pas s'en tenir là, comme pour le chant des Sirènes, mais
interpréter dans un sens plus élevé ce que peut-être vous
croyez dit de gaieté de cœur.
      Avez-vous jamais débouché des bouteilles ? Mâtin !
55 Rappelez-vous l'allure que vous aviez. Et avez-vous
jamais vu un chien rencontrant un os à moelle ? C'est,
comme le dit Platon au *Livre II* de la *République,* la bête
du monde la plus philosophe. Si vous en avez vu un,
vous avez pu noter avec quelle dévotion il le guette, avec
60 quel soin il le garde, avec quelle ferveur il le tient, avec
quelle habileté il l'entame, avec quelle passion il le

---

4. *plus haut sens* : on distingue, au Moyen Âge, le sens littéral des Écritures et le
*plus haut sens,* ou sens caché, qui fait apparaître une vérité morale ou une révélation
d'ordre théologique.
5. *caïgne* : chienne : « Nom d'un chien ! »
6. *plus philosophe* : forme normale (jusqu'au XVIIIᵉ siècle) du superlatif relatif : la
plus philosophe.
7. *ferveur* : masculin, comme son original latin *fervor.*

diligence il le suce. Qui[1] le induit à ce faire ? Quel est l'espoir de son étude ? Quel bien prétend-il ? Rien plus qu'un peu de moelle. Vrai est que ce peu plus est délicieux que le beaucoup
60 de toutes autres[2], pour ce que la moelle est aliment élaboré à perfection de nature, comme dit Galien, *III Facu. natural. et XI De usu parti.*

À l'exemple d'icelui vous convient être sages, pour fleurer, sentir et estimer ces beaux livres de haute gresse[3], légers au
65 pourchas et hardis[4] à la rencontre. Puis, par curieuse leçon et méditation fréquente, rompre l'os et sucer la substantifique moelle, c'est-à-dire ce que j'entends par ces symboles pythagoriques[5], avec espoir certain d'être faits escors et preux[6] à ladite lecture, car en icelle bien autre goût trouverez, et doc-
70 trine plus absconse, laquelle vous révélera de très hauts sacrements et mystères horrifiques, tant en ce qui concerne notre religion que aussi l'état politique et vie économique.

Croyez-vous en votre foi qu'oncques Homère écrivant l'*Iliade* et l'*Odyssée*[7] pensât ès° allégories lesquelles de lui ont
75 calfreté[8] Plutarque, Héraclide Pontique, Eustatie, Phornute et ce que d'iceux Politien[9] a dérobé ? Si le croyez, vous n'approchez ni des pieds ni des mains mon opinion [...].

---

1. *qui* : interrogatif neutre de l'ancien français : qu'est-ce qui.
2. *toutes autres* : toutes les autres nourritures.
3. *de haute gresse* : au sens propre, deux interprétations possibles : savoureux (comme la chair de bêtes bien engraissées) ou graisseux (parce que les livres ont été souvent lus et maniés) ; au sens figuré : de grande valeur. Ces divers sens peuvent d'ailleurs se combiner.
4. *légers, hardis* : se rapportent à *vous* : la métaphore du chien se poursuit encore ici.
5. *symboles pythagoriques* : ce sont les propres récits de Rabelais. Il faut leur prêter une valeur symbolique, comme aux récits de Pythagore (philosophe grec, VIᵉ s. av. J.-C.). Les humanistes estimaient que ses préceptes (se vêtir de blanc, ne pas manger de viande) étaient pleins de symboles.
6. *preux* : utiles par leur sagesse ou par leur courage.
7. *l'Iliade et l'Odyssée* : poèmes épiques en vingt-quatre chants, attribués à Homère (IXᵉ-VIIIᵉ s. av. J.-C.).
8. *calfreté* : peut-être calfaté, c'est-à-dire rafistolé : les commentateurs d'un texte s'efforcent d'en combler les lacunes. Les premières éditions portent : *beluté* (passé au crible). Participe sans accord : la règle d'accord des participes n'a été fixée qu'à la fin du XVIIᵉ siècle.

brise, et avec quel zèle il le suce. Qu'est-ce qui le pousse à faire cela ? Qu'espère-t-il de son travail ? À quel bien prétend-il ? Rien de plus qu'un peu de moelle. Il est vrai
65 que ce peu est plus délicieux que le beaucoup de toutes autres choses, parce que la moelle est un aliment élaboré par perfection naturelle, comme le dit Galien (*Livre III* des *Facultés naturelles* et *Livre XI* de l'*Usage des parties du corps*).

70 À l'exemple de notre chien, il vous convient d'être sages pour flairer, sentir et apprécier ces beaux livres de haute graisse, d'être légers à l'approche et hardis à l'attaque ; puis, par une soigneuse lecture et de fréquentes réflexions, rompre l'os et sucer la substantifique
75 moelle, c'est-à-dire ce que je signifie par ces allégories à la manière de Pythagore, dans l'espoir assuré de devenir avisés et sages à ladite lecture ; car en celle-ci vous trouverez un tout autre goût, et une science plus secrète, laquelle vous révélera de bien grandes connaissances
80 sacrées et des mystères horrifiques, tant en ce qui concerne notre religion que la situation politique et la vie économique.

Croyez-vous de bonne foi qu'Homère, écrivant l'*Iliade* et l'*Odyssée,* ait jamais songé aux allégories rapetassées
85 par Plutarque, Héraclide du Pont, Eusthate, Phornute et à ce que leur a volé Politien ? Si vous le croyez, vous n'approchez ni des pieds ni des mains de mon opinion [...].

---

9. *Plutarque* : écrivain, moraliste et historien grec (50-125 ap. J.-C.), auteur des *Vies parallèles des hommes illustres*. On lui attribuait faussement un traité sur la vie et la poésie d'Homère.
*Héraclide Pontique (Héraclide du Pont)* : grammairien et philosophe alexandrin du I$^{er}$ s. av. J.-C., auteur d'un traité sur les *Allégories homériques*.
*Eustatie (Eusthate)* : archevêque de Thessalonique, XII$^e$ s.
*Phornute (ou Cornutus)* : philosophe stoïcien du I$^{er}$ s. ap. J.-C. ; commentateurs d'Homère.
*Politien* : Angelo Ambrogini, surnommé Poliziano (1454-1494).

Si ne le croyez, quelle cause est pourquoi autant n'en ferez de ces joyeuses et nouvelles chroniques, combien que les 80 dictant n'y pensasse en plus que vous, qui par aventure buviez comme moi ? Car, à la composition de ce livre seigneurial, je ne perdis ni employai onques plus ni autre temps que celui qui était établi à prendre ma réfection corporelle, savoir est buvant et mangeant. Aussi est-ce la juste heure d'écrire 85 ces hautes matières et sciences profondes [...].

*Maison de Rabelais à Chinon à la fin du XVII* siècle.*

Si vous ne le croyez pas, pour quelle raison n'en
90 feriez-vous pas autant de ces joyeuses et nouvelles chroniques, alors qu'en les dictant, je n'y pensais pas plus
que vous qui peut-être buviez comme moi ? Car, pour
composer ce livre seigneurial, je n'ai jamais perdu ni
employé plus de temps que celui qui était consacré à
95 réparer mes forces, c'est-à-dire à boire et à manger.
C'est d'ailleurs le bon moment pour écrire sur ces
hautes matières et sur ces profondes connaissances [...].

*Portrait d'Érasme par Quentin Metsys.*

## Compréhension

1. Dans le dizain, sur quel ton sont définis les rapports de l'auteur et du lecteur ?

2. Quelle disposition d'esprit est requise du lecteur ?

3. Que peut-il apprendre dans l'ouvrage ? Comment Rabelais justifie-t-il sa conception de la création littéraire ?

4. Dégagez les intentions de Rabelais dans ce prologue : quel problème soulève-t-il ? En définir le ton.

5. Quelle est la valeur des comparaisons successives ? Montrer qu'elles tendent toutes à prouver la même chose.

6. Comment l'idée centrale est-elle présentée et exploitée à travers les images des Silènes, de Socrate et du chien ?

7. Quelles sont les qualités requises du lecteur ?

8. Les avertissements de l'auteur ne sont-ils pas contradictoires ? Quelle en est alors la portée ?

## Écriture / Réécriture

9. Rabelais dit dans le dizain : « le rire est le propre de l'homme ». Quelles autres qualités vous paraissent être « le propre de l'homme » ? Énoncez-les en un court paragraphe.

10. Rédigez en prose le dizain de l'avis au lecteur.

11. La verve du prologue : vous soulignerez, à l'aide de quelques exemples précis, la variété des tons, la richesse du vocabulaire et de l'invention verbale, le réalisme et la précision pittoresque des attitudes.

12. Relevez des exemples de la culture humaniste de l'auteur.

13. Entraînez-vous au résumé : rédigez une courte synthèse du prologue en suivant un schéma du type : Rabelais nous avertit que... mais il nous met en garde contre...

La « dive bouteille », poème de Rabelais. Édition de 1565.

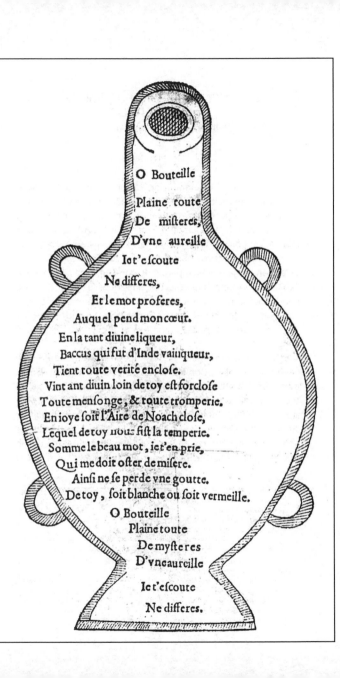

O Bouteille

Plaine toute
De misteres,
D'vne aureille
Iet'escoute
Ne differes,
Et le mot proferes,
Auquel pend mon cœur.
En la tant diuine liqueur,
Baccus qui fut d'Inde vainqueur,
Tient toute verité enclose.
Vint ant diuin loin de toy est forclose
Toute mensonge, & toute tromperie.
En ioye soit l'Aire de Noach close,
Lequel de toy nous fist la temperie.
Somme le beau mot, iet'en prie,
Qui me doit oster de misere.
Ainsi ne se perde vne goutte.
De toy, soit blanche ou soit vermeille.
O Bouteille
Plaine toute
De mysteres
D'vne aureille
Iet'escoute
Ne differes.

# COMMENT LE NOM FUT IMPOSÉ
# À GARGANTUA
# ET COMMENT IL HUMAIT LE PIOT[1]

[CHAPITRE 7]

Le bonhomme[2] Grandgousier, buvant et se rigolant avec les autres, entendit le cri horrible que son fils avait fait entrant en lumière de ce monde, quand il bramait demandant : « À boire, à boire, à boire ! », dont il dit : « QUE GRAND TU AS ! »
5 (*supple*[3] le gosier). Ce que oyants•, les assistants dirent que vraiment il devait avoir par ce le nom GARGANTUA[4], puisque telle avait été la première parole de son père à sa naissance, à l'imitation et exemple des anciens Hébreux[5]. À quoi fut condescendu par icelui et plut très bien à sa mère. Et pour
10 l'apaiser, lui donnèrent à boire à tire larigot, et fut porté sur les fonts, et là baptisé, comme est la coutume des bons chrétiens.

Et lui furent ordonnées dix et sept mille neuf cents treize vaches de Pautille et de Bréhémond[6], pour l'allaiter ordinaire-
15 ment. Car de trouver nourrice suffisante n'était possible en tout le pays, considéré la grande quantité de lait requis pour icelui alimenter, combien[7] qu'aucuns• docteurs scotistes[8] aient affirmé que sa mère l'allaita, et qu'elle pouvait traire de ses mamelles quatorze cents deux pipes[9] neuf potées de lait
20 pour chacune fois, ce que n'est vraisemblable, et a été la

---

1. *piot* : terme populaire : vin.
2. *bonhomme* : homme de bien et d'un certain âge.
3. *supple* : impératif latin de *suppleo, es, ere* (ajoute).
4. *Gargantua* : l'étymologie ainsi présentée est évidemment fantaisiste, mais en langue d'oc le mot *gargante* désigne le gosier. Le sobriquet *Gargantua* (gros mangeur) donné à un valet de ferme est attesté dans un manuscrit limousin de 1470. En Languedoc aussi, *grand gousié* (gosier) signifie *goulu*.
5. *anciens Hébreux* : selon Abel Lefranc, ils déterminaient le nom de l'enfant d'après quelque circonstance de la naissance, sinon d'après sa première parole !
6. *Pautille, Bréhémond* (Bréhémont) : ce sont deux villages du Chinonais, situés dans une région de prairies fertiles.

# COMMENT SON NOM FUT DONNÉ
## À GARGANTUA
## ET COMMENT IL HUMAIT LE PIOT

### [CHAPITRE 7]

Tandis qu'il buvait et s'amusait avec les autres, le bon-homme Grandgousier entendit l'horrible cri que son fils avait poussé en voyant le jour, quand il beuglait pour réclamer : «À boire, à boire, à boire!» Ce qui lui fit
5 dire : «Que grand tu as!» (sous-entendez le gosier). En entendant ces mots, les gens qui se trouvaient là dirent que, pour cette raison, il lui fallait vraiment avoir nom Gargantua, selon l'exemple des anciens Hébreux, puisque telle avait été la première parole de son père à
10 sa naissance. Ce à quoi celui-ci consentit volontiers, et ce qui plut beaucoup à la mère. Pour apaiser l'enfant, ils lui donnèrent à boire à tire-larigot, puis il fut porté sur les fonts et baptisé, comme c'est la coutume des bons chrétiens.
15 On requit pour lui dix-sept mille neuf cent treize vaches de Pautille et de Bréhemont, pour l'allaiter régu-lièrement. Car, dans tout le pays, trouver une nourrice qui lui convînt était chose impossible, étant donné la grande quantité de lait nécessaire à son alimentation,
20 bien que certains docteurs scotistes aient affirmé que sa mère l'allaita, et qu'elle pouvait traire de ses mamelles quatorze cent deux futailles et neuf potées de lait à chaque fois, ce qui n'est pas vraisemblable. Cette propo-sition a été déclarée mammallement scandaleuse, offen-

---

7. *combien que* : sens purement concessif : *quoique*.
8. *scotistes* : disciples de Duns Scot, théologien anglais du XIIIᵉ siècle.
9. *pipes* : futailles d'un muid et demi (environ 400 litres).

proposition déclarée mammallement[1] scandaleuse, des pitoyables oreilles offensive, et sentant de loin hérésie[2].

En cet état passa jusques à un an et dix mois, onquel[3] temps, par le conseil des médecins, on commença le porter,
25 et fut faite une belle charrette à bœufs par l'invention de Jean Deniau[4]. Dedans icelle on le promenait par ci par là, joyeusement, et le faisait bon voir, car il portait bonne trogne et avait presque dix et huit mentons et ne criait que bien peu ; mais il se conchiait à toutes heures, car il était merveilleusement
30 flegmatique des fesses, tant de sa complexion naturelle[5] que de la disposition accidentelle qui lui était advenue par trop humer de purée septembrale[6]. Et n'en humait goutte sans cause car s'il advenait qu'il fût dépit, courroucé, fâché ou marri, s'il trépignait, s'il pleurait, s'il criait, lui apportant à
35 boire l'on le remettait en nature, et soudain demeurait coi et joyeux.

Une de ses gouvernantes m'a dit, jurant sa fi, que de ce faire il était tant coutumier, qu'au seul son des pintes et flacons, il entrait en extase, comme s'il goûtait les joies de para-
40 dis. En sorte qu'elles, considérants cette complexion divine, pour le réjouir au matin, faisaient devant lui sonner des verres avec un couteau, ou des flacons avec leur toupon, ou des pintes avec leur couvercle, auquel son il s'égayait, il tressaillait, et lui même se bressait en dodelinant de la tête, mono-
45 cordisant[7] des doigts et barytonnant[8] du cul.

---

1. *mammallement* : adverbe de fantaisie, forgé sur *mamelle*. La première édition portait : *déclarée par Sorbonne scandaleuse*.
2. *hérésie* : traduction littérale des formules par lesquelles la Sorbonne justifiait la censure d'une proposition «offensant les oreilles pieuses et révélant l'hérésie». *Pitoyables* remplace *pieuses*, le terme traditionnel.
3. *onquel* : auquel.
4. *Jean Deniau* : personnage dont on ne sait rien. Le nom est encore répandu dans le Chinonais.
5. *complexion naturelle* : dans la médecine traditionnelle, la complexion est l'ensemble des caractères physiques d'un individu. Elle est déterminée par les humeurs. Le tempérament *flegmatique*, froid et lent, s'accompagne d'un relâchement général de toutes les fonctions.

25 sante pour de pieuses oreilles et sentant de loin l'hérésie.

Il passa ainsi un an et dix mois ; après quoi, sur le
conseil des médecins, on commença à le porter et une
belle charrette à bœufs fut fabriquée, grâce à l'habileté
30 de Jean Deniau. On l'y promenait de-ci de-là, joyeusement, et il faisait bon le voir, car il avait une bonne
trogne et presque dix-huit mentons ; il ne criait guère,
mais se conchiait continuellement, car il était étonnamment flegmatique des fesses, tant par tempérament
35 naturel que par une disposition accidentelle, qui prove-
nait de ce qu'il humait trop de purée de septembre. Et il
n'en humait pas sans raison, car s'il arrivait qu'il fût
dépité, courroucé, fâché ou triste, s'il trépignait, s'il
pleurait, s'il criait, on le calmait en lui apportant à boire
40 et il restait aussitôt tranquille et joyeux.

Une de ses gouvernantes m'a juré ses grands dieux
qu'il était si coutumier du fait qu'au seul bruit des
pichets et des carafons, il entrait en extase, comme s'il
goûtait les joies du paradis. Si bien que, voyant cette
45 divine disposition, pour le mettre en gaieté le matin,
elles faisaient tinter devant lui des verres avec un couteau, des carafons avec leur bouchon, ou des pichets
avec leur couvercle et qu'il s'égayait à ce bruit, tressaillait et se berçait lui-même en dodelinant de la tête, pia-
50 notant des doigts et barytonnant du cul.

---

6. *purée septembrale* : purée de septembre, c'est-à-dire vin (la vendange du raisin
est foulée en septembre).
7. *monocordisant* : jouant du *monocorde* (clavecin primitif).
8. *barytonnant* : formé plaisamment sur *baryton,* voix d'homme intermédiaire entre
la basse et le ténor.

# DE L'ADOLESCENCE DE GARGANTUA

## [CHAPITRE 11]

Gargantua, depuis les trois jusques à cinq ans, fut nourri et institué en toute discipline convenante, par le commandement de son père, et celui temps passa comme les petits enfants du pays : c'est à savoir à boire, manger et dormir ; à manger, dormir et boire ; à dormir, boire et manger.

Toujours se vautrait par les fanges, se mascarait le nez, se chaffourait le visage, aculait ses souliers, bâillait souvent aux mouches et courait volontiers après les parpaillons, desquels son père tenait l'empire[1]. Il pissait sur ses souliers, il chiait en sa chemise, il se mouchait à ses manches, il morvait dedans sa soupe, et patrouillait par tous lieux, et buvait en sa pantoufle et se frottait ordinairement le ventre d'un panier. Ses dents aiguisait d'un sabot, ses mains lavait de potage, se peignait d'un gobelet, s'asséait entre deux selles le cul à terre, se couvrait d'un sac mouillé, buvait en mangeant sa soupe, mangeait sa fouace* sans pain, mordait en riant, riait en mordant, souvent crachait on* bassin[2], pétait de graisse, pissait contre le soleil, se cachait en l'eau pour la pluie, battait à froid[3], songeait creux, faisait le sucré, écorchait le renard*, disait la patenôtre du singe[4], retournait à ses moutons, tournait les truies au foin[5], battait le chien devant le lion[6], mettait la charrette devant les bœufs, se grattait où ne lui démangeait point, tirait les vers du nez, trop embrassait et peu étreignait, mangeait son pain blanc le premier, ferrait les cigales, se chatouillait pour se faire rire, ruait très bien en cuisine[7], faisait

---

1. Au chapitre 3, il est dit que Gargamelle, la mère de Gargantua, était fille du roi des Parpaillos ou Parpaillons. Il ne faut pas chercher d'allusion satirique aux protestants dans ce mot, appliqué beaucoup plus tard aux luthériens.
2. *crachait on bassin* : donnait de l'argent contre son gré, comme à la quête. De là vient l'expression populaire «cracher au bassinet».
3. *battait à froid* : battre le fer sans le chauffer, c'est-à-dire agir de travers.
4. *disait la patenôtre du singe* : claquait des dents.

# DE L'ENFANCE DE GARGANTUA

## [CHAPITRE 11]

Gargantua, de trois à cinq ans, fut élevé et instruit en toutes disciplines convenables, selon les directives de son père, et passa ce temps-là comme tous les petits enfants du pays, c'est-à-dire à boire, manger et dormir ;
5 à manger, dormir et boire ; à dormir, boire et manger.

Il se vautrait toujours dans la fange, se noircissait le nez, se barbouillait le visage, éculait ses souliers, bayait souvent aux mouches, aimait courir après les papillons, dont son père était roi. Il pissait sur ses souliers, il chiait
10 dans sa chemise, se mouchait sur ses manches, reniflait dans sa soupe, pataugeait partout, buvait dans sa pantoufle et se frottait habituellement le ventre d'un panier. Il aiguisait ses dents sur un sabot, se lavait les mains dans le potage, se peignait avec un gobelet, s'asseyait le
15 cul à terre entre deux chaises, se couvrait d'un sac mouillé, buvait en mangeant sa soupe, mangeait sa fouace sans pain, mordait en riant, riait en mordant, crachait souvent dans le plateau, pétait de graisse, pissait contre le soleil, se cachait de la pluie dans l'eau,
20 battait froid, songeait creux, faisait le sucré, écorchait le renard, disait la patenôtre du singe, retournait à ses moutons, menait les truies au foin, battait le chien devant le lion, mettait la charrette avant les bœufs, se grattait où ça ne le démangeait pas, tirait les vers du nez,
25 trop embrassait, mal étreignait, mangeait son pain blanc le premier, ferrait les cigales, se chatouillait pour se faire rire, se précipitait fort bien en cuisine, offrait de la paille

---

5. *tournait les truies au foin* : les truies ne mangent pas le foin ; les y mener, c'est encore agir hors de propos.
6. *devant le lion* : battre le chien devant le lion, c'est faire une réprimande à un inférieur devant un supérieur, pour que celui-ci s'applique la réprimande.
7. *ruait en cuisine* : se précipitait dans la cuisine par goinfrerie.

gerbe de feurre[1] aux dieux, faisait chanter *Magnificat* à matines[2], et le trouvait bien à propos, mangeait choux et chiait pourrée[3], connaissait mouches en lait[4], faisait perdre les pieds aux mouches, ratissait le papier, chaffourait le parche-
30  min, gagnait au pied[5], tirait au chevrotin[6], comptait sans son hôte[7], battait les buissons sans prendre les oisillons, croyait que nues fussent pailles[8] d'airain et que vessies fussent lanternes, tirait d'un sac deux moutures, faisait de l'âne pour avoir du bren, de son poing faisait un maillet, prenait les grues
35  du premier saut, voulait que maille à maille on fît les haubergeons, de cheval donné toujours regardait en la gueule[9], sautait du coq à l'âne, mettait entre deux vertes une mûre[10], faisait de la terre le fossé[11], gardait la lune des loups[12], si les nues tombaient espérait prendre les alouettes, faisait de
40  nécessité vertu, faisait de tel pain soupe[13], se souciait aussi peu des rais comme des tondus, tous les matins écorchait le renard•. Les petits chiens de son père mangeaient en son écuelle ; lui de même mangeait avec eux. Il leurs[14] mordait les oreilles, ils lui grafinaient le nez ; il leurs soufflait au cul, ils lui
45  léchaient les badigoinces[15]. [...]

---

1.  *feurre* : paille. Il trompait les dieux en leur offrant de la paille au lieu de blé.
2.  *Magnificat à matines* : le chant du *Magnificat* est réservé aux vêpres.
3.  *pourrée* : sorte de bette.
4.  *mouches en lait* : distinguait le noir du blanc.
5.  *gagnait au pied* : reculait devant l'ennemi, d'où au sens figuré se dérobait, s'en allait à la sauvette.
6.  *tirait au chevrotin* : buvait à l'outre en peau de chèvre, c'est-à-dire goulûment.
7.  *comptait sans son hôte* : n'attendait pas que l'hôte fît l'addition.
8.  *pailles* : dais, poêle (du latin *pallium*).
9.  *gueule* : il est discourtois de regarder les dents d'un cheval reçu en cadeau (pour en savoir l'âge).
10.  *une mûre* : mettre un tiers de fruits mûrs et deux tiers de fruits verts, c'est mêler un peu de douceur et beaucoup d'amertume.
11.  *le fossé* : et non pas le talus !
12.  *des loups* : il protégeait la lune des loups (qui hurlent à la lune).
13.  *soupe* : tranche de pain sur laquelle on verse le bouillon.
14.  *leurs* : forme avec s analogique des autres personnes du pluriel. Elle disparaît au xviie siècle.
15.  *badigoinces* : lèvres.

aux dieux, faisait chanter *Magnificat* à matines et trouvait ça fort bien, mangeait des choux et chiait de la poi-
30 rée, distinguait les mouches dans le lait, faisait perdre
pied aux mouches, ratissait le papier, griffonnait le par-
chemin, prenait ses jambes à son cou, buvait comme un
trou, comptait sans son hôte, battait les buissons sans
prendre les oisillons, prenaient les nues pour des dais
35 d'airain et les vessies pour des lanternes, avait plus d'un
tour dans son sac, faisait l'âne pour avoir du son, faisait
un maillet de son poing, prenait les grues au premier
saut, voulait qu'on fît point par point les cottes de
mailles, à cheval donné regardait toujours la bouche,
40 sautait du coq à l'âne, donnait un tiers de mûrs pour
deux tiers de verts, mettait la terre dans le fossé, gardait
la lune des loups, espérait prendre les alouettes si le ciel
tombait, faisait de nécessité vertu, faisait contre mauvaise fortune bon cœur, se souciait des pelés comme des
45 tondus, vomissait tous les matins. Les petits chiens de
son père mangeaient dans son écuelle ; lui de même
mangeait avec eux. Il leur mordait les oreilles, ils lui
griffaient le nez, il leur soufflait au cul, ils lui léchaient
les badigoinces. [...]

# COMMENT GRANDGOUSIER CONNUT
L'ESPRIT MERVEILLEUX DE GARGANTUA
À L'INVENTION D'UN TORCHECUL

[CHAPITRE 13]

*Gargantua assure à son père qu'il n'y a pas dans tout le pays*
*de garçon plus propre que lui.*

[...] « Comment cela ? dit Grandgousier. – J'ai, répondit Gargantua, par longue et curieuse expérience, inventé un moyen
de me torcher le cul, le plus seigneurial, le plus excellent, le
plus expédient que jamais fut vu. – Quel ? dit Grandgousier.
5    – Comme vous le raconterai, dit Gargantua, présentement.

« Je me torchai une fois d'un cachelet[1] de velours d'une
damoiselle, et le trouvai bon, car la mollice de sa soye me
causait au fondement une volupté bien grande ; une autre fois
d'un chaperon d'icelles et fut de même [...]. Puis me torchai
10   de sauge, de fenouil, d'aneth, de marjolaine, de roses, de
feuilles de courles, de choux, de bettes, de pampres, de gui-
mauves, de verbasce[2] (qui est écarlate de cul), de laitues et
de feuilles d'épinards, – le tout me fit grand bien à ma jambe,
– de mercuriale[3], de persiguire, d'orties, de consolde ; mais
15   j'en eu la cacquesangue[4] de Lombard, dont fus gari me torchant de ma braguette. [...]

*Gargantua continue son énumération en vers, à la grande*
*admiration de son père, et obtient de celui-ci la promesse qu'il*
*recevra une barrique de vin s'il le fait « quinault en ce propos »,*
*c'est-à-dire s'il lui en remontre là-dessus. Sur les instances de*
*Grandgousier, il poursuit son « propos torcheculatif ».*

« Je me torchai après, dit Gargantua, d'un couvre-chef,

---

1.  *cachelet* : déformation comique du mot cache-nez (cache-laid). Le mot est défini
au livre V (ch. 26) : *cache-lait, que vous nommez touret de nez.*

# COMMENT GRANDGOUSIER DÉCOUVRIT, À L'INVENTION D'UN TORCHE-CUL, LA MERVEILLEUSE INTELLIGENCE DE GARGANTUA

## [CHAPITRE 13]

[...] « Comment cela ? dit Grandgousier. – J'ai découvert, répondit Gargantua, après de longues et soigneuses recherches, un moyen de me torcher le cul qui est le plus noble, le meilleur, le plus commode qu'on ait
5    jamais vu. – Lequel ? dit Grandgousier. – C'est ce que je vais vous raconter tout de suite, dit Gargantua.

« Je me suis torché une fois avec le cache-nez de velours d'une demoiselle, ce que je trouvai bon, car la douceur de la soie me procura au fondement une
10   volupté bien grande, une autre avec le chaperon de la même, et ce fut tout pareil [...]. Puis je me torchai avec de la sauge, du fenouil, de l'aneth, de la marjolaine, des roses, des feuilles de courges, de choux, de bettes, de vigne, de guimauve, de bouillon-blanc (c'est l'écarlate au
15   cul), de laitues et de feuilles d'épinards (tout ça m'a fait une belle jambe !), avec de la mercuriale, de la persicaire, des orties, de la consoude ; mais j'en attrapai une diarrhée de Lombard, ce dont je fus guéri en me torchant avec ma braguette. [...]
20   « Après, je me torchai, dit Gargantua, avec un couvre-

---

2.  *verbasce* : le *verbascum*, ou bouillon-blanc, servait peut-être à fouetter les enfants.
3.  *mercuriale* : c'était un purgatif. La *persiguire* était aussi appelée *cul-rage,* d'où la mésaventure de Gargantua. La *console* ou *consoude* était employée contre la diarrhée.
4.  *cacquesangue* : dysenterie ; terme emprunté à l'italien.

d'un oreiller, d'une pantofle, d'une gibecière, d'un panier –
mais ô le mal plaisant torchecul! – puis d'un chapeau. Et
20  notez que des chapeaux, les uns sont ras, les autres à poil,
les autres veloutés, les autres taffetassés, les autres satini-
sés. Le meilleur de tous est celui de poil, car il fait très bonne
abstersion de la matière fécale.

«Puis me torchai d'une poule, d'un coq, d'un poulet, de la
25  peau d'un veau, d'un lièvre, d'un pigeon, d'un cormoran, d'un
sac d'avocat, d'une barbute[1], d'une coiffe, d'un leurre[2]. Mais,
concluant, je dis et maintiens qu'il n'y a tel torchecul que d'un
oison bien dumeté, pourvu qu'on lui tienne la tête entre les
jambes. Et m'en croyez sus mon honneur. Car vous sentez au
30  trou du cul une volupté mirifique, tant par la douceur d'icelui
dumet que par la chaleur tempérée de l'oison, laquelle facilement est communiquée au boyau culier et autres intestines,
jusques à venir à la région du cœur et du cerveau. Et ne pen-
sez que la béatitude des héros et semi-dieux, qui sont par les
35  Champs Élysiens, soit en leur asphodèle, ou ambroisie, ou
nectar, comme disent ces vieilles ici[3]. Elle est (selon mon opinion) en ce qu'ils se torchent le cul d'un oison, et telle est
l'opinion de maître Jean d'Écosse[4].»

---

1. *barbute* : sorte de cagoule, de passe-montagne.
2. *leurre* : simulacre d'oiseau en cuir rouge qu'on employait en fauconnerie pour
faire revenir sur le poing le rapace dressé.
3. *ces vieilles ici* : ce ne sont pas, en fait, fables de bonnes femmes, mais allusions à
la mythologie antique : les plaisirs des bienheureux aux Champs Élysées sont le
symbole de la béatitude depuis Homère.
4. *Jean d'Écosse* : John Duns Scot, théologien (XIII\u1d49 siècle).

chef, un oreiller, une pantoufle, une gibecière, un panier (mais quel désagréable torche-cul !), puis avec un chapeau. Et notez que, parmi les chapeaux, il y en a de ras, d'autres de poil, d'autres de velours, d'autres de taffetas,
25 d'autres de satin. Le meilleur de tous, c'est celui de poil, car il effectue un parfait nettoyage de la matière fécale.

« Puis je me torchai avec une poule, un coq, un poulet, la peau d'un veau, un lièvre, un pigeon, un cormoran, un sac d'avocat, une cagoule, une coiffe, un leurre. Mais,
30 pour conclure, je dis et je maintiens qu'il n'y a pas de meilleur torche-cul qu'un oison bien duveteux, pourvu qu'on lui tienne la tête entre les jambes. Croyez-m'en sur l'honneur. Vous sentez alors au trou du cul une volupté mirifique, tant à cause de la douceur de son
35 duvet qu'à cause de la douce chaleur de l'oison, qui se communique facilement au boyau culier et au reste des intestins, jusqu'à la région du cœur et du cerveau. Ne croyez pas que la béatitude des héros et des demi-dieux qui sont aux Champs Élysées vienne de leur asphodèle,
40 de leur ambroisie, ou de leur nectar, comme le disent nos vieilles. Elle vient (c'est mon opinion) de ce qu'ils se torchent le cul avec un oison, et c'est aussi l'opinion de maître Jean d'Écosse. »

## Compréhension

1. Dans le chapitre 7, quels traits vous semblent relever de la tradition de la littérature populaire dont Rabelais déclare s'inspirer ?

2. Au chapitre 11, que vous apprennent toutes les locutions proverbiales de la vie quotidienne de l'enfant ? Pourquoi cette insistance sur des faits et gestes grossiers ?

3. La dernière phrase (« Les petits chiens... les badigoinces ») n'éclaire-t-elle pas la signification du texte ?

4. Le texte du chapitre 13 vous paraît-il ou non comique ? Pourquoi ?

5. Quelles qualités du jeune géant provoquent l'admiration de son père ?

6. Qu'est-ce que le texte nous apprend sur les rapports entre le père et le fils ?

## Écriture

7. Dans le chapitre 11, les occupations du petit enfant sont uniquement décrites au moyen de locutions proverbiales. En connaissez-vous quelques-unes ? Indiquez leur sens.

8. Montrez la diversité des domaines dans lesquels s'exerce la richesse d'invention de Gargantua tout au long du chapitre 13.

9. Faites l'éloge d'un objet banal (outil, matériel de cuisine, etc.) en évoquant les utilisations inattendues qu'on peut en faire.

## L'action

### • Ce que nous savons

*Selon le plan habituel du roman de chevalerie, Rabelais raconte, suivant l'ordre chronologique, les étapes de la vie du héros. Il indique d'abord sa généalogie (ch. 1). Comme les héros de la littérature populaire et romanesque, sa vie débute par des épisodes merveilleux : il reste onze mois au ventre de sa mère (ch. 3), naît par l'oreille (ch. 6), demande aussitôt à boire (ch. 7). C'est d'ailleurs à une «nativité» que l'on fait assister le lecteur, non à une naissance, et le gigantisme de l'enfant est souligné par des précisions cocasses.*

*Le costume de Gargantua, les couleurs de sa livrée sont décrits et interprétés (digressions imposées par le genre) aux chapitres 8 et 10. Mais son heureux épanouissement physiologique (ch. 7) n'en est pas interrompu. Il satisfait des besoins naturels, mène une vie quasi animale. Lorsqu'il accède à l'âge de raison, son père découvre avec plaisir et fierté son ingéniosité, son imagination, son invention verbale (ch. 13); il est temps de commencer son éducation.*

### • À quoi nous attendre ?

*Les rapports du père et du fils sont confiants, le père s'émerveille de l'intelligence de Gargantua, il ne négligera rien pour épanouir les dons naturels de l'enfant. Ceux-ci permettent de penser qu'il va poursuivre de brillantes études sous la tutelle d'un savant précepteur.*

## Les personnages

• **Gargantua,** enfant, a certes des caractères gigantesques (ch. 7) mais apparaît, essentiellement dans son comportement (ch. 11), conforme à un être normal, abandonné aux plaisirs et aux occupations des enfants de son âge. Dès l'âge de raison, il fait preuve de qualités exceptionnelles, mais dans les limites humaines.

• **Grandgousier,** qualifié de «bonhomme» (homme de bien, d'un certain âge) est un roi bienveillant, sociable, ami de la bonne chère, et un père compréhensif, attentif, mais ennemi de la contrainte. Il laisse se développer librement le petit enfant.

# COMMENT GARGANTUA FUT INSTITUÉ
# PAR UN SOPHISTE[1] EN LETTRES LATINES

[CHAPITRE 14]

*Grandgousier, émerveillé de l'intelligence de son fils, décide de le remettre entre les mains d'un savant maître.*

[...] De fait, l'on lui enseigna un grand docteur sophiste, nommé maître Thubal Holopherne, qui lui apprit sa charte, si bien qu'il la disait par cœur au rebours, et y fut cinq ans et trois mois. Puis lui lut le *Donat*, le *Facet*, *Theodolet* et *Alanus*
5  *in Parabolis*[2], et y fut treize ans, six mois et deux semaines.
Mais notez que, cependant, il lui apprenait à écrire gothiquement[3], et écrivait tous ses livres, car l'art d'impression n'était encore en usage.
Et portait ordinairement un gros écritoire, pesant plus de
10  sept mille quintaux, duquel le galimart était aussi gros et grand que les gros piliers d'Énay[4], et le cornet y pendait à grosses chaînes de fer, à la capacité d'un tonneau de marchandise[5].
Puis lui lut *De Modis significandi*[6], avec les comments de
15  Hurtebise, de Fasquin, de Tropditeux, de Gualehaul, de Jean le Veau, de Billonio, Brelinguandus[7], et un tas d'autres et y fut plus de dix-huit ans et onze mois. Et le sut si bien qu'au coupelaud il le rendait par cœur à revers, et prouvait sur ses doigts, à sa mère, que *de modis significandi non erat scientia*.

---

1. *sophiste* : les premières éditions portent : *par un théologien*, autrement dit, par un adepte des méthodes de la Sorbonne. Plus encore que par la prudence, l'emploi du mot *sophiste* est motivé par le souci de préciser la portée de la satire : Rabelais condamne la sophistique, c'est-à-dire le formalisme du raisonnement, comme le faisait Socrate.
2. *in Parabolis* : ce sont quatre manuels de base pour les élèves débutants au XVIe siècle. Le *Donat* est une grammaire latine, œuvre de *Donatus* (IVe s. ap. J.-C.) ; le *Facet* (ou *Facetus*) est un traité de savoir-vivre ; le *Theodolet*, de l'évêque Theodolus (Xe s.), enseignait la mythologie pour en démontrer la fausseté ; le *Liber parabolarum* était un traité de morale en quatrains, œuvre d'Alanus, Alain de Lille (XIIIe s.).

# COMMENT GARGANTUA FUT INSTRUIT
# EN LETTRES LATINES PAR UN SOPHISTE

## [CHAPITRE 14]

[...] De fait, on lui indiqua un grand docteur sophiste, nommé maître Thubal Holopherne, qui lui apprit si bien son abécédaire qu'il le récitait par cœur à l'envers, ce qui lui prit cinq ans et trois mois. Puis il lui lut le *Donat,*
5  le *Facet,* le *Theodolet,* et Alanus dans ses *Paraboles,* ce qui lui prit treize ans, six mois et deux semaines.

   Remarquez que, pendant ce temps-là, il lui apprit à écrire en lettres gothiques, et il copiait tous ses livres, car l'art de l'imprimerie n'était pas encore en usage.
10  Il portait habituellement une grosse écritoire, pesant plus de sept mille quintaux, dont l'étui était aussi gros et grand que les gros piliers d'Ainay, et l'encrier, qui avait le poids d'un tonneau, y était pendu par de grosses chaînes de fer.
15  Puis il lui lut les *Modes de la signification* avec les commentaires de Heurtebise, de Faquin, de Tropditeux, de Galehaut, de Jean le Veau, de Billon, de Brelinguand, et d'un tas d'autres ; il y passa plus de dix-huit ans et onze mois. Il le connaissait si bien que, si on le mettait à
20  l'épreuve, il le récitait par cœur à l'envers, et prouvait à sa mère, sur le bout des doigts, que « les modes de la signification n'étaient pas matière de connaissance ».

---

3.  *gothiquement* : c'est-à-dire comme les Goths ; on commençait à adopter une écriture à l'italienne, plus lisible. (Le *Gargantua* fut d'abord imprimé en caractères que nous appelons gothiques.)
4.  *Énay* (Ainay) : l'église Saint-Martin-d'Ainay à Lyon, dont la coupole est supportée par quatre grosses colonnes de granite.
5.  *tonneau de marchandise* : environ cinq mètres cubes.
6.  *De Modis significandi* : traité de logique formelle. Les modes sont les diverses sortes de raisonnement par syllogisme.
7.  *Brelinguandus* : ce sont des noms fantaisistes de commentateurs, à l'exception de Gualehaul, personnage du roman de *Lancelot. Jean le Veau* était le surnom des « bizuts » chez les écoliers. *Brelinguandus* équivaut à « maître Leçon ».

20    Puis lui lut le *Compost*[1], où il fut bien seize ans et deux
mois, lorsque son dit précepteur mourut ; et fut l'an mil quatre
cents et vingt, de la vérole qui lui vint.

Après, en eut un autre vieux tousseux, nommé maître
Jobelin Bridé[2], qui lui lut Hugutio, Hébrard *Grecisme*, le *Doctri-*
25    *nal*, les *Pars*, le *Quid est*, le *Supplementum*, Marmotret, *de*
*Moribus in mensa servandis*, Seneca, *de Quatuor virtutibus*
*cardinalibus*, Passavantus *cum commento* et *Dormi secure*[3]
pour les fêtes, et quelques autres de semblable farine. À la
lecture desquels il devint aussi sage qu'onques puis ne four-
30    nâmes-nous[4].


## COMMENT GARGANTUA FUT MIS
## SOUS AUTRES PÉDAGOGUES

### [CHAPITRE 15]

À tant[5] son père aperçut que vraiment il étudiait très bien et
y mettait tout son temps, toutefois qu'en rien ne profitait, et,
que pis est, en devenait fou, niais, tout rêveux et rassoté.

De quoi se complaignant à don Philippe des Marays, vice-
5    roi de Papeligosse, entendit que mieux lui vaudrait rien n'apprendre que tels livres sous tels précepteurs apprendre, car
leur savoir n'était que bêterie, et leur sapience n'était que
moufles[6] abâtardisant les bons et nobles esprits et corrom-
pant toute fleur de jeunesse.

---

1. *le Compost* : un almanach populaire ; quelque chose comme le calendrier des
PTT. !
2. *Jobelin Bridé* : *jobelin* signifie « jobard », *bridé* se dit d'un oison.
3. *Dormi secure* : manuels scolaires médiévaux (de grammaire, de rhétorique, de
morale) ridiculisés par les humanistes.
4. *ne fournâmes-nous* : *fourner*, c'est mettre dans un four. L'image est amenée par
l'expression *de semblable farine*.
5. *à tant* : alors, à ce moment-là ; *tant* est un démonstratif renforcé (du latin *tanta*).
À rapprocher de *par tant*, *pour tant*, etc.

Puis il lui lut le Calendrier, ce qui lui prit bien seize ans et deux mois. C'est alors que ledit précepteur mou-
25  rut, en l'an mil quatre cent vingt, de la vérole qu'il avait attrapée.

Après, il eut un autre vieux tousseux, nommé maître Jobelin Bridé, qui lui lut Hugutio, le *Grécisme* d'Éverard, le *Doctrinal*, les *Parties*, le *Quid*, le *Supplément*, Marmo-
30  tret, *De la manière de se tenir à table*, les *Quatre Vertus cardinales* de Sénéca, Passaventi avec commentaire, le *Dors en paix*, pour les fêtes, et quelques autres de même farine. Grâce à ces lectures, il devint si sage que jamais depuis nous n'en avons enfourné de semblables.

## COMMENT GARGANTUA FUT CONFIÉ À D'AUTRES PÉDAGOGUES

### [CHAPITRE 15]

Alors son père comprit qu'en vérité il étudiait très bien et y consacrait tout son temps, et que, malgré cela, il ne progressait en rien ; bien pis, il en devenait fou, niais, tout rêveur et radoteur.
5  Comme il s'en plaignait au sire Philippe des Marais, vice-roi de Papeligosse, il comprit qu'il vaudrait mieux qu'il n'apprît rien que d'apprendre de tels livres, avec de tels précepteurs, car leur savoir n'était que bêtises et leur sagesse niaiseries, abâtardissant les nobles et bons
10  esprits et gâtant toute fleur de jeunesse.

---

6. *moufles* : ce sont des mitaines ; d'où le sens de *choses sans valeur.*

10 « Qu'ainsi soit[1], prenez, dit-il, quelqu'un de ces jeunes gens du temps présent, qui ait seulement étudié deux ans. En cas qu'il n'ait meilleur jugement, meilleures paroles, meilleur propos que votre fils, et meilleur entretien et honnêteté entre le monde, réputez-moi à jamais un taille-bacon[2] de la Brenne[3]. »

15 Ce que à Grandgousier plut très bien, et commanda qu'ainsi fût fait.

Au soir, en soupant, ledit des Marays introduit un sien jeune page de Villegongis[4], nommé Eudémon[5], tant bien testonné, tant bien tiré, tant bien épousseté, tant honnête en

20 son maintien que trop mieux• ressemblait quelque petit angelot qu'un homme. Puis dit à Grandgousier :

« Voyez-vous ce jeune enfant ? il n'a encore douze ans. Voyons, si bon vous semble, quelle différence y a entre le savoir de vos rêveurs matéologiens[6] du temps jadis et les

25 jeunes gens de maintenant. »

L'essai plut à Grandgousier, et commanda que le page proposât[7]. Alors Eudémon, demandant congé de ce faire audit vice-roi son maître, le bonnet au poing, la face ouverte, la bouche vermeille, les yeux assurés, et le regard assis sur Gar-

30 gantua avec modestie juvénile, se tint sur ses pieds et commença le louer et magnifier, premièrement de sa vertu et bonnes mœurs, secondement de son savoir, tiercement de sa noblesse, quartement de sa beauté corporelle, et, pour le quint, doucement l'exhortait à révérer son père en toute

35 observance lequel tant s'étudiait à bien le faire instruire ; enfin le priait qu'il le voulût retenir pour le moindre de ses serviteurs, car autre don pour le présent ne requérait des cieux, sinon qu'il lui fût fait grâce de lui complaire en quelque service agréable. Le tout fut par icelui proféré avec gestes tant

40 propres, prononciation tant distincte, voix tant éloquente, et

---

1. *qu'ainsi soit* : pour qu'il en soit ainsi, pour prouver qu'il en est ainsi.
2. *taille-bacon* : tranche-lard, c'est-à-dire fanfaron.
3. *la Brenne* : région d'étangs dans le Berry.
4. *Villegongis* : localité près de Châteauroux.

«Pour vous en convaincre, dit-il, prenez un de ces jeunes gens d'aujourd'hui, n'eût-il étudié que deux ans. S'il n'avait pas un meilleur jugement, de meilleures paroles, un meilleur entretien que votre fils, un meilleur

15 comportement, une plus grande civilité, tenez-moi à jamais pour un vantard de la Brenne.»

Ce qui plut fort à Grandgousier qui donna l'ordre qu'ainsi fut fait.

Le soir, au dîner, ledit des Marais amena un de ses

20 jeunes pages, originaire de Villegongis, nommé Eudémon, si bien coiffé, si bien attifé, si soigné, d'un maintien si courtois qu'il ressemblait beaucoup plus à un petit angelot qu'à un homme. Puis il dit à Grandgousier :

«Voyez-vous ce jeune enfant? Il n'a pas encore douze

25 ans. Voyons, si bon vous semble, la différence qu'il y a entre le savoir de vos imbéciles de rêveurs du temps jadis et celui des jeunes gens de maintenant.»

L'épreuve plut à Grandgousier qui engagea le page à commencer son exposé. Eudémon, alors, demanda la

30 permission du vice-roi son maître, se leva, le bonnet à la main, le visage ouvert, la bouche vermeille et le regard posé sur Gargantua avec une modestie juvénile; il commença à le louer et à exalter en premier lieu sa vertu et ses bonnes mœurs, en second lieu son savoir, en troi-

35 sième lieu sa noblesse, en quatrième lieu la beauté de son corps, et en cinquième lieu, il l'exhorta avec douceur à révérer son père en toute occasion, lui qui se donnait tant de peine pour lui faire donner une bonne éducation; il le pria enfin de bien vouloir le garder

40 comme le dernier de ses serviteurs, car, pour le moment, il ne demandait pas d'autre faveur aux cieux que d'obtenir la grâce de lui plaire par quelque service qui lui fût agréable. Tout cela fut proféré avec des gestes si appropriés, une élocution si distincte, une voix si élo-

---

5. *Eudémon* : nom grec symbolique : fortuné, doué d'un bon génie.
6. *matéologiens* : calembour. Le terme se compose du mot *théologien* et d'un mot grec signifiant *diseur de niaiseries*. Saint Paul définit les *matéologiens* comme des parleurs au verbe creux.
7. *proposât* : fit l'exposé préliminaire à la soutenance de sa thèse.

langage tant orné et bien latin, que mieux ressemblait un Gracchus, un Cicéron ou un Aemilius[1] du temps passé qu'un jouvenceau de ce siècle.

45 Mais toute la contenance de Gargantua fut qu'il se prit à pleurer comme une vache, et se cachait le visage de son bonnet, et ne fut possible de tirer de lui une parole non plus qu'un pet d'un âne mort.

Dont son père fut tant courroucé qu'il voulut occire maître Jobelin. […]

## COMMENT GARGANTUA FUT ENVOYÉ À PARIS, ET DE L'ÉNORME JUMENT QUI LE PORTA ET COMMENT ELLE DÉFIT LES MOUCHES BOVINES DE LA BEAUCE

[CHAPITRE 16]

*Grandgousier décide de faire appel au pédagogue d'Eudémon, Ponocratès, et envoie son fils à Paris « pour connaître quelle était l'étude des jouvenceaux de France pour icelui temps ».*

En cette même saison, Fayoles[2], quart roi de Numidie, envoya du pays d'Afrique à Grandgousier une jument la plus énorme et la plus grande que• fut onques vue, et la plus monstrueuse (comme assez savez qu'Afrique apporte tou-
5 jours quelque chose de nouveau[3]) car elle était grande comme six oriflans et avait les pieds fendus en doigts comme le che-

---

1. *Aemilius* : Tiberius *Gracchus* (162-133 av. J.-C.), le tribun, et *Aemilius,* alias Paul Émile (230-160 av. J.-C.), vainqueur de Persée, roi de Macédoine, sont rangés par Cicéron parmi les grands orateurs.
2. *Fayoles* : peut-être Rabelais fait-il allusion à François de Fayolles, un parent de Geoffroy d'Estissac, son protecteur, qui avait visité les côtes africaines, en lui prêtant cette royauté imaginaire.

45 quente, un langage si fleuri et d'un latin si correct qu'il
ressemblait davantage à un Gracchus, un Cicéron ou un
Paul Émile du temps passé qu'à un jeune homme de son
siècle.

Gargantua, au contraire, pour toute contenance, se
50 mit à pleurer comme une vache, et se cacha le visage de
son bonnet. Il ne fut pas possible de tirer de lui une
parole, pas plus qu'un pet d'un âne mort. Son père en
fut si courroucé qu'il voulut occire maître Jobelin. [...]

## COMMENT GARGANTUA
## FUT ENVOYÉ À PARIS.
## DE L'ÉNORME JUMENT QUI LE PORTA
## ET COMME ELLE ANÉANTIT
## LES MOUCHES À BŒUFS DE LA BEAUCE

### [CHAPITRE 16]

À la même époque, Fayolles, quatrième roi de Numidie, envoya d'Afrique à Grandgousier une jument, la plus
énorme, la plus grande et la plus monstrueuse qu'on ait
jamais vue. (On sait bien que l'Afrique fournit toujours
5 quelque chose de prodigieux.) Elle était grande comme
six éléphants, avait les pieds fendus en doigts comme le

---

3. *nouveau* : extraordinaire, prodigieux ; dicton cité par Érasme dans ses *Adages* :
*Semper Africa novi aliquid apportat.*

val de Jules César[1], les oreilles ainsi pendantes comme les
chèvres de Languegoth[2] et une petite corne au cul. Au reste,
avait poil d'alezan toustade, entreillisé de grises pomme-
10 lettes. Mais sur tout avait la queue horrible, car elle était, poi
plus poi moins[3], grosse comme la pile Saint-Mars[4] auprès de
Langès, et ainsi carrée, avec les brancards[5] ni plus ni moins
ennicrochés[6] que sont les épis au blé. [...]

Et fut amenée par mer en trois caraques et un brigantin[7],
15 jusques au port d'Olonne en Talmondais. Lorsque Grandgousier la vit :

« Voici, dit-il, bien le cas pour porter mon fils à Paris. Or ça,
de par Dieu, tout ira bien. Il sera grand clerc on* temps adve-
nir. Si n'étaient messieurs les bêtes, nous vivrions comme
20 clercs[8]. »

Au lendemain, après boire (comme entendez), prirent chemin Gargantua, son précepteur Ponocrates et ses gens,
ensemble[9] eux Eudémon, le jeune page. Et parce que c'était
en temps serein et bien attrempé, son père lui fit faire des
25 bottes fauves : Babin[10] les nomme brodequins. Ainsi joyeusement passèrent leur grand chemin et toujours grand'
chère[11], jusques au-dessus d'Orléans. Auquel lieu était une
ample forêt, de la longueur de trente et cinq lieues, et de
largeur dix et sept, ou environ. Icelle était horriblement fertile
30 et copieuse en mouches bovines et frelons, de sorte que
c'était une vraie briganderie pour les pauvres juments, ânes
et chevaux. Mais la jument de Gargantua vengea honnête-
ment tous les outrages en icelle perpétrés sur les bêtes de

---

1. *César* : c'était la particularité de la statue équestre de César devant le temple de
Vénus Genitrix à Rome.
2. *Languegoth* : Languedoc. La graphie Languegoth vient d'une fausse étymologie
d'après laquelle le nom de la province viendrait de ses conquérants, les Goths.
3. *poi plus poi moins* : environ, à peu près (*poi* est une forme ancienne de *peu*).
4. *Saint-Mars* : cette tour, située près du village de Saint-Mars, au nord de Chinon,
marquait les limites d'un canton.
5. *brancards* : branches. Les touffes de poils sont comparées à des branches.
6. *ennicrochés* : semblables à une *anicroche* (une espèce d'arme, citée dans le
prologue du *Tiers Livre*).

cheval de Jules César, les oreilles pendantes comme
celles des chèvres du Languedoc, et une petite corne au
cul. Pour le reste, elle avait une robe alezan brûlé, cri-
10 blée de pommelures grises. Mais elle avait surtout une
queue effrayante, grosse à peu près comme la tour Saint-
Mars, près de Langeais, carrée comme elle, avec des
crins embarbelés comme des épis de blé, ni plus ni
moins. [...]
15 La jument fut amenée par mer, dans trois caraques et
un brigantin, jusqu'aux Sables d'Olonne, en Talmondais.
Quand Grandgousier la vit, il dit :
« Voilà bien ce qu'il faut pour emporter mon fils à
Paris. Ainsi, pardieu, tout ira bien. Il sera clerc par la
20 suite. S'il n'y avait pas messires les bêtes, nous vivrions
comme des clercs ! »
Le lendemain, après avoir bu (comme vous le devi-
nez), se mirent en route Gargantua, son précepteur
Ponocratès et ses gens, et avec eux Eudémon, le jeune
25 page. Comme le temps était serein et doux, son père lui
avait fait faire des bottes de cuir fauves, celles que Babin
appelle des bottines. C'est ainsi qu'ils cheminèrent
joyeusement, faisant toujours grande chère, jusqu'au-
dessus d'Orléans. Il y avait, à cet endroit, une vaste
30 forêt, longue de trente-cinq lieues et large de dix-sept,
ou à peu près. Celle-ci était horriblement riche et
féconde en mouches à bœufs et frelons, si bien que
c'était un vrai coupe-gorge pour les pauvres juments, les
ânes et les chevaux. Mais la jument de Gargantua vengea
35 honorablement tous les outrages qui y avaient été
commis sur les bêtes de son espèce par un tour auquel

---

7. la *caraque* est un grand bâtiment à voile (armé surtout à Gênes) ; le *brigantin* est
un petit vaisseau de course.
8. *clercs* : les deux mots du dicton sont intervertis, d'où la plaisanterie.
9. *ensemble* : avec (préposition).
10. *Babin* : cordonnier de Chinon. Le *brodequin* était une sorte de chaussette de
cuir fin.
11. *chère* : au sens propre, *chère* signifie *visage, accueil*. Par extension *faire bonne
chère* a passé du sens de *faire bon accueil* à celui de *faire un bon repas*. C'est le sens
ici.

son espèce, par un tour duquel ne se doutaient mie. Car sou-
35  dain qu'ils furent entrés en ladite forêt et que les frelons lui
eurent livré l'assaut, elle dégaina sa queue, et si bien s'escar-
mouchant les émoucha qu'elle en abattit tout le bois. À tort, à
travers, deçà, delà, par ci, par là, de long, de large, dessus,
dessous, abattait bois comme un faucheur fait d'herbes. En
40  sorte que, depuis, n'y eut ni bois ni frelons, mais fut tout le
pays réduit en campagne.

Quoi voyant Gargantua, y prit plaisir bien grand, sans autrement s'en vanter, et dit à ses gens : «Je trouve *beau ce*»,
dont• fut depuis appelé ce pays la Beauce. [...]

*La chevauchée de Gargantua au-dessus de Paris.*
*Illustration de Robida, vers 1900.*

leurs ennemis ne s'attendaient pas. Car dès qu'ils furent
entrés dans ladite forêt et que les frelons lui eurent
donné l'assaut, elle dégaina sa queue et dans l'escar-
40  mouche les émoucha si bien qu'elle en abattit toute la
forêt. À tort, à travers, de çà, de là, par-ci, par-là, en
long, en large, par-dessus, par-dessous, elle abattait les
arbres comme un faucheur les herbes, si bien que depuis
il n'y eut plus ni arbres ni frelons, et que tout le pays fut
45  transformé en champs.

Ce que voyant, Gargantua éprouva bien du plaisir et,
sans autrement s'en vanter, dit à ses gens : « Je trouve
*beau ce* ». C'est pourquoi depuis lors, ce pays fut appelé
la Beauce. [...]

## *Compréhension*

1. *En quoi les ouvrages utilisés par le précepteur sophiste et ses méthodes présentés au chapitre 14 sont-ils mauvais?*

2. *De quelles qualités Eudémon fait-il preuve au chapitre 15?*

3. *S'agit-il seulement de qualités intellectuelles?*

4. *Que démontre le personnage d'Eudémon?*

5. *Au chapitre 16, la description de la jument et le récit de ses exploits sont-ils comiques? Pourquoi?*

## *Écriture / Réécriture*

6. *Étudiez la composition du discours d'Eudémon au chapitre 15.*

7. *Vous vous adressez (en une ou deux phrases) à un personnage important pour le remercier d'un service rendu ou pour lui en demander un.*

8. *Le chapitre 16 mêle des traits fantastiques et réalistes : donnez-en des exemples.*

*Gargantua vole les cloches de Notre-Dame (ch. 17).*
*Illustration de Gustave Doré, 1873.*
*Gravure de Pannemaker.*

# LA HARANGUE DE MAÎTRE
# JANOTUS DE BRAGMARDO
# FAITE À GARGANTUA POUR RECOUVRER
# LES CLOCHES

## [CHAPITRE 19]

*À Paris, Gargantua suscite l'étonnement général, puis la colère des habitants lorsqu'il emporte les cloches de Notre-Dame pour les attacher au cou de sa jument. C'est le plus vieux et le plus compétent des membres de la Faculté, un théologien, Janotus de Bragmardo, qu'on charge d'aller les réclamer à Gargantua. Celui-ci décide de rendre les cloches avant même d'avoir écouté Janotus, que l'on enivre avant de l'introduire devant le prince (ch. 17 et 18).*

«Ehen, hen, hen! *Mna dies*[1], monsieur, *mna dies*, *et vobis*, messieurs. Ce ne serait que bon que nous rendissiez nos cloches, car elles nous font bien besoin. Hen, hen, hasch! Nous en avions bien autrefois refusé de bon argent de ceux
5 de Londres en Cahors[2], si avions-nous de ceux de Bordeaux en Brie, que˙ les voulaient acheter pour la substantifique qualité de la complexion élémentaire qu'est intronifiquée[3] en la terrestérité de leur nature quidditative[4] pour extranéiser les halos[5] et les turbines sur nos vignes, vraiment non pas
10 nôtres, mais d'ici auprès, car si nous perdons le piot, nous perdons tout, et sens et loi[6].

«Si vous nous les rendez à ma requête, j'y gagnerai six pans[7] de saucisses et une bonne paire de chausses qui me feront grand bien à mes jambes; ou ils ne me tiendront pas

---

1. *mna dies* : *bona dies* : bonjour. Formule de politesse en usage à l'Université (prononciation française).
2. *Londres en Cahors* : il s'agit d'un village du Quercy, près de Marmande. *Bordeaux en Brie* se trouve près de Claye, non loin de Meaux.
3. *intronifiquée* : intronisée.

# COMMENT JANOTUS DE BRAGMARDO FUT ENVOYÉ AUPRÈS DE GARGANTUA POUR RÉCUPÉRER LES GROSSES CLOCHES

## [CHAPITRE 19]

« Euh, hum, hum ! B'jour, monsieur, b'jour, et à vous aussi, messieurs. Ce ne pourrait qu'être bon que vous nous rendissiez nos cloches, car elles nous manquent bien. Hum, hum, atch ! Autrefois, nous en avions bel et
5 bien refusé du bel argent de ceux de Londres près de Cahors, et de même de ceux de Bordeaux en Brie qui voulaient les acheter pour la substantielle qualité de la nature des éléments qui sont établis dans la qualité terrestre de leur nature essentielle pour écarter les
10 halos de la lune, et les tourbillons sur nos vignes non pas les nôtres à vrai dire, mais celles qui sont près d'ici, car si nous perdons le vin, nous perdons tout, et sens et loi.

« Si vous nous les rendez, sur ma requête, j'y gagnerai
15 six empans de saucisses et une bonne paire de chausses qui me feront grand bien aux jambes ; ou alors, on me manquera de parole. Oh ! pardieu, seigneur, c'est une

---

4. *terrestérité, quidditative* : toute cette phrase est une caricature du jargon scolastique.
5. *halos* : halos de la lune, signes de mauvais temps.
6. *et sens et loi* : jeu de mot sur *cens* (redevance) et *sens* (raison), qui confond l'acception philosophique des termes *sens et loi* avec leur acception juridique.
7. *pans* : ou *empan* ; l'empan est une mesure de longueur (environ 24 cm).

51

15　promesse[1]. Ho ! par Dieu, *Domine*, une paire de chausses est
bon, *et vir sapiens non abhorrebit eam*[2]. Ha ! ha ! Il n'a pas
paire de chausses qui veut. Je le sais bien, quant est de moi.
Avisez, *Domine* : il y a dix-huit jours que je suis à matagraboliser[3] cette belle harangue. *Reddite quae sunt Caesaris Caesari,*
20　*et quae sunt Dei Deo*[4]. *Ibi jacet lepus*[5]. Par ma foi, *Domine*, si
voulez souper avec moi *in camera*[6], par le corps Dieu[7] *chari-*
*tatis, nos faciemus bonum cherubin*[8]. *Ego occidi unum por-*
*cum, et ego habeo bon vino*[9]. Mais de bon vin on ne peut
faire mauvais latin.

25　« Or sus, *de parte Dei*[10], *date nobis clochas nostras*. Tenez,
je vous donne de par la Faculté un *sermones de Udino*[11],
que[12], *utinam*[13], vous nous baillez• nos cloches. *Vultis etiam*
*pardonos ? Per diem, vos habebitis et nihil poyabitis*[14].

« Ô monsieur ! *Domine, clochidonnaminor nobis*[15]. *Dea*[16],
30　est *bonum urbis*. Tout le monde s'en sert. Si votre jument
s'en trouve bien, aussi fait notre Faculté, *quae comparata est*
*jumentis insipientibus, et similis facta est eis, Psalmo nescio*
*quo*[17] – si l'avais-je coté en mon paperat – *et est unum*
*bonum Achilles*[18]. Hen, hen, ehen, hasch !

35　« Ça je vous prouve que me les devez bailler. *Ego sic argu-*

---

1. *promesse* : *ils* désigne les confrères de Janotus, qui se méfie à juste titre de leur promesse.
2. *eam* : utilisation comique d'un texte de l'*Ecclésiaste* (38, 4).
3. *matagraboliser* : Rabelais emploie quatre fois ce verbe de son invention. On a proposé comme étymologie : du grec « mataïos » vain, frivole, et d'un dérivé de *grabeler* : examiner attentivement. Le sens du moins est clair : méditer profondément.
4. *Dei Deo* : citation de l'Évangile selon saint Luc, XX, 25.
5. *lepus* : expression traditionnelle dans les controverses d'école : le nœud du problème, l'argument principal.
6. *in camera (caritatis)* : chambre de charité, pièce du couvent où l'on nourrissait gratuitement les hôtes de passage.
7. *par le corps Dieu* : forme de complément du nom sans préposition, usuelle en ancien français, comme dans *Hôtel-Dieu* (la maison de Dieu), *Fête-Dieu*, etc.
8. *bonum cherubin* : bonne chère. *Cherubin* est un mot de fantaisie, emprunté sans doute à l'argot universitaire.
9. *bon vino* : latin de cuisine (forme correcte : *bonum vinum*).
10. *de parte Dei* : tournure correcte, mais non latine (latin francisé).

bonne chose qu'une paire de chausses, et le sage ne la
dédaignera pas. Ah! Ah! N'a pas paire de chausses qui
20 veut. Je le sais bien pour ce qui est de moi. Réfléchissez,
monsieur, il y a dix-huit jours que je suis en train de me
creuser la tête pour méditer cette belle harangue. Rendez à César ce qui est à César, et à Dieu ce qui est à
Dieu. C'est là que gît le lièvre. Par ma foi, seigneur, si
25 vous voulez souper avec moi dans la chambre de charité,
corbleu, nous ferons bonne chère... ubin. Moi, j'ai tué un
porc, et j'ai bonus vino, moi. Et de bon vin on ne peut
faire mauvais latin.

«Allons, de par Dieu, donnez-nous nos cloches.
30 Tenez, je vous offre, au nom de la Faculté, un recueil de
sermons d'Udine, pourvu que (plaise au ciel!) vous nous
rendiez nos cloches. Voulez-vous aussi des indulgences?
Pardi, vous en aurez et vous ne payerez rien. Oh! monsieur, seigneur, clochigratifiez-nous! Vraiment, c'est le
35 bien de la ville. Tout le monde s'en sert. Si votre jument
s'en trouve bien, notre Faculté aussi, laquelle a été
comparée à des juments stupides et rendue semblable à
elles. C'est dans je ne sais quel psaume – je l'avais pourtant bien noté sur mon papelard – et c'est là un argu-
40 ment invincible comme celui d'Achille. Hum, hum, euh!
atch!

«Là, je vais vous prouver que vous devez me les don-

---

11. *Udino* : Leonardo Mattei d'Udine était l'auteur de sermons célèbres. *Un* (singulier) s'accorde avec *sermones* (pluriel), qui a la valeur d'un pluriel collectif, utilisé
dans les titres pour désigner un recueil.
12. *que* : pourvu que.
13. *utinam* : plaise au ciel! formule latine de souhait.
14. *poyabitis* : allusion au trafic des indulgences, une des causes de la Réforme (voir
*Pantagruel*, ch. 17). Latin de cuisine : *per diem*, pendant le jour (confusion avec *per
Deum*, par Dieu) ; *poyabitis* : forme correcte de futur, mais *poyare* est un verbe
fantaisiste.
15. *clochidonnaminor nobis* : comme tous les mots forgés sur *clocha* (pseudo-latin)
qui vont suivre, l'expression n'a aucun sens.
16. *Dea* : oui, vraiment (altération de : «diable»).
17. *nescio quo* : latin correct et application bouffonne du psaume 48.
18. *bonum Achilles* : en terme d'école, un argument invincible (semblable au
fameux argument d'Achille et de la tortue qui prétendait prouver que le mouvement
n'existait pas).

*mentor : Omnis clocha clochabilis in clocherio clochando clochans clochativo clochare facit clochabiliter clochantes. Parisius habet clochas*[1]. *Ergo gluc*[2]. Ha, ha, ha, c'est parlé cela ! Il est *in tertio prime*, en *Darii* ou ailleurs[3]. Par mon âme, j'ai vu le

40 temps que je faisais diables[4] d'arguer. Mais de présent je ne fais plus que rêver, et ne me faut plus dorénavant que bon vin, bon lit, le dos au feu, le ventre à table et écuelle bien profonde. Hé, *Domine,* je vous prie, *in nomine Patris et Filii et Spiritus sancti, amen,* que vous rendez• nos cloches, et Dieu

45 vous gard• de mal et Notre-Dame de Santé[5], *qui vivit et regnat per omnia saecula saeculorum, amen*[6]. Hen ! he, hasch, asch, grenhenhasch !

« *Verum enim vero, quando quidem, dubio procul, edepol, quoniam, ita, certe, meus Deus fidus,* une ville sans cloches

50 est comme un aveugle sans bâton, un âne sans croupière, et une vache sans cymbales. Jusques à ce que nous les ayez rendues, nous ne cesserons de crier après vous comme un aveugle qui a perdu son bâton, de brailler comme un âne sans croupière, et de brâmer comme une vache sans cymbales. Un

55 quidam latinisateur, demeurant près l'Hôtel-Dieu, dit une fois, alléguant l'autorité d'un Taponnus (je faux, c'était Pontanus[7], poète séculier) qu'il désirait qu'elles fussent de plume et le bétail fût d'une queue de renard, pour ce qu'elles lui engendraient la chronique[8] aux tripes du cerveau quand il compo-

---

1. *clochas* : le passage est purement fantaisiste. Mais Janotus respecte les désinences et les formes latines de chaque catégorie grammaticale. Une incorrection pourtant : l'emploi de *facit* avec un infinitif ; et le fantaisiste *clocha,* bien sûr.
2. *ergo gluc* : donc (mot latin, indique la conclusion du raisonnement). *Gluc* ne signifie rien. En argot d'école, *ergo gluc* indique la conclusion non exprimée d'un raisonnement absurde.
3. *ou ailleurs* : Janotus voudrait vanter son syllogisme en le faisant entrer dans une classification traditionnelle, mais il ne sait plus dans quel mode le classer. *In tertio prime* et *Darii* sont des expressions scolastiques, renvoyant à certains genres de syllogismes. Le mot *Darii* désigne le syllogisme où la majeure est une affirmation générale et où la mineure et la conclusion sont des propositions particulières (exemple : « tous les hommes sont mortels, or Socrate est un homme, donc Socrate est mortel).
4. *je faisais diables* : je faisais des exploits diaboliques.

ner. Voici mon raisonnement : toute cloche clochable
en clochant dans un clocher, clochant par le clochatif,
45 fait clocher les clochants clochablement. Or Paris a des
cloches. Donc, C.Q.F.D. Ah ! Ah ! Ah ! c'est parlé cela !
Mon syllogisme est dans le troisième mode de la première figure, dans la catégorie *Darii* ou dans une autre.
Par mon âme, j'ai vu le temps où je faisais des merveilles
50 en fait d'argumentation. Mais à présent, je ne fais plus
que radoter et tout ce qu'il me faut désormais c'est bon
vin, bon lit, le dos au feu, le ventre à table, et une
écuelle bien profonde. Ah ! seigneur, je vous en prie, au
nom du Père, du Fils et du Saint-Esprit, ainsi soit-il,
55 rendez-nous nos cloches et que Dieu vous garde de mal
et Notre-Dame de Santé, qui vit et règne dans tous les
siècles des siècles, ainsi soit-il. Hum, eh ! atc, atch,
greuh-hum-atch !
   « Mais en vérité, étant donné que, sans doute, par Pol-
60 lux, puisque, ainsi du moins, mon Dieu, sur ma foi, une
ville sans cloches est comme un aveugle sans bâton, un
âne sans croupière, et une vache sans sonnailles, nous
ne cesserons de crier après vous comme un aveugle qui
a perdu son bâton, de braire comme un âne sans crou-
65 pière et de beugler comme une vache sans sonnailles.
Un quidam latiniseur, demeurant près de l'Hôtel-Dieu, a
dit un beau jour, alléguant l'autorité d'un certain Taponnus (je me trompe, c'est Pontanus que je voulais dire, le
poète profane), qu'il désirait qu'elles fussent en plume,
70 avec un battant en queue de renard, parce qu'elles lui
donnaient la colique aux tripes du cerveau quand il

---

5. *Santé* : invocation sous laquelle la Vierge était vénérée dans le Midi. Phrase
équivoque : on peut comprendre que Notre-Dame vous protège contre la santé.
6. *amen* : autre équivoque. La formule liturgique s'applique à Dieu. Mais l'ordre des
mots dans la phrase risque de la faire rapporter à la Vierge.
7. *Pontanus* : l'humaniste italien *Pontano* (1426-1503) avait dit son horreur des
cloches dans un dialogue, *Charon*.
8. *engendraient la chronique* : donnaient la colique ; calembour farcesque.

60 sait ses vers carminiformes[1]. Mais, nac petetin petetac, ticque, torche, lorgne[2], il fut déclaré hérétique : nous les faisons comme de cire[3]. Et plus n'en dit le déposant. *Valete et plaudite. Calepinus recensui[4].* »

*Maître Janotus harangue Gargantua pour ravoir les cloches* (ch. 19).
*Illustration de L.F. du Bourg.*

1. *carminiformes* : en forme de vers (pléonasme).
2. *lorgne* : onomatopées qui miment la lutte.
3. *cire* : aussi facilement qu'on modèle de la cire.
4. *recensui* : les trois formules finales sont disparates, mais Janotus ne se soucie pas de leur sens : la première est empruntée au vocabulaire judiciaire, la seconde à la comédie latine (*Portez-vous bien* et *applaudissez* étaient les derniers mots de la comédie), la dernière est celle dont se servaient les commentateurs à la fin de la copie d'un manuscrit : c'est ainsi que *Calepin* (le moine italien Calepino, 1440-1510, dont le nom est resté célèbre) termine son dictionnaire.

composait ses vers poésiformes. Mais nac petetin petetac, ticque, torche, lorgne, il a été déclaré hérétique :
nous les façonnons comme figures de cire. Le déposant
75 n'a plus rien à dire. La comédie est finie. Achevé
d'imprimer. »

## Compréhension

1. *Les circonstances dans lesquelles est prononcée la harangue permettent de saisir pleinement le sens du passage. Rappelez-les brièvement et indiquez dans quelle mesure elles contribuent au comique? Que savez-vous de Janotus avant son entrée en scène?*

2. *La satire du clerc est traditionnelle dans la littérature médiévale : quels travers du vieux maître révèle cette harangue? Le thème du vin est-il traité de la même façon que dans les précédents chapitres?*

3. *Quels défauts d'esprit du sophiste sont soulignés ici? Lui sont-ils personnels? Quels aveux inquiétants transparaissent dans ses propos?*

4. *Quelle est la portée de ce chapitre? Quel est le ton de la satire? Sur quels points précis portent les attaques de Rabelais?*

## Écriture / Réécriture

5. *Sa harangue est une parodie de la rhétorique traditionnelle : comment est-elle composée (en repérer les différentes parties)? Peut-on en dégager les qualités de la bonne rhétorique selon Rabelais?*

6. *Les divers procédés du comique : comment est utilisé le latin, comment se manifeste l'érudition du personnage? Apprécier la variété du rythme du discours.*

*Le festin de Gargantua. Illustration de Gustave Doré, 1873.*
*Gravure sur bois de Jonnard.*

# L'ÉTUDE DE GARGANTUA
## SELON LA DISCIPLINE
## DE SES PRÉCEPTEURS SOPHISTES[1]

[CHAPITRE 21]

*Ponocratès se met alors à l'éducation de Gargantua. Mais il ne veut d'abord rien changer aux habitudes de son élève, pour juger des méfaits de sa première éducation.*

[...] Il dispensait son temps en telle façon que, ordinairement, il s'éveillait entre huit et neuf heures, fût jour ou non ; ainsi l'avaient ordonné ses régents théologiques, alléguants ce que dit David : *vanum est vobis ante lucem surgere*[2].

5     Puis se gambayait, penadait, et paillardait parmi[3] le lit quelque temps, pour mieux ébaudir ses esprits animaux[4], et s'habillait selon la saison, mais volontiers portait-il une grande et longue robe de grosse frise, fourrée de renards ; après se peignait du peigne d'Almain[5], c'était des quatre doigts et le
10     pouce, car ses précepteurs disaient que soi autrement peigner, laver et nettoyer était perdre temps en ce monde.

    Puis fientait, pissait, rendait sa gorge[6], rotait, pétait, bâillait, crachait, toussait, sanglotait, éternuait et se morvait en archidiacre[7], et déjeunait pour abattre la rosée et mauvais air :
15     belles tripes frites, belles carbonnades, beaux jambons, belles cabirotades[8] et force soupes de prime[9]. Ponocrates lui remontrait que tant soudain ne devait repaître au partir du lit,

---

1. *sophistes* : la première édition portait : *L'étude et diète de Gargantua selon la discipline de ses précepteurs sorbonagres.*
2. *surgere* : utilisation comique du psaume 126, 2.
3. *parmi* : dans.
4. *esprits animaux* : fluide formé dans le cœur et le cerveau et distribué par les nerfs dans le corps, selon la médecine du temps.
5. *Almain* : docteur de l'Université de Paris, l'exemple type du professeur désuet pour les humanistes ; il y a en même temps un jeu de mots : Gargantua se peigne avec les doigts de la main.
6. *rendait sa gorge* : vomissait.

# L'ÉTUDE DE GARGANTUA
## SELON LES MÉTHODES
## DE SES PRÉCEPTEURS SOPHISTES

### [CHAPITRE 21]

[...] Il employait son temps de telle sorte qu'il s'éveillait habituellement entre huit et neuf heures, qu'il fît jour
ou non ; ses maîtres, les théologiens, en avaient décidé
ainsi, alléguant les paroles de David : « Il est vain de se
5 lever avant la lumière. »

Puis il gambadait, faisait des sauts, et se vautrait un
moment sur son lit pour mieux réveiller ses esprits animaux. Il s'habillait selon la saison, mais portait volontiers une grande robe longue de laine épaisse, fourrée de
10 renards ; après, il se peignait avec le peigne d'Almain,
c'est-à-dire avec les quatre doigts et le pouce, car ses
précepteurs disaient que se peigner, se laver et se nettoyer autrement c'était perdre son temps en ce monde.

Puis il fientait, pissait, se raclait la gorge, rotait, pétait,
15 bâillait, crachait, toussait, sanglotait, éternuait et se
mouchait comme un archidiacre, et pour abattre la rosée
et le mauvais air, il déjeunait de belles tripes frites, de
belles grillades, de beaux jambons, de beaux sautés de
chevreau et d'une quantité de tranches de pain mati-
20 nales. Ponocratès lui faisant observer qu'il ne devait pas
en engouffrer tant juste au sortir du lit sans avoir pris
d'abord un peu d'exercice, Gargantua répondit :

---

7. *archidiacre* : expression populaire : copieusement (les chanoines étaient riches)
ou salement (on raillait leur malpropreté).
8. *cabirotades* : grillades de chevreau.
9. *de prime* : tranches de pain trempées dans du bouillon que l'on mangeait au
couvent à l'heure de l'office de *prime*, c'est-à-dire à l'aube.

sans avoir premièrement fait quelque exercice. Gargantua répondit :

20 « Quoi ? N'ai-je fait suffisant exercice ? Je me suis vautré six ou sept tours parmi le lit devant que me lever. N'est-ce assez ? Le pape Alexandre[1] ainsi faisait par le conseil de son médecin juif[2], et vécut jusques à la mort, en dépit des envieux. Mes premiers maîtres m'y ont accoutumé, disants
25 que le déjeuner faisait bonne mémoire ; pourtant y buvaient les premiers. Je m'en trouve fort bien, et n'en dîne que mieux. Et me disait maître Tubal (qui fut premier de sa licence à Paris) que ce n'est tout l'avantage de courir bien tôt, mais bien de partir de bonne heure ; aussi n'est-ce la santé totale
30 de notre humanité boire à tas, à tas, à tas, comme canes, mais oui bien de boire matin ; *unde versus :*

> Lever matin n'est point bonheur ;
> Boire matin est le meilleur[3]. »

Après avoir bien à point déjeuné, allait à l'église, et lui por-
35 tait-on, dedans un grand panier, un gros bréviaire empantou-flé[4], pesant tant en graisse qu'en fermoirs et parchemins[5], poi plus poi moins, onze quintaux six livres. Là oyait vingt et six ou trente messes. Cependant venait son diseur d'heures en place empaletoqué comme une dupe, et très bien antidoté
40 son haleine à force sirop vignolat[6]. Avec icelui marmonnait toutes ces kyrielles, et tant curieusement les épluchait qu'il n'en tombait un seul grain en terre. Au partir de l'église, on lui amenait, sur une traine[7] à bœufs, un farat de patenôtres de Saint-Claude aussi grosses chacune qu'est le moule d'un
45 bonnet[8], et, se promenant par les cloîtres, galeries ou jardin, en disait plus que seize ermites.

---

1. *Alexandre* : Alexandre VI Borgia, qui régna de 1492 à 1503.
2. *médecin juif* : Bonnet de Lates, médecin et astrologue, était un juif provençal converti. On sait l'hostilité de Rabelais à l'égard des médecins juifs et arabes.
3. *meilleur* : déformation comique d'un proverbe qui disait non pas *boire*, mais *déjeuner matin est le meilleur.*

«Quoi? N'ai-je pas fait suffisamment d'exercice? Je me suis retourné six ou sept fois dans mon lit avant de
25 me lever. N'est-ce pas assez? C'est ce que faisait le pape Alexandre, sur les conseils de son médecin juif, et il vécut jusqu'à sa mort en dépit des envieux. Mes premiers maîtres m'y ont habitué, disant que le déjeuner donnait bonne mémoire. Aussi étaient-ils les premiers à
30 boire. Je m'en trouve fort bien et n'en dîne que mieux. Et maître Thubal (qui fut le premier de sa licence à Paris) disait que ce n'est pas le tout de courir bien vite, et qu'il vaut mieux partir de bonne heure. Aussi la santé parfaite de notre humanité, ce n'est pas de boire des tas,
35 des tas, des tas, comme les canes, mais bien de boire le matin; d'où le dicton :

> Lever matin n'est pas bonheur;
> Boire matin est bien meilleur.

Après avoir déjeuné bien comme il faut, il allait à l'église
40 et on lui portait, dans un grand panier, un gros bréviaire emmitouflé, pesant tant en graisse qu'en fermoirs et parchemins, onze quintaux six livres à peu près. Là, il entendait vingt-six ou trente messes. Alors venait son diseur d'heures en titre, encapuchonné comme une huppe, qui
45 s'était bien immunisé l'haleine à grand renfort de sirop de vigne. Il marmonnait avec lui toutes ces kyrielles, et les épluchait si soigneusement qu'il n'en tombait pas un seul grain à terre. Au sortir de l'église, on lui apportait, sur un fardier à bœufs, un tas de chapelets de Saint-Claude, dont
50 chaque grain était gros comme le moule d'un bonnet; en se promenant à travers les cloîtres, les galeries et le jardin, il en disait plus que seize ermites.

---

4. *empantouflé* : le bréviaire, dans sa housse d'étoffe, évoque un pied dans une pantoufle.
5. *parchemins* : expression empruntée au langage des marchands de bestiaux : «*tant en graisse qu'en viande*». Rabelais joue sur le mot *graisse,* et fait allusion à la crasse du bréviaire.
6. *vignolat* : adjectif formé sur *vigne.*
7. *traine* : grosse poutre munie de deux roues sur laquelle on transportait des troncs d'arbres.
8. *le moule d'un bonnet* : métaphore plaisante pour désigner la tête.

Puis étudiait quelque méchante demie heure, les yeux assis dessus son livre ; mais, comme dit le Comique[1], son âme était en la cuisine. [...]

## COMMENT GARGANTUA FUT INSTITUÉ PAR PONOCRATES EN TELLE DISCIPLINE QU'IL NE PERDAIT HEURE DU JOUR

[CHAPITRE 23]

Quand Ponocrates connut la vicieuse manière de vivre de Gargantua, délibéra autrement l'instituer en lettres ; mais, pour les premiers jours, le toléra, considérant que Nature n'endure mutations soudaines sans grande violence.

5    Pour donc mieux son œuvre commencer, supplia un savant médecin de celui temps, nommé maître Théodore[2], à ce qu'il considérât si possible était remettre Gargantua en meilleure voie, lequel le purgea canoniquement[3] avec ellébore d'Anticyre[4], et, par ce médicament, lui nettoya toute l'altération et
10   perverse habitude du cerveau. Par ce moyen aussi, Ponocrates lui fit oublier tout ce qu'il avait appris sous ses antiques précepteurs, comme faisait Timothée[5] à ses disciples, qui avaient été instruits sous autres musiciens.

Pour mieux ce faire, l'introduisait ès• compagnies des gens
15   savants que• là étaient, à l'émulation desquels lui crût l'esprit et le désir d'étudier autrement et se faire valoir.

Après, en tel train d'étude le mit qu'il ne perdait heure quelconque du jour : ains[6] tout son temps consommait en lettres

---

1.   *le Comique* : Térence, dans *L'Eunuque*, v. 816 : *Animus est in patinis* (son esprit est tout aux casseroles).
2.   *Théodore* : nom grec (signifiant *don de Dieu*) qui a remplacé *Séraphin Calobarsy* (anagramme de François Rabelais) de la première édition.
3.   *canoniquement* : selon les règles (de la médecine). *La Purgation canonique* (expiation légale) était un chapitre du *Digeste* (recueil de droit).

Puis il étudiait durant une méchante demi-heure, les yeux fixés sur son livre, mais, comme dit le poète
55 comique, son esprit était à la cuisine. [...]

## COMMENT GARGANTUA FUT FORMÉ SELON LES MÉTHODES DE PONOCRATÈS DE TELLE FAÇON QU'IL NE PERDAIT PAS UNE HEURE DE LA JOURNÉE

### [CHAPITRE 23]

Quand Ponocratès connut le mode de vie aberrant de Gargantua, il décida de le former tout autrement aux belles-lettres ; mais pour les premiers jours, il laissa faire, considérant que la nature ne subit pas de muta-
5 tions soudaines sans grande violence.

Alors, pour mieux commencer sa tâche, il supplia un savant médecin de ce temps-là, nommé maître Théodore, d'envisager s'il était possible de remettre Gargantua en meilleure voie. Celui-là le purgea selon les règles
10 avec de l'ellébore d'Anticyre et, grâce à ce médicament, lui nettoya le cerveau de tout vice et de toute fâcheuse habitude. Et de cette façon, Ponocratès lui fit oublier tout ce qu'il avait appris avec ses anciens précepteurs, comme faisait Timothée avec ceux de ses disciples qui
15 avaient été formés par d'autres musiciens.

Pour mieux y parvenir, il l'introduisit dans des cercles de savants qui se trouvaient là ; le souci de rivaliser avec eux lui développa l'esprit et lui donna le désir d'étudier différemment et de se montrer à son avantage.
20 Puis il le soumit à un rythme de travail tel qu'il ne perdait pas une heure de la journée, mais consacrait au

---

4. *ellébore d'Anticyre* : remède proverbial de la folie.
5. *Timothée* : poète lyrique grec (v$^e$ s. av. J.-C.) qui, dit-on, ajouta plusieurs cordes à la lyre et créa un nouveau style musical.
6. *ains* : sens adversatif : *au contraire*, en ancien et en moyen français.

et honnête savoir. S'éveillait donc Gargantua environ quatre
20  heures du matin[1]. Cependant qu'on le frottait, lui était lue
quelque pagine de la divine Écriture hautement et clairement,
avec prononciation compétente à la matière[2], et à ce était
commis un jeune page, natif de Basché[3], nommé Anagnostes[4]. Selon le propos et argument de cette leçon, sou-
25  ventes fois s'adonnait à révérer, adorer, prier et supplier le
bon Dieu, duquel la lecture montrait la majesté et jugements
merveilleux.

Puis allait ès° lieux secrets faire excrétion des digestions
naturelles. Là son précepteur répétait ce qu'avait été lu, lui
30  exposant les points plus obscurs et difficiles[5]. Eux retour-
nants°, considéraient l'état du ciel, si tel était comme
l'avaient noté au soir précédent, et quels signes entrait[6] le
soleil, aussi la lune, pour icelle journée.

Ce fait, était habillé, peigné, testonné, accoutré et parfumé,
35  durant lequel temps on lui répétait les leçons du jour d'avant.
Lui-même les disait par cœur et y fondait quelques cas pratiques et concernants° l'état humain, lesquels ils étendaient
aucunes° fois jusque deux ou trois heures, mais ordinairement
cessaient lorsqu'il était du tout habillé. Puis par trois bonnes
40  heures lui était faite lecture.

Ce fait, issaient hors, toujours conférants° des propos de la
lecture, et se déportaient[7] en Bracque[8], ou ès prés, et
jouaient à la balle, à la paume, à la pile trigone[9], galantement
s'exerçants les corps comme ils avaient les âmes auparavant

---

1.  *quatre heures du matin* : à l'heure solaire, soit cinq heures du matin aujourd'hui.
C'était l'heure normale du lever pour les gens du xvie siècle, qui se levaient et se
couchaient avec le soleil.
2.  *matière* : la lecture de la Bible remplace les 26 ou 30 messes du ch. 21. Le texte
n'est plus marmonné de façon inintelligible, et l'on veille à ce que la prononciation
soit correcte, comme le souhaitaient les luthériens, mais aussi Érasme et Lefèvre
d'Étaples.
3.  *Basché* : localité près de Chinon.
4.  *Anagnostes* : lecteur (mot grec).
5.  *plus obscurs et difficiles* : ce sont des superlatifs relatifs (l'ancienne langue
omettait l'article dans cette construction qui s'est maintenue jusqu'à la fin du
xviie siècle).

contraire tout son temps aux lettres et au noble savoir. Gargantua s'éveillait donc vers quatre heures du matin. Tandis qu'on le frictionnait, on lui lisait quelque page
25 des saintes Écritures, à voix haute et claire, avec la prononciation convenable. Cet office était confié à un jeune page, originaire de Basché, nommé Anagnostes. Selon le thème et le sujet du texte, il se mettait à révérer, adorer, prier et supplier à plusieurs reprises le bon Dieu, dont la
30 lecture prouvait la majesté et les merveilleux jugements.

Puis il allait aux lieux secrets excréter le produit des digestions naturelles. Là, son précepteur répétait ce qu'on avait lu et lui expliquait les points les plus obscurs et les plus difficiles. Quand ils revenaient, ils considé-
35 raient l'état du ciel, notant s'il était tel qu'ils l'avaient remarqué le soir précédent, et en quels signes entrait le soleil, et aussi la lune ce jour-là.

Cela fait, on l'habillait, on le peignait, on le coiffait, on l'apprêtait, on le parfumait et pendant ce temps, on
40 lui répétait les leçons du jour précédent. Lui-même les récitait par cœur et les confrontait avec quelques exemples pratiques concernant la vie humaine, ce qui leur prenait parfois deux ou trois heures, mais, d'ordinaire on s'arrêtait quand il était complètement habillé.
45 Ensuite pendant trois bonnes heures, on lui faisait la lecture.

Alors ils sortaient, en discutant toujours du sujet de la lecture et ils allaient se divertir au Grand Braque, ou dans les prés et jouaient à la balle, à la paume, à la pile
50 en triangle, s'exerçant élégamment le corps comme ils s'étaient auparavant exercé l'esprit. Tous leurs jeux se

---

6. *entrait* : inversion et construction transitive du verbe *entrer*.

7. *se déportaient* : deux sens sont possibles : *aller, se transporter*, ou *se divertir* (le *desport* : amusement, en ancien français, a donné *sport*, par l'intermédiaire de l'anglais).

8. *Bracque* : le jeu de paume du Grand Braque était situé près de la place de l'Estrapade.

9. *pile trigone* : jeu de balle où les trois joueurs se plaçaient en triangle (*trigone*).

45  exercé[1]. Tout leur jeu n'était qu'en liberté, car ils laissaient la
partie quand leur plaisait, et cessaient ordinairement lorsque
suaient parmi le corps, ou étaient autrement las. Adonc
étaient très bien essuyés et frottés[2], changeaient de chemise,
et, doucement se promenants, allaient voir si le dîner était
50  prêt. Là attendants, récitaient clairement et éloquemment
quelques sentences retenues de la leçon.

Cependant Monsieur[3] l'Appétit venait, et par bonne oppor-
tunité s'asseyaient à table. Au commencement du repas, était
lue quelque histoire plaisante des anciennes prouesses[4],
55  jusques à ce qu'il eût pris son vin. Lors, si bon semblait, on
continuait la lecture, ou commençaient à deviser joyeusement
ensemble, parlants, pour les premiers mois, de la vertu, propriété, efficace et nature de tout ce que leur était servi à table :
du pain, du vin, de l'eau, du sel, des viandes, poissons, fruits,
60  herbes, racines, et de l'apprêt d'icelles. Ce que faisant, apprit
en peu de temps tous les passages à ce compétants en Pline,
Athénée, Dioscorides, Julius Pollux, Galien, Porphyre, Oppian,
Polybe, Héliodore, Aristotèles, Elian[5] et autres. Iceux propos
tenus, faisaient souvent, pour plus être assurés, apporter les
65  livres susdits à table. Et si bien et entièrement retint en sa
mémoire les choses dites, que, pour lors, n'était médecin qui
en sut à la moitié tant comme il faisait[6]. Après, devisaient des
leçons lues au matin, et, parachevant leur repas par quelque
confection de cotoniat, s'écurait les dents avec un trou de
70  lentisque, se lavait les mains et les yeux de belle eau fraîche et
rendaient grâces à Dieu par quelques beaux cantiques faits à la
louange de la munificence et bénignité divine.

---

1.  *exercé* : le participe passé conjugué avec l'auxiliaire *avoir* peut ou non suivre la
règle d'accord, qui n'a été fixée définitivement qu'à la fin du XVIIe siècle.
2.  *frottés* : ils ne se lavent pas (Gargantua de même est *frotté* le matin) : l'habitude
des bains, fréquente au Moyen Âge, s'était perdue. Il s'agit donc plutôt d'une friction
ou d'un massage.
3.  *Monsieur* : Monseigneur (titre donné à un prince).
4.  *prouesses* : allusion aux romans de chevalerie, encore très lus au XVIe siècle.
5.  *Élian* (Élien) : tous ces auteurs ont parlé des animaux et des plantes. *Pline*
*l'Ancien* (Ier s. ap. J.-C.), auteur d'une *Histoire naturelle*, est le seul latin de cette

faisaient en liberté, car ils abandonnaient la partie
quand il leur plaisait, et ils s'arrêtaient d'ordinaire
quand la sueur leur coulait sur le corps, ou qu'ils étaient
55 autrement fatigués. Alors ils étaient très bien essuyés et
frictionnés, ils changeaient de chemise, et allaient voir si
le dîner était prêt en se promenant doucement. Là, en
attendant, ils récitaient à voix claire et avec éloquence
quelques maximes retenues de la leçon.

60 Cependant Monsieur l'Appétit venait ; c'est au bon
moment qu'ils s'asseyaient à table. Au commencement
du repas, on lisait quelque histoire plaisante des
anciennes prouesses jusqu'à ce qu'il prît son vin. Alors, si
on le jugeait bon, on continuait la lecture, ou ils commen-
65 çaient à deviser joyeusement tous ensemble. Pendant les
premiers mois ils parlaient de la vertu, de la propriété, des
effets et de la nature de tout ce qui leur était servi à table :
du pain, du vin, de l'eau, du sel, des viandes, des poissons,
des fruits, des herbes, des racines et de leur préparation.
70 Ce faisant, Gargantua apprit en peu de temps tous les
passages relatifs à ce sujet dans Pline, Athénée, Dioscoride, Julius Pollux, Galien, Porphyre, Oppien, Polybe,
Héliodore, Aristote, Élien et d'autres. Après s'être entre-
tenus là-dessus, ils faisaient souvent, pour plus de sûreté,
75 apporter à table les livres en question. Gargantua retint si
bien, si parfaitement ce qui se disait là-dessus qu'il n'y
avait pas alors de médecin qui sût la moitié de ce qu'il
savait. Après, ils parlaient des lectures du matin, et termi-
nant leur repas par quelque confiture de coings, il se
80 curait les dents avec un bout de lentisque, se lavait les
mains et les yeux de belle eau fraîche et tous rendaient
grâce à Dieu par quelques beaux cantiques à la louange de
la munificence et bonté divines.

---

énumération. Les autres sont grecs. *Athénée* (III<sup>e</sup> s. ap. J.-C.) a écrit une encyclopédie
sur la civilisation antique, le *Banquet des sophistes* ; *Dioscoride(s)* (I<sup>er</sup> s. ap. J.-C.) et
*Galien* (II<sup>e</sup> s. ap. J.-C.) sont deux célèbres médecins ; *Julius Pollux* est un grammai-
rien (II<sup>e</sup> s. ap. J.-C.) ; *Porphyre* un philosophe (III<sup>e</sup> s. ap. J.-C.) ; *Polybe* (II<sup>e</sup> s. av. J.-C.)
un historien ; *Héliodore* un romancier (III<sup>e</sup> s. ap. J.-C.) ; *Aristotèles* (Aristote), le grand
philosophe (IV<sup>e</sup> s. av. J.-C.), est cité ici comme auteur de traités d'histoire naturelle.
*Élian* (Élien) (170-235) a écrit un traité *De la nature des animaux*.
6. *faisait* : emploi courant du verbe *faire* pour remplacer le verbe qui le précède.

Ce fait, on apportait des cartes, non pour jouer, mais pour y
apprendre mille petites gentillesses et inventions nouvelles,
75 lesquelles toutes issaient d'arithmétique. En ce moyen entra
en affection d'icelle science numérale, et, tous les jours après
dîner et souper, y passait temps aussi plaisantement qu'il
soulait[1] en dés ou ès° cartes. A tant sut d'icelle et théorique
et pratique, si bien que Tunstal[2], Anglais qui en avait ample-
80 ment écrit, confessa que vraiment, en comparaison de lui, il
n'y entendait que le haut allemand[3].

Et non seulement d'icelle, mais des autres sciences mathématiques comme géométrie, astronomie et musique ; car,
attendants la concoction et digestion[4] de son past, ils fai-
85 saient mille joyeux instruments et figures géométriques, et de
même pratiquaient les canons astronomiques. Après s'ébau-
dissaient à chanter musicalement à quatre et cinq parties, ou
sur un thème, à plaisir de gorge[5]. Au regard des instruments
de musique, il apprit jouer du luc[6], de l'épinette[7], de la harpe,
90 de la flûte d'allemand[8] et à neuf trous, de la viole[9] et de la
sacquebutte[10].

Cette heure ainsi employée, la digestion parachevée, se
purgeait des excréments naturels ; puis se remettait à son
étude principal[11] par trois heures ou davantage, tant à répéter
95 la lecture matutinale qu'à poursuivre le livre entrepris,
qu'aussi à écrire et bien traire et former les antiques et
romaines lettres[12].

---

1.  *soulait* : avait l'habitude *(souloir)*.
2.  *Tunstal* : évêque de Durham et secrétaire de Henri VIII ; avait écrit un traité
d'arithmétique en 1522.
3.  *haut allemand* : expression obscure qui peut désigner l'allemand ancien (celui du
Moyen Âge) ou celui de la haute Allemagne (la Bavière).
4.  *concoction et digestion* : les deux mots sont synonymes.
5.  *à plaisir de gorge* : il doit s'agir d'une interprétation libre avec effets de gorge
laissés à l'inspiration du chanteur (« exercice » d'origine italienne).
6.  *luc* : luth, l'instrument dont on se servait le plus au xvi⁰ siècle.
7.  *épinette* : instrument à clavier et à cordes, ancêtre du clavecin.
8.  *flûte d'allemand* : flûte traversière, inventée en Allemagne.
9.  *viole* : instrument à cordes frottées.

Là-dessus, on apportait des cartes, non pas pour
85 jouer, mais pour y apprendre mille petits jeux et inventions nouvelles qui tous découlaient de l'arithmétique.
De cette façon, il prit goût à la science des nombres et
tous les jours, après le dîner et le souper, il y passait son
temps avec autant de plaisir qu'il en prenait d'habitude
90 aux dés ou aux cartes. Il en connut si bien la théorie et la
pratique que l'Anglais Tunstal qui avait abondamment
écrit sur le sujet confessa que vraiment, comparé au
prince, il n'y comprenait que le haut allemand.

Non seulement il fut versé dans cette science, mais
95 aussi dans les autres sciences mathématiques, comme la
géométrie, l'astronomie et la musique : car en attendant
la concoction et la digestion de la nourriture, ils faisaient
mille joyeux instruments et figures géométriques et de
même ils apprenaient les lois astronomiques. Après ils
100 s'amusaient à chanter à quatre ou cinq voix, avec un
accompagnement musical et à faire des variations
vocales sur un thème. Pour ce qui est des instruments de
musique, il apprit à jouer du luth, de l'épinette, de la
harpe, de la flûte traversière et de la flûte à neuf trous,
105 de la viole et du trombone.

Cette heure ainsi employée, et sa digestion bien achevée, il se purgeait de ses excréments naturels, puis se
remettait à son principal objet d'étude trois heures
durant ou davantage, tant pour répéter la lecture du
110 matin que pour poursuivre le livre entrepris, et aussi
écrire, bien tracer et former les lettres anciennes et les
caractères romains.

---

10. *sacquebutte* : sorte de trombone.
11. *principal* : *étude* est masculin au xvi⁰ siècle.
12. *lettres* : les lettres *antiques* désignent l'écriture ancienne (médiévale, gothique),
les *romaines* l'écriture nouvelle, venue d'Italie.

Ce fait, issaient hors leur hôtel, avec eux un jeune gentilhomme de Touraine nommé l'écuyer Gymnaste[1] lequel lui
100 montrait l'art de chevalerie. [...]

*Rabelais énumère alors les exercices qui feront de Gargantua*
*un parfait chevalier et un athlète accompli : équitation, nata-*
*tion, entraînement à l'art nautique, maniement d'armes, exer-*
*cices physiques de toutes sortes. L'auteur condamne par là le*
*rituel chevaleresque gratuit et spectaculaire au profit d'une*
*conception plus efficace du combat.*

Le temps ainsi employé, lui frotté, nettoyé et rafraîchi d'ha-
billements, tout doucement retournait, et, passants par quelques prés, ou autres lieux herbus[2], visitaient les arbres et
plantes, les conférants avec les livres des anciens qui en ont
105 écrit, comme Théophraste, Dioscorides, Marinus, Pline,
Nicander, Macer et Galien[3], et en emportaient leurs pleines
mains au logis, desquelles avait la charge un jeune page
nommé Rhizotome[4], ensemble des marrochons, des pioches,
serfouettes, bêches, tranches et autres instruments requis à
110 bien arboriser.
Eux arrivés au logis, cependant qu'on apprêtait le souper,
répétaient quelques passages de ce qu'avait été lu et s'asseyaient à table. Notez ici que son dîner[5] était sobre et frugal,
car tant seulement mangeait pour réfréner les abois de l'esto-
115 mac ; mais le souper était copieux et large, car tant en prenait
que lui était de besoin à soi entretenir et nourrir, ce qu'est la
vraie diète prescrite par l'art de bonne et sûre médecine,

---

1. *Gymnaste* : nom d'étymologie grecque : maître de gymnastique.
2. *lieux herbus* : les humanistes montrent du goût pour la promenade. Ainsi
Ronsard, dans le *Voyage d'Arcueil*, raconte une sortie de la « Brigade ».
3. *Galien* : Théophraste n'est pas seulement l'auteur des *Caractères*, mais aussi celui
des *Recherches sur les plantes* (neuf livres) et des *Causes des plantes* (six livres).
*Marinus* est le nom latinisé d'un Italien contemporain de Rabelais. *Nicander*
(Nicandre) est un poète et médecin grec (IIe s. av. J.-C.), *Macer* un poète latin (Ier s.
av. J.-C.) qui a écrit des œuvres sur les plantes et les animaux. *Galien* est un médecin
grec.

Cela fait, ils sortaient de leur demeure, accompagnés
d'un jeune gentilhomme de Touraine, un écuyer nommé
115 Gymnaste, qui enseignait au prince l'art de chevalerie.
[...]
  Ayant ainsi employé son temps, frictionné, nettoyé,
ses vêtements changés, Gargantua s'en revenait tout
doucement ; quand ils passaient par quelques prés ou
120 autres lieux herbus, ils examinaient les arbres et les
plantes, rappelant à leur propos ce qu'en disaient les
livres des anciens, ceux de Théophraste, Dioscoride,
Marinus, Pline, Nicandre, Macer et Galien et en rempor-
taient à pleines mains des échantillons au logis ; un
125 jeune page nommé Rhizotome en avait la charge ainsi
que des houes, des pioches, serfouettes, bêches, sar-
cloirs, et tous autres instruments nécessaires pour bien
herboriser. Une fois arrivés au logis, ils répétaient, tandis
qu'on apprêtait le souper, quelques passages de ce qui
130 avait été lu et ils s'asseyaient à table. Remarquez que son
dîner était sobre et frugal : il ne mangeait que pour
réfréner les abois de son estomac, mais le souper était
riche et copieux, car il prenait tout ce qui était nécessaire à son entretien et à sa nourriture. Tel est le vrai
135 régime, celui que prescrit l'art de la bonne et sûre méde-

---

4. *Rhizotome* : le coupeur de racine, l'herboriste (mot grec).
5. *dîner* : déjeuner (repas de midi).

quoiqu'un tas de badauds médecins, herselés[1] en l'officine[2] des sophistes[3] conseillent le contraire.

120 Durant icelui repas était continuée la leçon du dîner tant que bon semblait : le reste était consommé[4] en bons propos, tous lettrés et utiles. Après grâces rendues, s'adonnaient à chanter musicalement, à jouer d'instruments harmonieux, ou de ces petits passe-temps qu'on fait ès• cartes, ès dés et 125 gobelets, et là demeuraient faisants grand'chère, et s'ébaudissants aucunes fois jusques à l'heure de dormir ; quelquefois allaient visiter les compagnies de gens lettrés, ou de gens qui eussent vu pays étranges.

En pleine nuit, devant que soi retirer, allaient au lieu de leur 130 logis le plus découvert voir la face du ciel, et là notaient les comètes, si aucunes étaient, les figures, situations, aspects[5], oppositions et conjonctions des astres.

Puis, avec son précepteur, récapitulait brièvement, à la mode des Pythagoriques[6], tout ce qu'il avait lu, vu, su, fait et 135 entendu au décours de toute la journée.

Si priaient Dieu le créateur, en l'adorant et ratifiant leur foi envers lui, et le glorifiant de sa bonté immense, et, lui rendants grâce de tout le temps passé, se recommandaient à sa divine clémence pour tout l'avenir.

140 Ce fait entraient en leur repos.

---

1. *herselés* : harcelés (par les méthodes de la dispute) : rompus aux discussions.
2. *officine* : école.
3. *sophistes* : dans la première édition, Rabelais avait écrit : *Arabes*. La tradition d'Avicenne paraissait très routinière aux médecins humanistes. Mais Rabelais ne lui sera pas hostile dans le *Tiers Livre*.
4. *consommé* : utilisé.
5. *aspects* : l'*aspect* de deux astres est leur position l'un par rapport à l'autre. L'*aspect* de deux astres passant dans le même plan vertical est leur *conjonction* ; quand leurs longitudes diffèrent de 180⁰, leur *aspect* est une *opposition*.
6. *Pythagoriques* : les disciples de Pythagore recommandaient de se remémorer le soir tout ce que l'on avait fait dans la journée : mais il s'agissait pour eux de procéder à un examen de conscience plutôt que de se former la mémoire (Cicéron, *De Senectute*, XI, 38).

cine, bien qu'un tas de sots médecins, habitués à chica-
ner dans l'officine des sophistes, conseillent le contraire.

Pendant ce repas, on continuait la lecture du dîner,
autant qu'on le jugeait bon : le reste se passait en bons
140 propos, tous savants et utiles. Après avoir rendu grâce,
ils se mettaient à chanter avec un accompagnement
musical, à jouer d'instruments harmonieux, ou s'amusaient aux petits jeux qu'offrent les cartes, les dés et les
cornets. Ils restaient là à faire grande chère, et à se
145 divertir, parfois jusqu'à l'heure du coucher, d'autres fois
ils se rendaient dans des cercles de savants, ou de gens
qui avaient visité des pays étrangers.

En pleine nuit, avant de se retirer, ils allaient à l'endroit le plus découvert du logis pour regarder l'aspect du
150 ciel, et là ils remarquaient les comètes, s'il y en avait, les
configurations, les situations, les positions, les oppositions et les conjonctions des astres.

Puis, avec son précepteur, Gargantua récapitulait brièvement, à la façon des pythagoriciens, tout ce qu'il avait
155 lu, vu, su, fait et entendu au cours de la journée entière.

Alors ils priaient Dieu le créateur, en l'adorant et en
confessant leur foi en lui, le glorifiant pour sa bonté
immense. Ils lui rendaient grâce pour tout le temps
écoulé et se recommandaient à sa divine clémence pour
160 tout l'avenir.

Cela fait, ils allaient prendre leur repos.

*Questions*

## Compréhension

1. Le précepteur humaniste à qui a été confié Gargantua veut d'abord juger de sa première éducation en lui ordonnant de vivre comme il en avait l'habitude. Au chapitre 21, il en constate les résultats déplorables. Relevez les traits où se révèlent la paresse, la mauvaise hygiène, la goinfrerie de son élève.

2. Comment se manifeste la pauvreté de son activité intellectuelle?

3. Le programme de la journée est-il mal conçu? Pourquoi?

4. En quoi consiste la satire de la dévotion pratiquée par Gargantua?

5. Montrez que l'emploi du temps de Gargantua, décrit au chapitre 23, est conçu pour éviter toute perte de temps.

6. Par quels procédés l'intérêt de l'élève est-il toujours maintenu? Le précepteur combine l'appel à la mémoire et l'usage des livres: dans quel cas précis? L'enseignement est-il uniquement livresque?

7. Le programme est encyclopédique: donnez-en des exemples. Sur quoi l'enseignement est-il fondé?

8. En quoi consiste la formation du corps?

9. Dans le chapitre 23, la formation morale et religieuse de Gargantua présente des différences avec celle du chapitre 21, sous la tutelle des sophistes; quelles sont-elles?

10. Les méthodes modernes de Ponocratès sont inspirées par la conception humaniste de l'éducation. Qu'est-ce qui la caractérise? Quel est son but?

## Écriture / Réécriture

11. Pourquoi, dans le chapitre 21, le prince retrouve-t-il ses proportions gigantesques, oubliées ou intermittentes dans les chapitres précédents?

12. Quelles sont les sources du comique dans ce passage?

13. Quelles expressions traduisent l'abêtissement de Gargantua?

14. Aimeriez-vous être l'élève de Ponocratès? Ses méthodes vous séduiraient-elles? Vous rebuteraient-elles? Pourquoi?

*Bilan*

## L'action

### • Ce que nous savons

L'« instruction » du prince emplit onze chapitres. Ce thème obligé
du roman de chevalerie donne à Rabelais l'occasion d'indiquer ses
vues sur le programme des études et sur les méthodes pédago-
giques de façon concrète. Il use pour cela d'une présentation
contrastée. Gargantua est d'abord soumis à des méthodes
archaïques déplorables (ch. 14), qui s'avèrent inefficaces (ch. 18),
puis il est confié à un précepteur humaniste qui juge d'abord des
méfaits des méthodes sophistes (ch. 21-22) et le soumet ensuite à
des méthodes rationnelles et modernes (ch. 23-24).
Comme dans les romans d'apprentissage, l'accès au savoir est
inséparable d'un départ du héros. Gargantua part pour Paris. Deux
intermèdes comiques (ch. 16, 17) marquent la rupture avec l'univers familial. Le discours d'Eudémon (ch. 15) a prouvé l'excellence des méthodes humanistes, l'épisode de Janotus de Bragmardo (ch. 18, 19, 20) a condamné l'enseignement scolastique.
Les premiers maîtres, des théologiens, ont montré les méfaits
d'une mauvaise éducation : d'un garçon bien doué ils ont fait un
niais. Ponocratès, soucieux de former un homme complet, a préparé son élève avec un soin attentif, et dans la joie de connaître, à
devenir un humaniste et un fils de roi.

### • À quoi nous attendre ?

Le succès des méthodes modernes va être démontré. Gargantua est
prêt à tenir son rôle de futur souverain. Il s'en acquittera de la façon
la plus conforme aux espoirs de son père et de son précepteur.

## Les personnages

### • Ce que nous savons

Ils s'opposent en deux groupes : les sophistes, fats, ignorants,
gourmands et ivrognes, qui appartiennent au passé. Rabelais a
manié allégrement la satire contre ses adversaires de toujours, les
théologiens de la Sorbonne. Ils disparaîtront du roman, leur échec
constaté. Ponocratès, leur successeur, est le précepteur idéal, intel-
ligent, actif, cultivé. C'est le « conducteur à la tête bien faite » dont
rêvera Montaigne. Il s'est entouré d'une équipe de maîtres remar-
quables dans leur spécialité. L'élève Gargantua s'est formé avec
bonne grâce et plaisir, il s'est harmonieusement développé.

# COMMENT FUT MÛ
## ENTRE LES FOUACIERS[1] DE LERNÉ
## ET CEUX DU PAYS DE GARGANTUA
## LE GRAND DÉBAT DONT FURENT FAITES
## GROSSES GUERRES

[CHAPITRE 25]

En cestui temps, qui fut la saison de vendanges au commencement d'automne, les bergers de la contrée étaient à garder les vignes, et empêcher que les étourneaux ne mangeassent les raisins. Onquel[2] temps, les fouaciers de Lerné[3]
5 passaient le grand carroi, menant dix ou douze charges de fouaces à la ville[4]. Lesdits bergers les requirent courtoisement leur en bailler pour leur argent, au prix du marché. Car notez que c'est viande[5] céleste manger à déjeuner raisins avec fouace• fraîche, mêmement des pineaux, des fiers, des
10 muscadeaux, de la bicane, et des foirards[6] pour ceux qui sont constipés du ventre, car ils les font aller long comme une vouge[7] et souvent, cuidant péter, ils se conchient, dont• sont nommés les cuideurs des vendanges[8].

À leur requête ne furent aucunement enclinés les fouaciers,
15 mais, que pis est, les outragèrent grandement, les appelants trop d'iteux[9], brèchedents, plaisants rousseaux, galliers[10], chienlits, averlans[11], limes sourdes[12], fainéants, friandeaux, bustarins[13], talvassiers[14], riennevaux, rustres, chalands[15], hapelopins[16], traine-gaines, gentils floquets, copieux[17], lan-

---

1. *fouaciers* : marchands de *fouaces*•.
2. *onquel* : *en + lequel*.
3. *Lerné* : gros bourg, à 8 km au sud-ouest de Chinon.
4. *la ville* : Chinon.
5. *viande* : toute espèce d'aliment (du latin *vivenda* : ce qui se mange).
6. *foirards* : nom local, désigne, comme les termes précédents, des cépages angevins, blancs ou rouges.
7. *vouge* : lance à fer large et long.
8. *cuideurs des vendanges* : expression dont le sens reste obscur.
9. *trop d'iteux* : littéralement des gens comme il y en a *trop* : pauvres diables.

# COMMENT SURVINT ENTRE LES FOUACIERS DE LERNÉ ET CEUX DU PAYS DE GARGANTUA LA GRANDE QUERELLE QUI ENTRAÎNA DE GRANDES GUERRES

## [CHAPITRE 25]

En ce temps-là (c'était la saison des vendanges, au commencement de l'automne), les bergers de la contrée étaient à garder les vignes pour empêcher les étourneaux de manger les raisins. Dans le même temps, les fouaciers
5 de Lerné passaient le grand carrefour, portant dix ou douze charges de fouace à la ville. Lesdits bergers leur demandèrent aimablement de leur en donner pour leur argent, au prix du marché. Car, sachez-le, c'est mets céleste que de manger à déjeuner des raisins avec de la
10 fouace fraîche, et notamment des pineaux, des sauvignons, des muscadets, de la bicane ou des foireux pour ceux qui sont constipés, car ils les font aller long comme une pique et souvent, pensant péter, ils se conchient : c'est pourquoi on les appelle les penseurs de vendanges.
15 Les fouaciers refusèrent tout net d'accéder à leur requête. Et, qui pis est, ils les injurièrent fort en les traitant de pauvres hères, de brèche-dents, de rouquins grotesques, de noceurs, de chienlit, de lourdauds, de faux jetons, de fainéants, de goulus, de gros bedons, de
20 vantards, de vauriens, de rustres, de mauvais payeurs, de pique-assiette, de traîneurs de sabre, de beaux minets, de singes, d'endormis, de malotrus, de serins, de nigauds, de bêtas, de dadais, d'imbéciles, de farauds, de

---

10. *galliers* : débauchés (ou peut-être galeux).
11. *averlans* : lourdauds ou vauriens ; le sens du mot n'est pas sûr.
12. *limes sourdes* : hypocrites.
13. *bustarins* : ventrus.
14. *talvassiers* : fanfarons.
15. *chalands* : clients, plus précisément mauvais clients.
16. *hapelopins* : parasites : qui *happent* les morceaux (*lopins*).
17. *copieux* : singes (qui *copient*).

20 dores, malotrus, dendins[1], beaugears, tésés, gaubregeux,
goguelus, claquedents, boyers d'étrons, bergers de merde,
et autres telles épithètes diffamatoires, ajoutants que point à
eux n'appartenait manger de ces belles fouaces•, mais qu'ils
se devaient contenter de gros pain ballé[2] et de tourte[3].

25 Auquel outrage un d'entre eux, nommé Frogier, bien honnête homme de sa personne et notable bachelier[4], répondit
doucement : «Depuis quand avez-vous pris cornes[5] qu'êtes
tant rogues[6] devenus ? Dea[7], vous nous en souliez volontiers
bailler et maintenant y refusez. Ce n'est fait de bons voisins,
30 et ainsi ne vous faisons, nous, quand venez ici acheter notre
beau froment, duquel vous faites vos gâteaux et fouaces.
Encore par le marché vous eussions-nous donné de nos raisins ; mais, par la mer Dé vous en pourriez repentir, et aurez
quelque jour affaire de nous. Lors nous ferons envers vous à
35 la pareille, et vous en souvienne. »

Adonc Marquet, grand bâtonnier[8] de la confrérie des fouaciers, lui dit : «Vraiment, tu es bien acrêté[9] à ce matin ; tu
mangeas hier soir trop de mil[10]. Viens çà, viens çà, je te don-
nerai de ma fouace.» Lors Frogier en toute simplesse appro-
40 cha, tirant un onzain[11] de son baudrier[12], pensant que Marquet lui dût dépocher[13] de ses fouaces, mais il lui bailla de son
fouet à travers les jambes si rudement que les nœuds y appa-
raissaient ; puis voulut gagner à la fuite. Mais Frogier s'écria
au meurtre et à la force[14] tant qu'il put, ensemble lui jeta un
45 gros tribard qu'il portait sous son aisselle, et l'atteignit par la
jointure coronale de la tête[15], sur l'artère crotaphique, du côté

1. *dendins* : paresseux.
2. *pain ballé* : pain de qualité inférieure, fait avec de la farine contenant encore de
la *balle* (enveloppe des graines de céréales), et non de farine tamisée.
3. *tourte* : grand pain rond (de seigle).
4. *bachelier* : jeune garçon.
5. *cornes* : les cornes leur ont poussé, comme aux taureaux.
6. *rogues* : arrogants, agressifs.
7. *Dea* : vraiment, oui (marque la surprise et l'indignation).
8. *bâtonnier* : porteur du *bâton* de la confrérie dans les processions ; le mot s'est
maintenu chez les avocats.

25 bouviers d'étrons, de bergers de merde et autres semblables épithètes diffamatoires. Ils ajoutaient qu'il ne
leur appartenait pas de manger de ces belles fouaces,
mais qu'ils devraient se contenter de gros pain bis et de
tourte.

30 À ces outrages l'un d'eux, nommé Frogier, bien honnête homme de sa personne, et tenu pour un bon garçon, répondit paisiblement : «Depuis quand vous est-il
poussé des cornes pour être devenus si batailleurs ? Vraiment, vous nous en donniez volontiers d'habitude, et
35 maintenant vous refusez. Ce n'est pas agir en bons voisins, et nous ne vous traitons pas ainsi, nous, quand
vous venez ici acheter notre beau froment avec lequel
vous faites vos gâteaux et vos fouaces. Et encore nous
vous aurions donné de nos raisins par-dessus le marché.
Mais, par la Mère de Dieu, vous pourriez bien vous en
40 repentir, et un de ces jours, vous aurez affaire à nous. À
ce moment-là, nous vous rendrons la pareille, souvenez-
vous-en.»

Alors Marquet, grand bâtonnier de la confrérie des
fouaciers, lui dit : «Vraiment, tu es fier comme un coq
45 ce matin : tu as mangé trop de mil hier soir! Viens là,
viens là, je vais te donner de ma fouace.» Alors Frogier
approcha sans méfiance et tira une pièce de sa ceinture,
pensant que Marquet allait lui déballer des fouaces, mais
celui-ci lui donna de son fouet à travers les jambes si
50 brutalement qu'on y voyait la marque des nœuds. Puis il
chercha à s'enfuir. Mais Frogier cria au meurtre et à la
violence tant qu'il put, et en même temps, il lui lança
une grosse trique qu'il tenait sous l'aisselle et l'atteignit
par la jointure coronale de la tête, sur l'artère temporale,

---

9.  *acrêté* : effronté comme un coq dont la *crête* se dresse.
10. *mil* : les coqs qui ont mangé du *mil* (millet) deviennent combatifs.
11. *onzain* : pièce de onze deniers.
12. *baudrier* : ceinture (dans laquelle on serre son argent).
13. *dépocher* : sortir d'un sac.
14. *force* : coup de force, violence.
15. *la jointure coronale de la tête* : la suture fronto-pariétale.

dextre, en telle sorte que Marquet tomba de sa jument ; mieux semblait homme mort que vif.

Cependant les métayers, qui là auprès challaient les noix,
50 accoururent avec leurs grandes gaules, et frappèrent sur ces fouaciers comme sur seigle vert. Les autres bergers et bergères, oyants• le cri de Frogier, y vinrent avec leurs fondes et brassiers[1], et les suivirent à grands coups de pierres, tant menus qu'il semblait que ce fût grêle. Finalement, les
55 aconçurent et ôtèrent de leurs fouaces• environ quatre ou cinq douzaines, toutefois ils les payèrent au prix accoutumé, et leur donnèrent un cent de quecas[2] et trois panerées de francs-aubiers. Puis les fouaciers aidèrent à monter Marquet, qui était vilainement blessé, et retournèrent à Lerné sans
60 poursuivre le chemin de Parillé[3], menaçants fort et ferme les bouviers, bergers et métayers de Seuillé et de Sinais.

Ce fait, et bergers et bergères firent chère lie avec ces fouaces et beaux raisins, et se rigolèrent ensemble au son de la belle bousine, se moquants de ces beaux fouaciers glo-
65 rieux, qui avaient trouvé malencontre par faute de s'être signés de la bonne main au matin[4]. Et avec gros raisins chenins[5] étuvèrent les jambes de Frogier mignonnement, si bien qu'il fut tantôt guéri.

---

1. *brassiers* : frondes (portées au *bras*) ou triques.
2. *quecas* : noix (terme dialectal).
3. *Parillé* : Parilly, hameau situé près de Seuilly, dans la commune de Chinon.
4. *faute de s'être signés de la bonne main au matin* : ils ont fait le *signe* de la croix de la main gauche.
5. *raisins chenins* : variété de raisin (raisin qui plaît aux chiens).

55 du côté droit, si bien que Marquet tomba de sa jument.
Il semblait plus mort que vif.

Cependant, les métayers, qui gaulaient les noix tout
près de là, accoururent avec leurs grandes gaules, et
frappèrent sur les fouaciers comme sur seigle vert. En
60 entendant le cri de Frogier, les autres bergers et bergères
arrivèrent avec leurs frondes et leurs gourdins et les
poursuivirent à grands coups de pierres, tombant si serrés qu'on aurait dit de la grêle. Finalement, ils les rattra-
pèrent et prirent quatre ou cinq douzaines de leurs
65 fouaces. Toutefois, ils les payèrent au prix habituel et
leur donnèrent un cent de noix et trois paniers de raisins
blancs. Ensuite les fouaciers aidèrent Marquet, qui avait
une vilaine blessure, à monter sur sa charrette, et
revinrent à Lerné sans poursuivre leur chemin vers
70 Parilly, tout en menaçant très violemment les bouviers,
les bergers et les métayers de Seuilly et de Cinais.

Là-dessus bergers et bergères se délectèrent de ces
fouaces et de ces beaux raisins, et s'amusèrent ensemble
au son de la cornemuse, tout en se moquant de ces
75 beaux farauds de fouaciers à qui il était arrivé malheur,
faute de s'être signés de la bonne main le matin. Et, avec
de gros raisins chenins, ils baignèrent si gentiment les
jambes de Frogier qu'il fut bientôt guéri.

## *Compréhension*

1. *Quels traits rendent les fouaciers antipathiques et les bergers sympathiques ?*

2. *La réalité rustique : qu'apprend-on des mœurs des paysans, de leur caractère, de leur langage ?*

3. *Quelle leçon tirer du titre du chapitre ?*

*Comment une querelle entre les fouaciers de Lerné et les bergers du pays de Gargantua va dégénérer en «grosses guerres» (ch. 25). Illustration de Gustave Doré, 1873.*

### *Écriture / Réécriture*

4. *Étudiez la progression du récit et la vraisemblance dans l'enchaînement des faits.*

5. *Relevez les éléments comiques du récit, en particulier les effets produits par l'abondance verbale.*

6. *Le discours de Frogier exprime la réaction du bon sens : énumérez ses arguments.*

# COMMENT UN MOINE DE SEUILLÉ
# SAUVA LE CLOS DE L'ABBAYE
# DU SAC DES ENNEMIS

## [CHAPITRE 27]

*Les fouaciers, revenus à Lerné, se plaignent à leur roi, Picro-*
*chole ; celui-ci assemble aussitôt ses troupes et envahit les*
*terres de Gargantua en y commettant maints dégâts.*

Tant firent et tracassèrent, pillant et larronnant, qu'ils arrivèrent à Seuillé, et détroussèrent hommes et femmes, et
prirent ce qu'ils purent : rien ne leur fut ni trop chaud ni trop
pesant. [...]

5   Le bourg ainsi pillé, se transportèrent en l'abbaye avec horrible tumulte, mais la trouvèrent bien resserrée et fermée,
dont• l'armée principale marcha outre vers le gué de Vède,
exceptés sept enseignes[1] de gens de pied[2] et deux cents
lances[3] qui là restèrent et rompirent les murailles du clos afin
10  de gâter toute la vendange.

Les pauvres diables de moines ne savaient auquel de leurs
saints se vouer. À toutes aventures firent sonner *ad capitu-*
*lum capitulantes*[4]. Là fut décrété qu'ils feraient une belle procession, renforcée de beaux préchants[5] et litanies *contra hos-*
15  *tium insidias* et beaux répons *pro pace*.

En l'abbaye était pour lors un moine claustrier nommé frère
Jean des Entommeures[6], jeune, galant, frisque, de hait, bien à
dextre, hardi, aventureux, délibéré, haut, maigre, bien fendu
de gueule, bien avantagé en nez, beau dépêcheur d'heures[7],
20  beau débrideur de messes, beau décrotteur de vigiles[8], pour

---

1. *enseigne* : troupe rassemblée autour du même drapeau.
2. *gens de pied* : fantassins.
3. *lance* : groupe formé du chevalier avec sa lance et des soldats ou valets qui le suivent.
4. *ad capitulum capitulantes* : expression latine : au chapitre ceux qui y ont voix !
(appel à la réunion du chapitre).

# COMMENT UN MOINE DE SEUILLY
## SAUVA LE CLOS DE L'ABBAYE
## DU SAC DES ENNEMIS

### [CHAPITRE 27]

À force de se démener, tout en pillant et maraudant, ils firent tant qu'ils arrivèrent à Seuilly ; ils y détroussèrent hommes et femmes et prirent ce qu'ils purent : rien ne leur était trop chaud, ni trop pesant. [...]

5 Le bourg ainsi pillé, ils s'en allèrent vers l'abbaye dans un horrible tumulte, mais ils la trouvèrent bien verrouillée et bien close : aussi le gros de l'armée marchat-il vers le gué de Vède, à l'exception de sept compagnies de gens de pied et deux cents lances qui restèrent

10 sur place et rompirent les murailles du clos pour gâter toute la vendange.

Les pauvres diables de moines ne savaient auquel de leurs saints se vouer. À tout hasard, ils firent sonner *au chapitre les chanoines*. Là, on décida de faire une belle

15 procession, à grand renfort de beaux psaumes et de litanies contre les embûches de l'ennemi avec de beaux répons pour la paix.

Il y avait alors à l'abbaye un moine cloîtré nommé frère Jean des Entommeures, jeune, gaillard, pimpant, enjoué,

20 adroit, hardi, entreprenant, décidé, grand, maigre, bien fendu de gueule, bien avantagé en nez, bel expéditeur d'heures, beau débrideur de messes, beau décrotteur de vigiles, bref, pour tout dire un vrai moine s'il en fut jamais

---

5. *préchants* : chants ou psaumes récités par le préchantre, ou premier chantre d'une église.

6. *Entommeures* : forme angevine d'*entamure* ou hachis (prononcer : *Entomures*) ; le mot signifie : qui fait du hachis (de ses ennemis).

7. *heures* : les heures du bréviaire (matines, laudes, prime, tierce, sexte, etc.).

8. *vigiles* : offices célébrés la *veille* d'une fête. Les trois expressions *dépêcheur, débrideur, décrotteur* évoquent la rapidité de frère Jean.

tout dire sommairement un vrai moine si onques en fut depuis que le monde moinant moina de moinerie[1], au reste clerc jusque ès• dents[2] en matière de bréviaire.

Icelui, entendant le bruit que faisaient les ennemis par le
25 clos de leur vigne, sortit hors pour voir ce qu'ils faisaient, et avisant qu'ils vendangeaient leur clos auquel était leur boite de tout l'an fondée, retourne au chœur de l'église où étaient les autres moines, tous étonnés comme fondeurs de cloches[3], lesquels voyant chanter *ini, nim, pe, ne, ne, ne, ne,*
30 *ne, ne, tum, ne, num, num, ini, i, mi, i, mi, co, o, ne, no, o, o, ne, no, ne, no, no, no, rum, ne, num, num*[4] : «C'est, dit-il, bien chien chanté. Vertus Dieu ! que ne chantez-vous :

Adieu, paniers, vendanges sont faites ?

«Je me donne au diable s'ils ne sont en notre clos, et tant
35 bien coupent et ceps et raisins qu'il n'y aura, par le corps Dieu ! de quatre années que halleboter dedans. Ventre saint Jacques ! que boirons-nous cependant, nous autres pauvres diables ? Seigneur Dieu, *da mihi potum*[5] !»

Lors dit le prieur claustral : «Que fera cet ivrogne ici ? Qu'on
40 me le mène en prison. Troubler ainsi le service divin !

— Mais, dit le moine, le service du vin, faisons tant qu'il ne soit troublé, car vous-même, monsieur le prieur, aimez boire du meilleur : si fait tout homme de bien. Jamais homme noble ne hait le bon vin : c'est un apophtegme[6] monacal. Mais ces
45 répons que chantez ici ne sont, par Dieu ! point de saison. [...]»

Ce disant, mis bas son grand habit et se saisit du bâton de la croix qui était de cœur de cormier, long comme une lance, rond à plein poing, et quelque peu semé de fleurs de lys,

---

1. *moinerie* : la phrase signifie : depuis que le monde des moines mena la vie des moines.
2. *ès dents* : par analogie avec l'expression *armé jusqu'aux dents* : savant inattaquable.
3. *fondeurs de cloches* : étonnés comme des fondeurs qui, ouvrant le moule de leur cloche, la voient brisée. Expression proverbiale.

depuis que le monde moinant moina de moinerie, par
25 ailleurs clerc jusqu'aux dents en matière de bréviaire.
En entendant le bruit que faisaient les ennemis dans
le clos de leur vigne, il sortit pour voir ce qu'ils faisaient ;
en s'apercevant qu'ils vendangeaient leur clos sur lequel
reposait leur boisson pour toute l'année, il s'en retourne
30 dans le chœur de l'église où étaient les autres moines,
tous frappés de stupeur comme fondeurs de cloches, et
quand il les vit chanter *ini, nim, pe, ne, ne, ne, ne, ne, ne,*
*tum, ne, num, num, ini, i, mi, i, mi, co, o, ne, no, o, o, ne,*
*no, ne, no, no, no, rum, ne, num, num.* «C'est bien chien
35 chanté, dit-il. Vertu Dieu, que ne chantez-vous :

Adieu, paniers, vendanges sont faites ?

«Je me donne au diable s'ils ne sont en notre clos, à
couper si bien ceps et raisins que, par le corps Dieu, il
n'y aura rien à grapiller dedans pendant quatre ans.
40 Ventre saint Jacques ! que boirons-nous pendant ce
temps-là, nous autres pauvres diables ? Seigneur Dieu,
donne-moi à boire !»
Alors le prieur claustral dit : «Que vient faire ici cet
ivrogne ? Qu'on me le mène en prison. Troubler ainsi le
45 service divin !
— Mais le service du vin, dit le moine, faisons en sorte
qu'il ne soit pas troublé, car vous-même, monsieur le
prieur, aimez à en boire, et du meilleur : ainsi fait tout
homme de bien. Jamais un homme noble ne hait le bon
50 vin : c'est un précepte monacal. Mais ces répons que
vous chantez ici ne sont, par Dieu, point de saison. [...]»
Ce disant, il mit bas son grand habit et se saisit du
bâton de la croix qui était en cœur de cormier, long
comme une lance, rond et bien en main et quelque peu
55 semé de fleurs de lys, toutes presque effacées. Il sortit de

---

4. *num : impetum inimicorum* (l'assaut des ennemis). Parodie des modulations du
plain-chant ou chant grégorien.
5. *da mihi potum* : formule latine, usuelle dans le monde des clercs (donne-moi à
boire).
6. *apophtegme* : précepte sentencieux : un ouvrage d'Érasme s'intitule *Apophteg-*
*mata*.

50 toutes presque effacées. Ainsi sortit en beau sayon, mit son
froc en écharpe, et de son bâton de la croix donna si brusquement sur les ennemis qui, sans ordre ni enseigne[1], ni trompette, ni tambourin, parmi le clos vendangeaient – car les
porte-guidons et porte-enseignes avaient mis leurs guidons[2]
55 et enseignes l'orée des murs, les tambourineurs avaient
défoncé leurs tambourins d'un côté pour les emplir de raisins,
les trompettes étaient chargées de moussines[3], chacun était
dérayé – il choqua donc si raidement sur eux, sans dire gare,
qu'il les renversait comme porcs, frappant à tort et à travers,
60 à la vieille escrime[4].

Ès* uns escarbouillait la cervelle, ès autres rompait bras et
jambes, ès autres délochait les spondyles du col, ès autres
démoulait les reins, avalait le nez, pochait les yeux, fendait les
mandibules, enfonçait les dents en la gueule, décroulait les
65 omoplates, sphacelait[5] les grèves, dégondait les ischies,
débezillait les faucilles.

Si quelqu'un se voulait cacher entre les ceps plus épais[6], à
icelui froissait toute l'arête du dos et l'éreinait comme un
chien.

70 Si aucun sauver se voulait en fuyant, à icelui faisait voler la
tête en pièces par la commissure lambdoïde[7]. Si quelqu'un
gravait en un arbre, pendant y être en sûreté, icelui de son
bâton empalait par le fondement.

Si quelqu'un de sa vieille connaissance lui criait : « Ha ! frère
75 Jean, mon ami, frère Jean, je me rends !

– Il t'est, disait-il, bien force ; mais ensemble tu rendras
l'âme à tous les diables. » Et soudain lui donnait dronos[8]. [...]

---

1. *enseigne* : drapeau des fantassins.
2. *guidon* : drapeau des cavaliers.
3. *moussines* : branches de vigne chargées de feuilles et de raisin.
4. *vieille escrime* : désigne l'escrime française par opposition à l'escrime italienne, d'une technique plus raffinée.
5. *sphacelait* : meurtrissait (exactement : gangrenait).
6. *entre les ceps plus épais* : latinisme : au plus épais des ceps ; *plus épais* est un superlatif relatif (*les plus épais*).

la sorte, dans sa belle casaque, mit son froc en écharpe, et, avec son bâton de la croix, il frappa si soudainement les ennemis qui vendangeaient à travers le clos sans ordre, sans enseigne, sans trompette ni tambour – en
60 effet, les porte-drapeaux et les porte-enseignes avaient laissé leurs drapeaux et leurs enseignes le long des murs, les tambours avaient défoncé leurs caisses d'un côté pour les emplir de raisins, les trompettes étaient chargées de pampres, personne n'était plus à son rang –, il
65 leur asséna donc de si rudes coups, sans crier gare, qu'il les renversait comme des porcs, en frappant à tort et à travers, à la manière des anciens escrimeurs.

Aux uns il écrabouillait la cervelle, aux autres il cassait bras et jambes, à d'autres il démettait les vertèbres du
70 cou, à d'autres il disloquait les reins, faisait tomber le nez, pochait les yeux, fendait les mandibules, enfonçait les dents dans la gueule, défonçait les omoplates, meurtrissait les jambes, déboîtait les hanches, mettait les os des bras en pièces.

75 Si l'un d'eux voulait aller se cacher au plus épais des ceps, il lui froissait toute l'arête du dos et lui brisait les reins comme à un chien.

Si un autre voulait se sauver en fuyant, il lui faisait voler la tête en morceaux par la suture occipito-parié-
80 tale. Si un autre grimpait à un arbre, croyant y être en sûreté, avec son bâton il l'empalait par le fondement.

Si quelque vieille connaissance lui criait : «Ah! frère Jean, mon ami, frère Jean, je me rends!

– Tu y es bien forcé, disait-il; mais en même temps
85 tu rendras ton âme à tous les diables.» Et soudain, il l'assommait de coups. [...]

---

7. *commissure lambdoïde* : la suture occipito-pariétale, qui a la forme d'un *lambda* (le *l* grec).
8. *donnait dronos* : donnait des coups (languedocien).

Les uns criaient : «Sainte Barbe[1]!» Les autres : «Saint
Georges[2]!» Les autres : «Sainte Nytouche[3]!» Les autres :
80  «Notre Dame de Cunault! de Laurette! de Bonnes Nouvelles!
de la Lenou! de Rivière[4]!» Les uns se vouaient à saint
Jacques[5] ; les autres au saint suaire de Chambéry, mais il
brûla trois mois après, si bien qu'on en put sauver un seul
brin[6] ; les autres à Cadouin[7] ; les autres à saint Jean d'Angély ;
85  les autres à saint Eutrope de Saintes, à saint Mesmes de
Chinon, à saint Martin de Candes, à saint Clouaud de Sinays,
ès• reliques de Javrezay[8] et mille autres bons petits saints.

Les uns mouraient sans parler, les autres parlaient sans
mourir, les uns mouraient en parlant, les autres parlaient en
90  mourant. Les autres criaient à haute voix : «Confession!
confession! *Confiteor! Miserere! In manus*[9].»

Tant fut grand le cri des navrés, que le prieur de l'abbaye
avec tous ses moines sortirent, lesquels, quand aperçurent
ces pauvres gens ainsi rués parmi la vigne et blessés à mort,
95  en confessèrent quelques-uns. Mais, cependant que les
prêtres s'amusaient à confesser, les petits moinetons coururent au lieu où était frère Jean, et lui demandèrent en quoi il
voulait qu'ils lui aidassent. À quoi répondit qu'ils égorgetassent[10] ceux qui étaient portés par terre. Adonc, laissants•
100  leurs grandes capes sur une treille au plus près, commen-
cèrent égorgeter et achever ceux qu'il avait déjà meurtris.
Savez-vous de quels ferrements ? À beaux gouvets, qui sont

---

1. *sainte Barbe* : patronne des artilleurs.
2. *saint Georges* : patron des cavaliers.
3. *sainte Nytouche* : sainte imaginaire, mais proverbiale. Les humanistes considéraient généralement ces invocations aux saints protecteurs comme des superstitions
païennes.
4. *Rivière* : énumération de lieux de pèlerinage situés en France ; *Cunault* est près
de Saumur, *Rivière* au sud-est de Chinon.
5. *saint Jacques* : Saint-Jacques-de-Compostelle, en Espagne, le pèlerinage le plus
célèbre au Moyen Âge, et encore au xvie siècle.
6. *un brin* : le *suaire* (linceul) du Christ était conservé à Chambéry. Le
reliquaire qui le contenait brûla le 4 décembre 1532, mais la relique elle-même,
dit-on, ne brûla pas.

Les uns criaient : «Sainte Barbe!» Les autres : «Saint
Georges!» Les autres : «Sainte Nitouche!» Les autres :
«Notre-Dame de Cunault! de Lorette! de Bonne Nou-
90 velle! de la Lenou! de Rivière!» Les uns se vouaient à
saint Jacques; les autres au saint suaire de Chambéry,
mais il brûla trois mois après, si bien qu'on n'en put
sauver un seul brin; d'autres à Cadouin, d'autres à saint
Jean d'Angély; d'autres à saint Eutrope de Saintes, à
95 saint Mesmes de Chinon, à saint Martin de Candes, à
saint Clouaud de Cinais, aux reliques de Javrezay et
mille autres bons petits saints.

Les uns mouraient sans parler, les autres parlaient
sans mourir, les uns mouraient en parlant, les autres
100 parlaient en mourant. Les autres criaient à haute voix :
«Confession! confession! *Confiteor! Miserere! In
manus!*»

Le cri des blessés était si grand que le prieur de l'abbaye sortit avec tous ses moines; quand ils aperçurent
105 ces pauvres gens renversés de la sorte à travers la vigne
et blessés à mort, ils en confessèrent quelques-uns. Mais
tandis que les prêtres s'attardaient à confesser, les petits
moinillons coururent au lieu où était frère Jean et lui
demandèrent quelle aide il voulait qu'ils lui apportent.
110 Il leur répondit qu'ils pouvaient égorgeter ceux qui
étaient tombés à terre. Laissant donc leurs grandes
capes sur le pied de vigne le plus proche, ils commen-
cèrent à égorgeter et achever ceux qu'il avait déjà blessés. Savez-vous avec quels outils? Avec de beaux canifs :

---

7. *Cadouin* : monastère près de Bergerac. Il appartenait à Geoffroy d'Estissac. On y
conservait un autre saint suaire.

8. *Javrezay* : énumération de reliques vénérées dans l'ouest de la France.

9. *in manus* : (je me remets) *entre vos mains* ; les trois expressions sont des débuts
de prières ou d'invocations liturgiques : le *Confiteor* est la prière de la confession ; le
*Miserere* un appel à la pitié divine ; l'*In Manus* est chanté aux complies (office du
soir).

10. *égorgetassent* : d'*égorgeter*, forme fréquentative : *égorger çà et là*.

petits demi-couteaux dont les petits enfants de notre pays cernent[1] les noix.

105 Puis, à tout son bâton de croix, gagna la brèche qu'avaient fait les ennemis. Aucuns• des moinetons emportèrent les enseignes et guidons en leurs chambres pour en faire des jartiers. Mais quand ceux qui s'étaient confessés voulurent sortir par icelle brèche, le moine les assommait de coups,

110 disant : «Ceux-ci sont confès[2] et repentants et ont gagné les pardons : ils s'en vont en paradis aussi droit comme une faucile et comme est le chemin de Faye[3].» Ainsi, par sa prouesse, furent déconfits tous ceux de l'armée qui étaient entrés dedans le clos, jusques au nombre de treize mille six

115 cents vingt et deux, sans les femmes et petits enfants, cela s'entend toujours[4].

Jamais Maugis ermite[5] ne se porta si vaillamment à tout son bourdon contre les Sarrasins, desquels est écrit ès• gestes des quatre fils Aymon, comme fit le moine à l'en-

120 contre des ennemis avec le bâton de la croix.

---

1. *cernent* : font une entaille circulaire (pour détacher la coque verte).
2. *confès* : confessés. Ils ont reçu l'absolution.
3. *Faye* : (aujourd'hui Faye-la-Vineuse) : bourg des environs de Chinon où l'on accède par un chemin tortueux et difficile.
4. *cela s'entend toujours* : parodie d'une formule biblique, fréquente dans les récits de bataille où sont dénombrés les ennemis, «sans compter les femmes et les enfants» (épargnés d'ordinaire).
5. *Maugis ermite* : cousin des quatre fils Aymon. Bien qu'il fût ermite, il lutta aux côtés de Renaud contre les ennemis de la foi.

115 ce sont les petits demi-couteaux avec lesquels les petits
enfants de notre pays cernent les noix.

Puis avec son bâton de croix, il gagna la brèche
qu'avaient faite les ennemis. Quelques-uns des moinillons emportèrent les enseignes et les drapeaux dans
120 leurs chambres pour en faire des jarretières. Mais quand
ceux qui s'étaient confessés voulurent sortir par cette
brèche, le moine les assommait de coups en disant :
« Ceux-ci sont confessés et repentants, ils ont gagné des
indulgences : ils s'en vont en paradis, droit comme une
125 faucille, ou comme le chemin de Faye. » Ainsi, grâce à
ses prouesses, tous ceux de l'armée qui étaient entrés
dans le clos furent anéantis ; ils étaient au nombre de
treize mille six cent vingt-deux, sans compter les
femmes et les petits enfants, comme de bien entendu.
130 Jamais l'ermite Maugis avec son bourdon, dont on
parle dans la geste des quatre fils Aymon, ne s'élança
aussi vaillamment contre les Sarrasins que le moine
contre les ennemis avec le bâton de la croix.

## Compréhension

1. *Quels sont les traits marquants de la personnalité de frère Jean ? Quelles qualités symbolise-t-il ?*

2. *En quoi s'oppose-t-il aux autres moines ? En quoi contribue-t-il à les tourner en dérision ?*

3. *L'ardeur au massacre de frère Jean est-elle en opposition avec la bonté de Grandgousier et l'humanité de Rabelais ? Quelle leçon peut-on tirer de son comportement ? Quel problème pose-t-il, selon vous ?*

## Écriture / Réécriture

4. *L'art du récit : l'enchaînement des faits tient-il la curiosité en haleine jusqu'au dénouement ? Quels éléments lui confèrent une vie débordante ?*
*Comment se fondent les notations réalistes et les détails fantaisistes ? Comment Rabelais réussit-il à faire d'un massacre une scène comique ?*

5. *À quoi voit-on que Rabelais est médecin ?*

6. *Décrivez un personnage de western en pleine action (ou frère Tuck, le compagnon de Robin des Bois, inspiré de frère Jean).*

*Comment un moine de Seuilly*
*sauva le clos de l'abbaye du sac des ennemis (ch. 27).*
*Illustration de Gustave Doré, 1873. Gravure sur bois de Pannemaker.*

# COMMENT PICROCHOLE PRIT D'ASSAUT LA ROCHE-CLERMAUD[1] ET LE REGRET ET DIFFICULTÉ QUE FIT GRANDGOUSIER D'ENTREPRENDRE GUERRE

[CHAPITRE 28]

*Picrochole exploite l'effet de surprise de son attaque brus-quée et prend d'assaut La Roche-Clermault où il établit ses quartiers.*

[...] Or laissons-les là, et retournons à notre bon Gargantua, qui est à Paris, bien instant à l'étude des bonnes lettres et exercitations athlétiques, et le vieux bonhomme Grandgou-sier, son père, qui après souper se chauffe les couilles à un
5   beau, clair et grand feu, et attendant graîler des châtaignes, écrit au foyer avec un bâton brûlé d'un bout, dont on échar-botte le feu, faisant à sa femme et famille de beaux contes du temps jadis.

Un des bergers qui gardaient les vignes, nommé Pillot, se
10  transporta devers lui en icelle heure, et raconta entièrement les excès et pillages que faisait Picrochole, roi de Lerné, en ses terres et domaines, et comment il avait pillé, gâté, sac-cagé tout le pays, excepté le clos de Seuillé que frère Jean des Entommeures avait sauvé à son honneur, et de présent
15  était ledit roi en La Roche-Clermaud, et là, en grande instance, se remparait lui et ses gens.

« Holos ! holos ! dit Grandgousier, qu'est ceci, bonnes gens ? Songé-je ou si vrai est ce qu'on me dit ? Picrochole, mon ami ancien de tout temps, de toute race et alliance, me
20  vient-il assaillir ? Qui le meut[2] ? qui le point ? qui le conduit ? qui l'a ainsi conseillé ? Ho, ho, ho, ho, ho ! mon Dieu, mon Sau-

---

1. *La Roche-Clermaud* : au XVI$^e$ siècle un château se dressait à *La Roche-Clermault* (Indre-et-Loire), près de La Devinière, au sud-est de Chinon. Certains membres de la famille Rabelais furent tenanciers de la seigneurie pour une terre du fief.

# COMMENT PICROCHOLE PRIT D'ASSAUT LA ROCHE-CLERMAULT, QUEL REGRET ÉPROUVA GRANDGOUSIER D'ENTREPRENDRE LA GUERRE ET QUELLES DIFFICULTÉS IL FIT

## [CHAPITRE 28]

[...] Laissons-les donc là, et revenons à notre bon Gargantua, qui est à Paris, fort ardent à l'étude des belles-lettres et aux exercices athlétiques, et au vieux bonhomme Grandgousier son père, qui, après le dîner, se
5 chauffe les couilles à un beau grand feu clair et, en attendant que grillent les châtaignes, écrit dans l'âtre avec un bâton brûlé d'un bout, avec lequel on tisonne le feu, tout en disant à sa femme et à sa famille de beaux contes du temps jadis.
10 Un des bergers qui gardaient les vignes, nommé Pillot, se rendit auprès de lui à ce moment-là et lui fit un récit complet des excès et des pillages auxquels se livrait le roi de Lerné, Picrochole, sur ses terres et ses domaines, et lui dit comment il avait pillé, dévasté, saccagé tout le
15 pays, à l'exception du clos de Seuilly, que frère Jean des Entommeures avait sauvé avec honneur ; à présent ce roi était à La Roche-Clermault et s'y retranchait fébrilement avec ses gens.
«Hélas! hélas! dit Grandgousier, qu'est-ce que cela
20 veut dire, bonnes gens ? Est-ce que je rêve ? Est-ce vrai ce qu'on me dit ? Picrochole, mon vieil ami, mon ami de toujours, lié à moi par le sang et par les alliances, me vient-il attaquer ? Qu'est-ce qui lui prend ? Qu'est-ce qui l'incite à cela ? Qui l'a conseillé de la sorte ? Ho, ho, ho,
25 ho, ho! Mon Dieu, mon Sauveur, aide-moi, inspire-moi, conseille-moi ce qu'il faut faire. Je l'atteste, je le jure

---

2. *qui le meut ? : qui* peut être pronom interrogatif masculin ou neutre au xvie siècle. Dans *qui le meut, qui le point* (pique, verbe *poindre*) et *qui le conduit*, le neutre semble le plus probable ; mais ensuite *qui* doit être compris comme un masculin.

veur, aide-moi, inspire-moi, conseille-moi, à ce qu'est de
faire[1]. Je proteste, je jure devant toi – ainsi[2] me sois-tu favorable ! –, si jamais à lui déplaire, ni à ses gens dommage, ni
25  en ses terres je fis pillerie ; mais bien au contraire je l'ai
secouru de gens, d'argent, de faveur et de conseil, en tous
cas qu'ai pu connaître son avantage. Qu'il m'ait donc en ce
point outragé, ce ne peut être que par l'esprit malin. Bon
Dieu, tu connais mon courage[3], car à toi rien ne peut être
30  celé. Si par cas il était devenu furieux, et que pour lui réhabiliter son cerveau, tu me l'eusses ici envoyé, donne-moi et pouvoir et savoir[4] le rendre au joug de ton saint vouloir par bonne
discipline.

    « Ho, ho, ho ! mes bonnes gens, mes amis et mes féaux
35  serviteurs, faudra-t-il que je vous empêche[5] à m'y aider ? Las !
ma vieillesse ne requérait dorénavant que repos, et toute ma
vie n'ai rien tant procuré que paix ; mais il faut, je le vois bien,
que maintenant de harnais[6] je charge mes pauvres épaules
lasses et faibles, et en ma main tremblante je prenne la lance
40  et la masse[7] pour secourir et garantir mes pauvres sujets. La
raison le veut ainsi, car de leur labeur je suis entretenu et de
leur sueur je suis nourri, moi, mes enfants et ma famille[8]. Ce
nonobstant, je n'entreprendrai guerre que je n'aie essayé
tous les arts[9] et moyens de paix ; là je me résous. »
45  Adonc fit convoquer son conseil et proposa l'affaire[10] tel
comme il était, et fut conclu qu'on enverrait quelque homme
prudent devers Picrochole savoir pourquoi ainsi soudainement était parti[11] de son repos, et envahi les terres èsquelles
n'avait droit quiconque[12] ; davantage, qu'on envoyât quérir

---

1.  *à ce qu'est de faire* : sur ce qui est à faire.
2.  *ainsi* : sert à introduire un souhait. C'est un latinisme : si je dis vrai, que tu *me
sois favorable* ; *sois* est un subjonctif de souhait.
3.  *courage* : l'ensemble des sentiments, le cœur.
4.  *savoir* : les infinitifs *pouvoir* et *savoir* sont construits directement avec le verbe
*donner*. Cette construction sans préposition, à l'imitation du latin, est fréquente au
XVI$^e$ siècle.
5.  *empêche* : embarrasse.
6.  *harnais* : équipement complet d'un homme d'armes, en particulier son armure.

devant toi (puisses-tu m'être favorable !), jamais je ne lui ai fait nul déplaisir, jamais je n'ai causé de dommage à ses gens, jamais je n'ai pillé ses terres. Tout au contraire,
30 je l'ai secouru, je lui ai donné des hommes et de l'argent, j'ai usé de mon influence et je l'ai conseillé chaque fois que je savais qu'il y allait de son intérêt. S'il m'a outragé à ce point, ce ne peut être que sous l'empire de l'esprit malin. Dieu de bonté, tu connais mon cœur, car rien ne
35 peut t'être caché. Si d'aventure il était devenu fou furieux, et que tu me l'aies envoyé ici pour lui remettre le cerveau en place, accorde-moi de pouvoir et de savoir le ramener au joug de ton saint vouloir en lui faisant retrouver une saine conduite.
40      « Ho ! ho, ho ! mes bonnes gens, mes amis et mes loyaux serviteurs, faudra-t-il que je vous mette dans l'embarras pour m'y aider ? Hélas ! ma vieillesse ne demandait plus désormais que le repos, et toute ma vie, je n'ai jamais recherché que la paix ; mais il me faut, je le
45 vois bien, charger de l'armure mes pauvres épaules, lasses et faibles, et prendre dans ma main tremblante la lance et la masse pour secourir et protéger mes pauvres sujets. La raison veut qu'il en soit ainsi, car c'est de leur labeur que je vis, et c'est de leur sueur que je suis nourri,
50 moi-même comme mes enfants et ma famille. Et pourtant, je n'entreprendrai pas de guerre avant d'avoir essayé toutes les manières, tous les moyens d'obtenir la paix. C'est à cela que je me résous. »
     Alors, il fit convoquer son conseil et lui exposa quelle
55 était la situation. Il fut conclu qu'on enverrait quelque homme d'expérience auprès de Picrochole afin de savoir pourquoi il avait si subitement renoncé à sa tranquillité et envahi des terres sur lesquelles il n'avait aucun droit.

---

7.  *masse* : la masse d'armes.
8.  *famille* : c'est la formule du contrat féodal qui liait le seigneur à ses sujets.
9.  *arts* : moyens (latin *artes*).
10. *affaire* : mot masculin au XVIe siècle, d'où le masculin *tel comme il était*.
11. *était parti* : s'était départi.
12. *quiconque* : issu de *qui qu'onques* : quelconque. Rabelais ne distingue pas *quiconque* de *quelconque*.

50 Gargantua et ses gens afin de maintenir le pays et défendre à•
ce besoin. Le tout plut à Grandgousier et commanda qu'ainsi
fut fait. Dont sur l'heure envoya le Basque[1], son laquais, quérir à toute diligence Gargantua, et lui écrivait comme s'ensuit.

## LA TENEUR DES LETTRES[2]
## QUE GRANDGOUSIER
## ÉCRIVAIT À GARGANTUA

### [CHAPITRE 29]

« La ferveur de tes études requérait que de longtemps ne te
révoquasse[3] de cetui philosophique repos[4], si la confiance de
nos amis et anciens confédérés n'eût de présent frustré la
sûreté de ma vieillesse. Mais, puisque telle est cette fatale
5 destinée que par iceux sois inquiété èsquels[5] plus je me repo-
sais, force m'est de te rappeler au subside des gens et biens
qui te sont par droit naturel affiés. Car ainsi comme[6] débiles
sont les armes au-dehors si le conseil[7] n'est en la maison,
aussi vaine est l'étude et le conseil inutile, qui, en temps
10 opportun, par vertu n'est exécuté[8] et à son effet réduit[9].
« Ma délibération n'est de provoquer, ains d'apaiser ; d'assaillir, mais de défendre ; de conquêter, mais de garder mes
féaux sujets et terres héréditaires, èsquelles est hostilement
entré Picrochole sans cause ni occasion, et de jour en jour
15 poursuit sa furieuse entreprise, avec excès non tolérables à
personnes libères•.

---

1.  *Basque* : les domestiques sont souvent désignés par le nom de leur province
d'origine, et les Basques étaient des coureurs renommés.
2.  *lettres* : la lettre (latinisme : ce pluriel traduit littéralement le latin *litterae*,
lettre).
3.  *ne te révoquasse* : je ne te rappelasse.
4.  *repos* : traduit le terme latin *otium* (loisir occupé à l'étude).
5.  *èsquels* : en lesquels, en qui.

En outre, on enverrait chercher Gargantua et ses gens
60  afin de protéger et de défendre le pays dans cette situation critique. Grandgousier approuva toutes ces mesures
et il donna l'ordre qu'ainsi fût fait. Aussi envoya-t-il sur-
le-champ le Basque, son laquais, chercher en toute hâte
Gargantua, à qui il écrivit ce qui suit.

## LA TENEUR DE LA LETTRE
## QUE GRANDGOUSIER ÉCRIVIT À GARGANTUA

### [CHAPITRE 29]

« L'ardeur que tu apportes à tes études aurait demandé
que je ne vinsse pas de longtemps interrompre ce studieux
loisir philosophique, si la confiance que j'avais mise en
nos amis et alliés de longue date n'avait pas été trompée et
5   si je n'étais pas dépossédé de la sécurité qu'escomptait ma
vieillesse. Mais puisque ma fatale destinée est telle que je
me trouve inquiété par ceux en qui je me fiais le plus, force
m'est de te rappeler pour secourir les gens et les biens qui
te sont confiés par droit naturel. Car, de même que les
10  armes sont faibles au-dehors si la résolution n'est pas en la
maison, de même l'effort est vain et la résolution inutile si,
grâce à la vertu, elles ne passent pas à l'exécution en
temps opportun et ne parviennent pas à la réalisation.

« Mon dessein n'est pas de provoquer, mais au
15  contraire d'apaiser, ni d'attaquer, mais de défendre, ni
de conquérir, mais de sauvegarder mes loyaux sujets et
mes terres héréditaires, sur lesquelles, sans cause ni raison, est entré en ennemi Picrochole qui poursuit jour
après jour sa délirante entreprise, et ses excès intolé-
20  rables à ceux qui aiment la liberté.

---

6. *ainsi comme* : en corrélation avec *aussi* : autant que, de même que.
7. *conseil* : décision réfléchie, résolution, dessein (latin *consilium*). De même, *étude*
traduit le latin *studium* : effort, zèle, recherche.
8. *n'est exécuté* : n'est pas mis à exécution ; le verbe est au singulier, il s'accorde
avec le sujet le plus rapproché (latinisme).
9. *à son effet réduit* : conduit à sa réalisation ; *effet* : acte effectif.

« Je me suis en devoir mis pour modérer sa colère tyrannique, lui offrant tout ce que je pensais lui pouvoir être en contentement, et, par plusieurs fois, ai envoyé[1] amiablement devers[2] lui pour entendre en quoi, par qui et comment il se sentait outragé ; mais de lui n'ai eu réponse que de volontaire défiance[3], et qu'en mes terres prétendait seulement droit de bienséance[4]. Dont j'ai connu que Dieu éternel l'a laissé au gouvernail de son franc arbitre et propre sens, qui ne peut être que méchant si par grâce divine n'est continuellement guidé[5], et, pour le contenir en office[6] et réduire à connaissance me l'a ici envoyé à[7] molestes enseignes.

« Pourtant, mon fils bien aimé, le plus tôt que faire pourras, ces lettres vues, retourne à diligence secourir, non tant moi (ce que toutefois par pitié[8] naturellement tu dois) que les tiens, lesquels par raison tu peux sauver et garder. L'exploit sera fait à moindre effusion de sang que sera possible, et si possible est, par engins plus expédients, cautèles et ruses de guerre, nous sauverons toutes les âmes[9] et les enverrons joyeux à leurs domiciles.

« Très cher fils, la paix du Christ notre rédempteur soit avec toi. Salue Ponocrates, Gymnaste et Eudémon de par moi.

« Du vingtième de septembre.

« Ton père,

« GRANDGOUSIER. »

---

1. *ai envoyé* : j'ai adressé des messagers.
2. *devers* : vers (préposition). L'absence de différenciation entre prépositions et adverbes est chose courante dans la langue du XVIᵉ siècle (de même *ensemble, dedans, dessus*).
3. *défiance* : défi, et non méfiance.
4. *bienséance* : convenance, bon plaisir ; *droit de bienséance* signifie : il veut siéger à bon droit, comme s'il était chez lui.
5. *guidé* : la grâce de Dieu *guide* le libre arbitre de l'homme, elle ne le supprime pas : notion orthodoxe qui remonte à saint Augustin.

« Je me suis mis en devoir de modérer sa colère tyrannique, et lui ai offert tout ce que je pensais pouvoir le
contenter et, à plusieurs reprises, dans des intentions
pacifiques, j'ai envoyé des gens auprès de lui pour savoir
25 en quoi, par qui et comment il se sentait outragé. Mais je
n'ai pas eu d'autre réponse qu'un défi délibéré et la pré-
tention d'agir sur mes terres selon son bon plaisir. Cela
m'a prouvé que Dieu l'Éternel l'a abandonné à l'exercice
de son libre arbitre et de son propre jugement qui ne
30 peut qu'être mauvais s'il n'est pas continuellement guidé
par la grâce divine. C'est pour le maintenir dans le
devoir et pour l'éclairer que Dieu me l'a envoyé ici, sous
de funestes auspices.

« C'est pourquoi, mon fils bien-aimé, dès que tu auras
35 lu cette lettre, le plus tôt qu'il se pourra, reviens en toute
hâte non pas tant pour me secourir moi-même (ce que
toutefois la piété filiale t'impose naturellement de faire)
que les tiens que tu peux avec raison sauvegarder et
protéger. Le résultat sera obtenu en versant le moins de
40 sang possible, et, si cela se peut, par des moyens plus
efficaces, stratagèmes et ruses de guerre, nous sauverons
tous les hommes, et les renverrons joyeux dans leurs
demeures.

« Très cher fils, que la paix du Christ notre rédemp-
45 teur soit avec toi. Salue pour moi Ponocratès, Gymnaste
et Eudémon.

« Ce vingt septembre
        « Ton père,

                          « Grandgousier. »

---

6. *office* : devoir (du latin *officium*). La guerre défensive qu'organisera Gargantua va
donc être l'instrument par lequel agira indirectement la grâce. Dieu, en abandonnant
Picrochole à son *franc arbitre*, ne se désintéresse pas de lui : c'est un moyen de le
faire punir par Grandgousier.
7. *à* : avec ; emploi fréquent de la préposition *à* sans article avec un complément de
manière (comme aujourd'hui dans l'expression : *à corps perdu*).
8. *pitié* : piété (filiale).
9. *âmes* : *toutes les âmes* signifie tout le monde, tous les hommes.

## Compréhension

1. Au chapitre 28, l'attitude de Grandgousier est à l'opposé de celle de Picrochole : quelles sont ses réactions en apprenant les pillages du roi voisin dans le pays ?

2. Comment un bon prince prend-il ses décisions ? Comment se conduit-il envers ses voisins ? Quels sentiments éprouve-t-il à l'égard de ses sujets ?

3. Quel est le ton du chapitre 29 ? Que révèle-t-il des intentions de Grandgousier ?

4. Le roi a-t-il la même physionomie que dans le chapitre précédent ?

## Écriture

5. Sous quels aspects différents Grandgousier apparaît-il dans le chapitre 28 ? Relevez-les en citant quelques expressions caractéristiques.

6. Résumez l'argumentation de Grandgousier au chapitre 29.

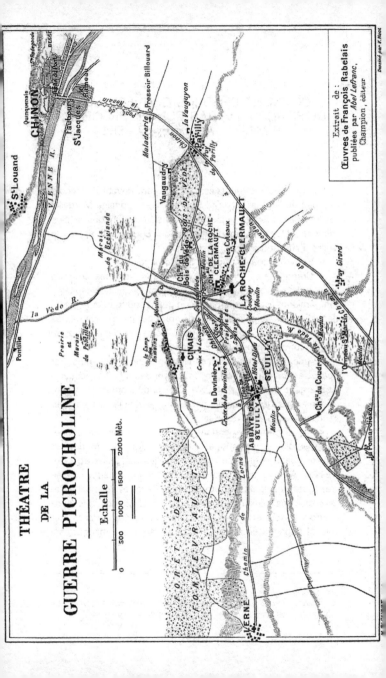

THÉÂTRE
DE LA
GUERRE PICROCHOLINE

Echelle

0    500    1000    1500    2000 Mèt.

Extrait de :
Œuvres de François Rabelais
publiées par Abel Lefranc,
Champion, éditeur

## COMMENT CERTAINS GOUVERNEURS
## DE PICROCHOLE, PAR CONSEIL PRÉCIPITÉ,
## LE MIRENT AU DERNIER PÉRIL

### [CHAPITRE 33]

Les fouaces* détroussées, comparurent devant Picrochole les duc de Menuail[1], comte Spadassin et capitaine Merdaille et lui dirent : « Sire, aujourd'hui nous vous rendons le plus heureux, plus chevalereux prince qui onques fut depuis la
5  mort d'Alexandre Macedo[2].

— Couvrez, couvrez-vous[3], dit Picrochole.

— Grand merci, dirent-ils, sire, nous sommes à notre devoir. Le moyen est tel : vous laisserez ici quelque capitaine en garnison, avec petite bande de gens, pour garder la place,
10  laquelle nous semble assez forte, tant par nature que par les remparts faits à votre invention. Votre armée partirez en deux, comme trop mieux* l'entendez.

« L'une partie ira ruer sur ce Grandgousier et ses gens. Par icelle sera de prime abordée facilement déconfit. Là recouvre-
15  rez argent à tas[4], car le vilain en a du comptant. Vilain, disons-nous, parce qu'un noble prince n'a jamais un sou. Thésauriser est fait de vilain.

« L'autre partie, cependant, tirera vers Aunis, Saintonge, Angoumois et Gascogne, ensemble Périgot, Médoc et
20  Élanes. Sans résistance prendront villes, châteaux et forte-resses. À Bayonne, à Saint-Jean-de-Luc et Fontarabie, saisi-rez toutes les naufs, et côtoyant vers Galice et Portugal, pille-rez tous les lieux maritimes jusque à Ulisbonne, où aurez renfort de tout équipage requis à un conquérant. Par le cor-
25  bieu[5] ! Espagne se rendra, car ce ne sont que madourrés[6] !

---

1. *Menuail* : signifie *La Canaille*.
2. *Alexandre Macedo* : Alexandre III de Macédoine (ive siècle avant J.-C.), fondateur d'un empire immense en Asie et sur le pourtour de la Méditerranée.

# COMMENT CERTAINS CONSEILLERS DE PICROCHOLE, PAR LEUR PRÉCIPITATION, LE JETÈRENT DANS LE PLUS EXTRÊME PÉRIL

## [CHAPITRE 33]

Les fouaces dérobées, le duc de Menuail, le comte de Spadassin et le capitaine Merdaille comparurent devant Picrochole et lui dirent : « Sire, aujourd'hui, nous faisons de vous le prince le plus heureux, le plus valeureux qui ait
5 jamais existé depuis la mort d'Alexandre de Macédoine.

– Couvrez-vous, couvrez-vous, dit Picrochole.

– Grand merci, sire, dirent-ils, nous connaissons notre devoir. Voici comment faire : vous laisserez ici quelque capitaine en garnison, avec une petite troupe
10 pour garder la place qui nous semble assez fortifiée, tant par situation naturelle que par les remparts dus à votre ingéniosité. Vous devez diviser votre armée en deux, comme vous le savez mieux que personne.

« Une partie ira se ruer sur ce Grandgousier et ses gens
15 et à la première attaque il sera mis en déroute. Là, vous récupérerez quantité d'argent, car le vilain ne manque pas de liquide. Nous disons vilain parce qu'un noble prince n'a jamais le sou. Thésauriser est fait de vilain.

« Pendant ce temps, l'autre partie se dirigera vers l'Au-
20 nis, la Saintonge, l'Angoumois et la Gascogne, et aussi vers le Périgord, le Médoc et les Landes. Ils prendront sans résistance villes, châteaux et forteresses. À Bayonne, à Saint-Jean-de-Luz et à Fontarabie, vous vous emparerez de tous les navires, et en longeant la côte en
25 direction de la Galice et du Portugal, vous pillerez toutes les contrées maritimes jusqu'à Lisbonne, où vous trouverez tout l'équipage qu'il faut à un conquérant. Corbleu !

---

3. *couvrez-vous* : Picrochole invite ses conseillers à se couvrir en sa présence pour leur marquer son estime. Ils refusent par déférence, d'où un jeu de scène comique.
4. *à tas* : en quantité.
5. *par le corbieu* : déformation de « par le corps de Dieu ».
6. *madourrés* : lourdauds, fainéants.

Vous passerez par l'étroit de Sibyle et là érigerez deux colonnes[1] plus magnifiques que celles d'Hercule[2] à perpétuelle mémoire de votre nom, et sera nommé cetui détroit la mer Picrocholine.

30 « Passée la mer Picrocholine, voici Barberousse[3] qui se rend votre esclave...

— Je, dit Picrochole, le prendrai à merci.

— Voire, dirent-ils, pourvu qu'il se fasse baptiser. Et oppugnerez les royaumes de Tunic, d'Hippes, Argière, Bône, 35 Corone, hardiment toute Barbarie[4]. Passant outre, retiendrez en votre main Majorque, Minorque, Sardaigne, Corsique et autres îles de la mer Ligustique et Baléare.

« Côtoyant à gauche, dominerez toute la Gaule Narbonique, Provence et Allobroges, Gênes, Florence, Luques et à Dieu 40 seas[5] Rome ! Le pauvre Monsieur du[6] Pape meurt déjà de peur[7].

— Par ma foi, dit Picrochole, je ne lui baiserai jà[8] sa pantoufle[9].

— Prise Italie, voilà Naples, Calabre, Apouille et Sicile 45 toutes à sac, et Malte avec. Je voudrais bien que les plaisants chevaliers jadis Rhodiens[10] vous résistassent pour voir de leur urine[11] !

— J'irais, dit Picrochole, volontiers à Lorette[12].

— Rien, rien, dirent-ils, ce sera au retour. De là prendrons

---

1. *deux colonnes* : pour les contemporains de Rabelais, il y a là une allusion à l'emblème de Charles Quint composé de deux colonnes à l'antique. Cet emblème avec sa devise « plus oultre » signifie l'idéal d'un agrandissement territorial sans limite.
2. *Hercule* : héros mythologique d'une force prodigieuse. Il ouvrit un passage aux eaux de l'océan en séparant les monts de Gibraltar et de Ceuta : ce sont les « colonnes d'Hercule ».
3. *Barberousse* : amiral ottoman (Khayr al-Dīn) ; souverain d'Alger, il aida François Ier contre Charles Quint et prit Tunis en 1534.
4. *Barbarie* : désigne le pays des *Barbares* (l'Afrique du Nord, du Maroc à la Libye).
5. *seas* : sois (provençal). À Dieu sois Rome ! : formule d'adieu qui signifie : adieu la puissance de Rome !
6. *Monsieur du* : particule nobiliaire, comique ici (cf. *Monsieur du Corbeau* chez La Fontaine).

L'Espagne se rendra, ce ne sont que des rustres. Vous
passerez par le détroit de Séville et vous dresserez là

30   deux colonnes plus magnifiques que celles d'Hercule
pour perpétuer le souvenir de votre nom. Ce détroit sera
nommé la mer Picrocholine.

« Passé la mer Picrocholine, voici Barberousse qui
devient votre esclave...

35   — Je lui ferai grâce, dit Picrochole.

— Oui, dirent-ils, pourvu qu'il se fasse baptiser. Et
vous attaquerez les royaumes de Tunis, d'Hippone, d'Alger, de Bône, de Cyrène et de toute la Barbarie hardiment. En poursuivant, vous tiendrez en votre pouvoir

40   Majorque, Minorque, la Sardaigne, la Corse et les autres
îles du golfe de Gênes et des Baléares.

« En longeant la côte sur la gauche vous vous rendrez
maître de la Gaule Narbonnaise, de la Provence, du pays
des Allobroges, de Gênes, de Florence, de Lucques, et

45   adieu Rome ! Le pauvre Monsieur du Pape meurt déjà de
peur.

— Ma foi, dit Picrochole, je ne baiserai certes pas sa
pantoufle.

— L'Italie prise, voilà Naples, la Calabre, les Pouilles

50   et la Sicile mises à sac, et Malte avec. Je voudrais bien
que ces beaux chevaliers, jadis Rhodiens, vous résistent
pour voir ce qu'ils ont dans le ventre !

— J'irais volontiers à Lorette, dit Picrochole.

— Non, non, dirent-ils, ce sera au retour. De là nous

7.   *peur* : depuis le célèbre sac de Rome par les impériaux (1527), les papes ne
pouvaient pas se montrer hostiles à la politique de Charles Quint.
8.   *jà* : ne sert souvent, comme ici, qu'à renforcer la négation *pas*.
9.   *pantoufle* : en signe de déférence.
10.   *Rhodiens* : les chevaliers de Saint-Jean-de-Jérusalem venaient, en 1530, d'être
établis à Malte par Charles Quint, après avoir été chassés de Rhodes par les Turcs.
11.   *urine* : l'examen des urines était l'un des principaux moyens d'établir un
diagnostic dans la médecine du temps. *Voir de leur urine* signifie donc : savoir
comment ils se portent, de quoi ils sont capables.
12.   *Lorette* : lieu de pèlerinage célèbre près d'Ancône (Italie).

50 Candie[1], Chypre, Rhodes et les îles Cyclades, et donnerons
sur la Morée. Nous la tenons. Saint Treignan[2], Dieu gard*
Jerusalem! car le Soudan n'est pas comparable à votre puissance.

    — Je, dit-il, ferai donc bâtir le temple de Salomon?

55     — Non, dirent-ils, encore, attendez un peu. Ne soyez jamais
tant soudain à vos entreprises. Savez-vous que disait Octa-
vian Auguste? *Festina lente*[3]. Il vous convient premièrement
avoir l'Asie minor, Carie, Lycie, Pamphile, Cilicie, Lydie, Phrygie, Mysie, Bétune, Charasie, Satalie, Samagarie, Castamena,
60 Luga, Savasta[4], jusques à Euphrate.

    — Verrons-nous, dit Picrochole, Babylone et le mont
Sinay?

    — Il n'est, dirent-ils, jà besoin pour cette heure. N'est-ce
pas assez tracassé dea avoir transfrété la mer Hircane, che-
65 vauché les deux Arménies[5] et les trois Arabies[6]?

    — Par ma foi, dit-il, nous sommes affolés. Ha! pauvres
gens!

    — Quoi? dirent-ils.

    — Que boirons-nous par ces déserts? Car Julian Auguste[7]
70 et tout son ost y moururent de soif, comme l'on dit.

    — Nous, dirent-ils, avons jà donné ordre à tout. Par la mer
Siriace, vous avez neuf mille quatorze grands[8] naufs[9], chargées des meilleurs vins du monde; elles arrivèrent à Japhes.
Là se sont trouvés vingt et deux cents mille chameaux et
75 seize cents éléphants, lesquels aurez pris à une chasse environ Sigeilmes[10], lorsque entrâtes en Libye, et d'abondant

---

1. *Candie* : la Crète.
2. *saint Treignan* : saint écossais (appelé aussi saint Ninian ou Ringan), qui était invoqué par les mercenaires écossais et le fut ensuite par tous les soldats.
3. *Festina lente* : maxime d'Auguste, premier empereur de Rome (mort en 14 ap. J.-C.), commentée par Érasme dans ses *Adages*, et comprise comme un conseil de modération donné aux rois.
4. *Savasta* : énumération de villes ou de provinces d'Asie Mineure. *Samagarie* et *Luga* sont inconnues.
5. *les deux Arménies* : la grande et la petite Arménie, selon la géographie des Anciens.

55 prendrons Candie, Chypre, Rhodes et les îles Cyclades,
et nous nous lancerons sur la Morée. Nous la tenons.
Saint Treignan! Dieu garde Jérusalem! car la puissance
du sultan n'est pas comparable à la vôtre.

— Je ferai donc rebâtir le temple de Salomon? dit-il.
60 — Pas encore, dirent-ils, attendez un peu. Ne soyez
pas si pressé dans vos entreprises. Savez-vous ce que
disait l'empereur Auguste? Hâte-toi lentement. Il vous
faut d'abord avoir l'Asie Mineure, la Carie, la Lycie, la
Pamphylie, la Cilicie, la Lydie, la Phrygie, la Mysie, la
65 Bithynie, Carrasie, Adalia, Samagarie, Kastamoun, Luga,
Sebasta, jusqu'à l'Euphrate.

— Verrons-nous Babylone et le mont Sinaï? dit Picrochole.

— Ce n'est pas nécessaire à présent, dirent-ils. Vrai-
70 ment n'est-ce pas assez de fatigue que d'avoir traversé la
mer Caspienne, et parcouru les deux Arménies et les
trois Arabies à cheval?

— Ma foi, nous perdons la tête, dit-il. Ah! les pauvres
gens!
75 — Eh bien? dirent-ils.

— Que boirons-nous dans ces déserts? L'empereur
Julien et toute son armée y moururent bien de soif, à ce
qu'on dit.

— Nous avons déjà donné ordre à tout, dirent-ils.
80 Dans la mer de Syrie, vous avez neuf mille quatorze
grands navires chargés des meilleurs vins du monde. Ils
arrivèrent à Jaffa. Là se trouvaient deux millions deux
cent mille chameaux et mille six cents éléphants que
vous aurez pris à la chasse près de Sidjilmassa, quand
85 vous êtes entré en Libye et de plus vous avez eu toute la

---

6. *les trois Arabies* : l'Arabie Heureuse, l'Arabie Déserte, l'Arabie Pierreuse (ou
Arabie Pétrée).
7. *Julian Auguste* : l'empereur Julien l'Apostat fut vaincu et tué en 363 dans une
expédition contre les Perses. Son armée périt, dit-on, dans le désert.
8. *grands* est une forme archaïque de féminin pluriel venue de l'ancien français, et
qui a subsisté dans *grand-mère, grand-rue, grand-messe*.
9. *naufs* : nefs, navires (mot féminin).
10. *Sigeilmes* : Sidjilmassa, ville d'Afrique que l'on identifie avec une ville de l'oasis
de Tafilalet.

eûtes toute la caravane de la Mecha[1]. Ne vous fournirent-ils de vin à suffisance ?

— Voire, mais, dit-il, nous ne bûmes point frais.

80 — Par la vertu, dirent-ils, non pas d'un petit poisson[2], un preux, un conquérant, un prétendant et aspirant à l'empire univers[3], ne peut toujours avoir ses aises. Dieu soit loué qu'êtes venu[4], vous et vos gens, saufs et entiers jusques au fleuve du Tigre !

85 — Mais, dit-il, que fait ce pendant la part de notre armée qui déconfit ce vilain humeux de Grandgousier ?

— Ils ne chôment pas, dirent-ils ; nous les rencontrerons tantôt. Ils vous ont pris Bretagne, Normandie, Flandres, Hainaut, Brabant, Artois, Hollande, Zélande ; ils ont passé le Rhin
90 par sus le ventre des Suisses et Lansquenets[5] et part d'entre eux ont dompté Luxembourg, Lorraine, la Champagne, Savoie jusques à Lyon, auquel lieu ont trouvé vos garnisons retournants• des conquêtes navales de la mer Méditerranée, et se sont rassemblés en Bohême, après avoir mis à sac
95 Souève, Vuitemberg, Bavière, Autriche, Moravie, et Styrie. Puis ont donné fièrement ensemble sur Lubeck, Norwerge, Swedenrich, Dace, Gotthie[6], Engroneland, les Estrelins[7] jusques à la mer Glaciale. Ce fait, conquêtèrent les îles Orchades, et subjuguèrent Écosse, Angleterre et Irlande. De
100 là, navigants par la mer Sabuleuse[8] et par les Sarmates[9], ont vaincu et dompté Prussie, Polonie, Lituanie, Russie, Valache, la Transilvane et Hongrie, Bulgarie, Turquie, et sont à Constantinople[10].

---

1. *Mecha* : une caravane de pèlerins se rendait tous les ans du Caire à La Mecque (*Mecha*) où se trouve le tombeau de Mahomet.
2. *poisson* : juron euphémique (comparable à «nom d'un chien») qui pourrait s'expliquer comme : par la vertu (sous-entendu de Dieu), et non pas par celle d'un petit poisson.
3. *univers* : adjectif : universel.
4. *êtes venu* : l'indicatif souligne que le projet est devenu réalité, et le passé composé que la réalité est même devenue souvenir.
5. *Lansquenets* : mercenaires allemands, venus surtout de la Souabe, qui formèrent longtemps une partie de l'armée royale en France.

caravane de La Mecque. Ne vous fournirent-ils pas suffisamment de vin ?

   — Oui, dit-il, mais nous ne bûmes point frais.

   — Enfin, nom d'un petit poisson ! dirent-ils. Un
90  preux, un conquérant, un prétendant qui aspire à l'empire de l'univers ne peut toujours avoir ses aises. Que
Dieu soit loué de vous avoir laissé arriver sains et saufs,
vous et vos gens jusqu'au fleuve du Tigre.

   — Mais, dit-il, que fait pendant ce temps la moitié de
95  notre armée qui anéantit ce vilain ivrogne de Grandgousier ?

   — Ils ne chôment pas, dirent-ils ; nous allons bientôt
les rencontrer. Ils vous ont pris la Bretagne, la Normandie, les Flandres, le Hainaut, le Brabant, l'Artois, la Hol-
100  lande, la Zélande. Ils ont passé le Rhin sur le ventre des
Suisses et des Lansquenets. Une partie d'entre eux a
soumis le Luxembourg, la Lorraine, la Champagne et la
Savoie jusqu'à Lyon. Là ils ont retrouvé vos garnisons
revenant de leurs conquêtes navales en Méditerranée et
105  se sont rassemblés en Bohême, après avoir mis à sac la
Souabe, le Wurtemberg, la Bavière, l'Autriche, la Moravie et la Styrie. Puis ils se sont lancés farouchement sur
Lubeck, la Norvège, la Suède, le Danemark, la Gothie, le
Groenland, les villes hanséatiques, jusqu'à l'océan Gla-
110  cial. Cela fait, ils ont conquis les îles Orcades et mis sous
leur joug l'Écosse, l'Angleterre et l'Irlande. De là, navi-
guant sur la Baltique et la mer des Sarmates, ils ont
vaincu et réduit la Prusse, la Pologne, la Lituanie, la Russie, la Valachie, la Transylvanie, la Hongrie, la Bulgarie,
115  la Turquie et les voilà à Constantinople.

---

6.  *Gotthie* : le sud de la Suède habité, croyait-on, par des *Goths*.

7.  *Estrelins* : les habitants des villes hanséatiques.

8.  *Sabuleuse* : la mer aux bancs de *sable*, la Baltique.

9.  *Sarmates* : les habitants de la Russie.

10.  *Constantinople* : cette double expédition vers l'Afrique et l'est de l'Europe
évoque la politique de Charles Quint en 1534-1535.

– Allons nous, dit Picrochole, rendre à eux le plus tôt, car
105 je veux être aussi empereur de Thébizonde[1]. Ne tuerons-nous
pas tous ces chiens turcs et mahumétistes[2] ?

– Que diable, dirent-ils, ferons-nous donc[3] ? Et donnerez
leurs biens et terres à ceux qui vous auront servi honnête-
ment.

110 – La raison, dit-il, le veut, c'est équité. Je vous donne la
Carmaigne, Syrie et toute la Palestine.

– Ha ! dirent-ils, sire, c'est du bien de vous, grand merci !
Dieu vous fasse bien toujours prospérer ! »

Là présent était un vieux gentilhomme, éprouvé en divers
115 hasards et vrai routier de guerre, nommé Échéphron[4], lequel,
oyant ces propos, dit : « J'ai grand peur que toute cette
entreprise sera semblable à la farce du pot au lait[5], duquel un
cordouannier se faisait riche par rêverie, puis le pot cassé,
n'eut de quoi dîner. Que prétendez-vous par ces belles
120 conquêtes ? Quelle sera la fin de tant de travaux et traverses ?

– Ce sera, dit Picrochole, que nous retournés, reposerons
à nos aises. »

Dont dit Échéphron : « Et si par cas jamais n'en retournez,
car le voyage est long et périlleux, n'est-ce mieux que dès
125 maintenant nous reposons[6], sans nous mettre en ces
hasards ?

– Ô ! dit Spadassin, par Dieu, voici un bon rêveur ! Mais
allons nous cacher au coin de la cheminée, et là passons avec
les dames notre vie et notre temps à enfiler des perles, ou à
130 filer comme Sardanapalus[7]. Qui ne s'aventure n'a cheval ni
mule, ce dit Salomon.

---

1. *Thébizonde* : le souvenir d'un empire de *Thébizonde* (ou Trébizonde) (fondé par
l'empereur byzantin Alexis Comnène au XIIᵉ siècle) s'était conservé dans les romans
de chevalerie. C'était, au sein de l'empire turc, un foyer de culture chrétienne et de
commerce avec l'Occident.
2. *mahumétistes* : c'était un des idéaux des impériaux que de convertir les infidèles
et de donner aux expéditions militaires une allure de croisade.
3. *donc* : comprendre : que ferons-nous donc (si nous ne faisons pas cela) ; c'est-à-
dire : c'est ce qu'il faut faire.

– Allons les rejoindre au plus tôt, dit Picrochole, car
je veux aussi être empereur de Trébizonde. Ne tuerons-
nous pas tous ces chiens de Turcs et de Mahométans ?
– Que diable ferons-nous d'autre, dirent-ils ? Vous
120 donnerez leurs biens et leurs terres à ceux qui vous
auront loyalement servi.
– La raison le veut, dit-il. C'est justice. Je vous donne
la Caramanie, la Syrie et toute la Palestine.
– Ah ! sire, dirent-ils, c'est bien bon à vous. Grand
125 merci ! Que Dieu vous fasse toujours prospérer ! »
Il y avait là un vieux gentilhomme qui avait connu
bien des aventures, un vrai routier de guerre, nommé
Échéphron. Il dit en entendant ces propos : « J'ai grand-
peur que toute cette entreprise ne soit semblable à la
130 farce du pot au lait grâce auquel un cordonnier se voyait
riche en rêve. Puis quand le pot fut cassé, il n'eut pas de
quoi dîner. À quoi prétendez-vous par ces belles
conquêtes ? À quoi aboutiront tant de travaux et tant de
traverses ?
135 – Ce sera, dit Picrochole, qu'une fois revenus nous
pourrons nous reposer à notre aise. »
Ce qui fit dire à Échéphron : « Et si par hasard vous
n'en reveniez jamais, car le voyage est long et périlleux ?
Ne vaut-il pas mieux se reposer dès maintenant, sans
140 s'exposer à ces dangers ?
– Oh ! dit Spadassin, pardieu, voilà un grand fou !
Allons donc nous cacher au coin de la cheminée, et pas-
sons-y notre temps et notre vie avec les dames à enfiler
des perles ou à filer comme Sardanapale. Qui ne risque
145 rien, n'a cheval ni mule, a dit Salomon.

---

4. *Échéphron* : transcription d'un mot grec : le prudent, l'avisé.
5. *pot au lait* : cette histoire, dont La Fontaine fera une fable au XVIIe siècle, a été
racontée au XVIe siècle par Bonaventure Des Périers.
6. *reposons* : subjonctif présent de la voix pronominale : ne vaut-il pas mieux que
dès maintenant *nous nous reposions* ?
7. *Sardanapalus* : on représentait souvent, au Moyen Âge, Sardanapale filant parmi
les femmes.

– Qui trop, dit Échéphron, s'aventure, perd cheval et mule, répondit Malcon[1].

135 – Baste[2]! dit Picrochole, passons outre. Je ne crains que ces diables de légions[3] de Grandgousier. Cependant que nous sommes en Mésopotamie, s'ils nous donnaient sur la queue, quel remède?

– Très bon, dit Merdaille. Une belle petite commission[4], laquelle vous enverrez ès* Moscovites, vous mettra en camp 140 pour un moment quatre cent cinquante mille combattants d'élite. Ô! si vous m'y faites votre lieutenant, je tuerais un peigne pour un mercier[5]! Je mors, je rue, je frappe, j'attrape, je tue, je renie!

– Sus, sus, dit Picrochole, qu'on dépêche tout, et qui 145 m'aime, si[6] me suive. »

---

1. *Malcon* : les dialogues médiévaux de *Salomon* et de *Marcoul* opposaient à chaque sentence du roi d'Israël une vérité de bon sens vulgaire.
2. *Baste* : assez, suffit!
3. *légions* : la création des *légions* françaises (1534) apparaissait comme une mesure raisonnable et utile.
4. *commission* : autorisation de mobiliser des troupes.
5. *mercier* : tuer un mercier pour un peigne signifie : tuer un homme pour peu de chose. Le lapsus de Merdaille révèle sa fébrilité.
6. *si* : alors.

– "Qui risque trop", dit Échéphron, "perd cheval et mule", répondit Marcoul.

– Baste! dit Picrochole, passons outre. Je ne crains que ces diables de légions de Grandgousier. Pendant que 150 nous sommes en Mésopotamie, s'ils nous donnaient sur la queue, quel serait le remède?

– Excellent, dit Merdaille. Un bon petit ordre de mobilisation que vous enverrez aux Moscovites vous mettra en campagne en un moment quatre cent cin- 155 quante mille combattants d'élite. Oh! si vous me faites lieutenant à cette occasion, je tuerais un peigne pour un mercier! Je mords, je rue, je frappe, j'attrape, je tue, je renie.

– Sus! Sus! dit Picrochole. Qu'on expédie tout, et qui 160 m'aime me suive.»

*Comment le moine se défit de ses gardes et comment l'escarmouche de Picrochole fut une défaite (ch. 44). Illustration de Gustave Doré, 1873.*

## Compréhension

1. Ce chapitre, fort admiré par Voltaire, est une scène de comédie. Étudiez la composition de la scène, et les diverses interventions des personnages.

2. Les personnages : comment Picrochole apparaît-il ? Est-il seulement un symbole abstrait ? Quels sont les traits dominants des conseillers ? Pourquoi Échéphron intervient-il ?

3. Le comique de la scène : comment offre-t-elle une parodie du conquérant ? En quoi la géographie devient-elle source de comique ? Distinguez-en les divers éléments (coloration antique, souvenirs médiévaux, allusions contemporaines).

4. Sur quoi et sur qui porte la satire ?

## Écriture

5. Comment se manifeste l'humour de Rabelais dans les rapports de Picrochole et de ses conseillers ? Vous donnerez des exemples précis de l'absurdité (et de la logique) de leurs projets.

6. Comment les changements de temps indiquent-ils la progression de leur délire imaginatif ?

7. Étudiez la variété du vocabulaire, sur un exemple précis (« ruer », « prendre », « piller », « appuyer » : indiquez les nuances de sens), étudiez la variété dans l'énumération, celle des entractes dans un paragraphe ou entre les paragraphes.

*Rabelais. Jeu dramatique par la Compagnie Renaud-Barrault,*
*mise en scène de Jean-Louis Barrault*
*à l'Élysée Montmartre, décembre 1968.*

# COMMENT GRANDGOUSIER TRAITA
# HUMAINEMENT TOUQUEDILLON[1] PRISONNIER

## [CHAPITRE 46]

Touquedillon fut présenté à Grandgousier et interrogé par icelui sur l'entreprise et affaires de Picrochole, quelle fin il prétendait par ce tumultuaire[2] vacarme. À quoi répondit que sa fin et sa destinée[3] était de conquêter tout le pays, s'il pouvait,
5   pour l'injure faite à ses fouaciers.

« C'est, dit Grandgousier, trop entrepris : qui trop embrasse peu étreint. Le temps n'est plus d'ainsi conquêter les royaumes, avec dommage de son prochain[4] frère chrétien. Cette imitation des anciens Hercules, Alexandres, Annibals[5],
10   Scipions, Césars, et autres tels, est contraire à la profession[6] de l'Évangile, par laquelle nous est commandé garder, sauver, régir et administrer chacun ses pays et terres, non hostilement envahir les autres, et ce que les Sarrasins[7] et barbares jadis appelaient prouesses, maintenant nous appelons
15   briganderies[8] et méchancetés. Mieux eût-il fait soi contenir en sa maison, royalement la gouvernant, qu'insulter en la mienne, hostilement la pillant, car par bien la gouverner[9] l'eût augmentée, par me piller[9] sera détruit.

---

1. *Touquedillon* : signifie le fanfaron ; mot languedocien : *touca di lion* : qui touche de loin (mais hésite à payer de sa personne). C'est le grand écuyer qui commande l'artillerie de Picrochole. C'est lui qui, lors des négociations de Grandgousier, a reçu son envoyé chargé des fouaces° et de l'argent offert par le roi en dédommagement et a conseillé à Picrochole de prendre tout ce qu'offrait Grandgousier, mais de renvoyer le messager sans conclure aucun accord.
2. *tumultuaire* : vient du latin *tumultus*, levée de troupes en masse, en cas de danger pour la patrie. Signifie : soudain et désordonné.
3. *destinée* : peut signifier *dessein* (même sens que *fin*) ou *destin* (il est marqué par le destin pour...).
4. *prochain* : peut signifier : voisin ou prochain, au sens religieux du terme ; *prochain* pouvait avoir les deux sens au XVIᵉ siècle comme de nos jours. Le sens religieux paraît préférable.
5. *Annibal* : célèbre général carthaginois (274-283 av. J.-C.), d'abord vainqueur des Romains au cours de la seconde guerre punique, puis vaincu par *Scipion* l'*Africain*.

# COMMENT GRANDGOUSIER
## TRAITA HUMAINEMENT TOUQUEDILLON
## PRISONNIER

### [CHAPITRE 46]

Touquedillon fut présenté à Grandgousier qui l'interrogea sur les entreprises et les desseins de Picrochole et lui demanda à quoi tendaient ces levées en masse et ces désordres. Il répondit à cela que son but et son dessein
5 étaient de conquérir tout le pays, s'il pouvait, pour venger l'injustice faite à ses fouaciers.

« C'est trop d'ambition, dit Grandgousier : qui trop embrasse mal étreint. Le temps n'est plus de conquérir ainsi les royaumes, pour le plus grand dommage de son
10 prochain, de son frère chrétien. Imiter de la sorte les anciens Hercule, Alexandre, Annibal, Scipion, César est contraire à l'enseignement de l'Évangile qui nous ordonne à chacun de garder, de protéger, de régir et d'administrer nos pays et nos terres, au lieu d'envahir
15 ceux des autres en ennemis. Ce que les Sarrasins et les Barbares appelaient jadis des prouesses, nous, nous l'appelons brigandage et cruauté. Il aurait mieux fait de rester chez lui à gouverner en roi que de venir se déchaîner chez moi pour piller en ennemi. En gouvernant bien, il
20 aurait prospéré, tandis que, en venant piller chez moi, il sera anéanti.

---

6. *profession* : peut signifier enseignement de l'Évangile, ou le fait de professer l'Évangile (qui serait alors l'antécédent de *laquelle*, le mot était féminin ou masculin au XVIᵉ siècle).

7. *Sarrasins* : les Arabes (appellation médiévale qui désigne souvent des adversaires des chrétiens dans les chansons de geste, les croisades, etc.).

8. *briganderies* : Rabelais se souvient peut-être de saint Augustin (*Cité de Dieu*, IV, 4, 5) qui condamne la politique de l'empire romain et la considère comme un simple brigandage *(latrocinium)*.

9. *gouverner, piller* : infinitifs substantivés, à la manière grecque (par le fait de...). Il y a une asyndète (absence de coordination exprimant une forte opposition) entre les deux membres de la phrase.

« Allez-vous-en, au nom de Dieu, suivez bonne entreprise,
20 remontrez à votre roi les erreurs que connaîtrez, et jamais ne
le conseillez ayant égard à votre profit particulier, car avec le
commun est aussi le propre perdu[1]. Quant est de votre rançon, je vous la donne entièrement, et veux que vous soient
rendues armes et cheval.

25 « Ainsi faut-il faire entre voisins et anciens amis, vu que
cette notre différence n'est point guerre proprement, comme
Platon, li. V, *de Rep.*, voulait être non guerre nommée, ains
sédition[2], quand les Grecs mouvaient armes les uns contre
les autres ; ce que si par male fortune advenait, il commande
30 qu'on use de toute modestie. Si guerre la nommez, elle n'est
que superficiaire, elle n'entre point au profond cabinet° de
nos cœurs, car nul de nous n'est outragé en son honneur, et
n'est question, en somme totale, que de rhabiller quelque
faute commise par nos gens, j'entends et vôtres et nôtres,
35 laquelle, encore que connussiez, vous deviez laisser couler
outre[3], car les personnages querellants étaient plus à contemner qu'à ramentevoir[4], mêmement[5] leur satisfaisant selon le
grief, comme je me suis offert. Dieu sera juste estimateur de
notre différend, lequel je supplie plutôt par mort me tollir de
40 cette vie et mes biens dépérir[6] devant mes yeux, que par moi
ni les miens en rien soit offensé. » [...]

*Il offre alors à frère Jean de fixer la rançon de son prisonnier,
mais le moine refuse d'accepter quoi que ce soit.*

Lors commanda Grandgousier que, présent Touquedillon,
fussent comptés au moine soixante et deux mille saluts[7] pour
celle prise, ce que fut fait, cependant qu'on fit la collation

---

1. *le propre perdu* : le bien *commun*, ou public, est opposé au *propre*, ou bien particulier.
2. *sédition* : Rabelais cite Platon d'après Érasme, dont il reproduit à peu près textuellement le commentaire *(Institutio principis christiani)*.
3. *couler outre* : laisser passer.
4. *ramentevoir* : rappeler à l'esprit, remémorer.

«Allez-vous-en, au nom de Dieu, poursuivez de justes desseins, remontrez à votre roi les erreurs qui vous apparaîtront, et ne le conseillez jamais en songeant à vos 25 intérêts personnels, car en perdant le bien public, on perd aussi le sien propre. Quant à votre rançon, je vous en dispense totalement, et veux que l'on vous rende armes et cheval.

«C'est ainsi qu'il faut agir entre voisins et anciens 30 amis : ce différend qui nous oppose n'est pas une véritable guerre. Ainsi, Platon, au livre V de *La République,* voulait qu'on parle, non pas de guerre, mais de sédition, quand les Grecs prenaient les armes les uns contre les autres ; et si cela arrivait, par malheur, il recommande 35 qu'on use de toute la modération possible. Même si vous parlez de guerre, elle n'est que superficielle, elle n'entre pas au plus profond de nos cœurs, car nul d'entre nous n'est blessé dans son honneur, et il n'est question, somme toute, que de réparer une faute commise par nos 40 gens – j'entends les vôtres et les nôtres. Quand bien même vous en auriez été informés, vous auriez dû n'en pas tenir compte, car ceux qui se sont querellés étaient à mépriser plus qu'à prendre en considération, d'autant plus qu'ils étaient dédommagés à proportion de leurs 45 griefs, comme j'avais proposé de le faire. Dieu sera le juste arbitre de notre différend, lui que je supplie de m'arracher à la vie et de laisser mes biens périr devant mes yeux, plutôt que de le voir offensé en quoi que ce soit par moi-même ou par les miens.» [...]

50 Alors Grandgousier ordonna qu'en présence de Touquedillon, l'on comptât au moine soixante-deux mille saluts d'or pour cette prise, ce qui fut fait tandis qu'on

---

5. *mêmement* : surtout.
6. *dépérir* : on peut comprendre : faire *dépérir mes biens,* ou plutôt, en faisant dépendre l'expression de *supplie* : je demande, en l'en suppliant, que mes biens dépérissent.
7. *saluts* : monnaie représentant la salutation de l'ange à la Vierge Marie, frappée sous le règne de Charles VI au temps où Henri V, roi d'Angleterre, occupait Paris. Elle avait un pouvoir d'achat très élevé.

45 audit Touquedillon, auquel demanda Grandgousier s'il voulait
demeurer avec lui ou si mieux aimait retourner à son roi. Touquedillon répondit qu'il tiendrait le parti lequel il lui conseillerait : « Donc, dit Grandgousier, retournez à votre roi, et Dieu
soit avec vous ! »

50 Puis lui donna une belle épée de Vienne[1], avec le fourreau
d'or fait à belles vignettes[2] d'orfèvrerie, et un collier d'or
pesant sept cents deux mille marcs[3], garni de fines pierreries,
à l'estimation de cent soixante mille ducats[4], et dix mille
écus[5] par présent honorable. Après ces propos, monta Tou-
55 quedillon sur son cheval. Gargantua, pour sa sûreté, lui bailla
trente hommes d'armes et six vingts archers sous la conduite
de Gymnaste, pour le mener jusques ès portes de La Roche-
Clermaud si besoin était. [...]

# LA CONCION[6] QUE FIT GARGANTUA ÈS[*] VAINCUS

### [CHAPITRE 50]

*Gargantua emporte d'assaut La Roche-Clermault et défait
l'armée de Picrochole, qui s'enfuit. Il s'adresse ensuite aux
prisonniers.*

[...] « Le temps, qui toutes choses ronge et diminue, augmente et accroît les bienfaits, parce qu'un bon tour[7] libéralement fait à l'homme de raison croît continûment par noble
pensée et remembrance[8].

---

1. *Vienne* : Vienne en Dauphiné, réputée depuis longtemps pour ses épées.
2. *vignettes* : ornements en forme de feuilles de vigne.
3. *marcs* : le *marc* français équivaut à près d'un quart de kilogramme. Rabelais
oublie ici que Touquedillon n'est pas un géant.
4. *ducats* : monnaie vénitienne.
5. *écus* : les écus d'or dits « au soleil » valaient un peu moins que le *salut*.

préparait une collation pour ledit Touquedillon. Grandgousier lui demanda s'il voulait demeurer avec lui ou s'il
55 préférait retourner auprès de son roi. Touquedillon
répondit qu'il se rangerait au parti qu'il lui conseillerait :
«En ce cas, dit Grandgousier, retournez auprès de votre
roi, et que Dieu soit avec vous!»
    Puis il lui donna une belle épée de Vienne, dont le
60 fourreau d'or était orné de beaux pampres d'orfèvrerie,
et un collier d'or pesant sept cent deux mille marcs,
garni de fines pierreries estimées à cent soixante mille
ducats, et lui fit cadeau de dix mille écus, pour lui faire
honneur. Après cet entretien, Touquedillon monta sur
65 son cheval. Gargantua lui donna, pour sa sécurité, trente
hommes d'armes et cent vingt archers sous la conduite
de Gymnaste, qui devaient le mener jusqu'aux portes de
La Roche-Clermault, si besoin était. [...]

## LA HARANGUE QUE FIT GARGANTUA
## AUX VAINCUS

### [CHAPITRE 50]

[...] «Le temps qui ronge et amoindrit toutes choses,
augmente et accroît les bienfaits, parce qu'une action
généreuse libéralement accomplie en faveur d'un
homme sensé s'amplifie continuellement sous l'effet de
5 la noblesse de la pensée et du souvenir.

---

6. *concion* : transcription du latin *contio,* discours, harangue.
7. *bon tour* : bonne action, action vertueuse ; au XVIᵉ siècle, l'adjectif peut se placer
avant ou après le nom sans que le sens en soit affecté.
8. *remembrance* : souvenir (que l'on garde de la bonne action).

5 « Ne voulant donc aucunement dégénérer de la débonnaireté[1] héréditaire de mes parents, maintenant je vous absous et délivre, et vous rends francs et libères• comme par avant.

« D'abondant, serez à l'issue des portes payés chacun pour trois mois, pour vous pouvoir retirer en vos maisons et
10 familles, et vous conduiront en saulveté[2] six cents hommes d'armes et huit mille hommes de pied sous la conduite de mon écuyer Alexandre, afin que par les paysans ne soyez outragés[3]. Dieu soit avec vous. Je regrette de tout mon cœur que n'est[4] ici Picrochole, car je lui eusse donné à entendre
15 que, sans mon vouloir, sans espoir d'accroître ni mon bien ni mon nom, était faite cette guerre. Mais puisqu'il est éperdu[5] et ne sait-on où ni comment est évanoui[6], je veux que son royaume demeure entier à son fils, lequel par ce qu'est par trop bas d'âge (car il n'a encore cinq ans accomplis) sera
20 gouverné et instruit par les anciens princes et gens savants du royaume. Et par autant qu'un royaume ainsi désolé[7] serait facilement ruiné si on ne refrénait la convoitise et avarice des administrateurs d'icelui, j'ordonne et veux que Ponocrates soit sur tous ses gouverneurs entendant[8], avec autorité à ce
25 requise, et assidu avec l'enfant jusques à ce qu'il le connaîtra idoine de pouvoir par soi régir et régner.

« Je considère que facilité trop énervée[9] et dissolue[10] de pardonner ès• malfaisants leur est occasion de plus légèrement[11] derechef mal faire, par cette pernicieuse confiance[12]
30 de grâce. [...] »

---

1.  *débonnaireté* : clémence (sans idée péjorative) ; au sens étymologique, *de bon aire* signifie de bonne race, de bonne famille, noble.
2.  *saulveté* : sûreté (pour garantir votre sécurité).
3.  *outragés* : maltraités. Les paysans, souvent malmenés par les hommes d'armes, se vengeaient fréquemment sur les soldats en déroute.
4.  *est* : *soit* dans la langue moderne. Au XVIᵉ siècle les verbes qui expriment un sentiment n'exigent pas le subjonctif. On emploie le mode du fait, c'est-à-dire l'indicatif.
5.  *éperdu* : complètement perdu.
6.  *évanoui* : disparu sans laisser de traces : au chapitre précédent, Rabelais raconte la fuite de Picrochole, à qui on a prédit qu'il redeviendrait roi *à la venue des coquecigrues*.

« Ne voulant donc ne manquer en rien à la générosité héréditaire de mes parents, je vous pardonne et vous délivre à présent, et vous laisse redevenir francs et libres comme avant.

10 « De plus, en passant les portes, chacun de vous sera payé pour trois mois, afin que vous puissiez retourner en vos demeures et dans vos familles. Six cents hommes d'armes et huit mille hommes de pied vous conduiront en sûreté sous la conduite de mon écuyer Alexandre

15 pour vous éviter d'être malmenés par les paysans. Que Dieu soit avec vous ! Je regrette de tout mon cœur que Picrochole ne soit pas ici, car je lui aurais donné à entendre que cette guerre s'était faite contre ma volonté, sans que j'aie espéré accroître mes biens ou ma renom-

20 mée. Mais puisqu'il a disparu, et qu'on ne sait ni où ni comment il s'est évanoui, je veux que son royaume revienne tout entier à son fils : puisque celui-ci est encore trop jeune (il n'a pas encore cinq ans révolus), il sera dirigé et formé par les anciens princes et les savants

25 du royaume. Et puisqu'un royaume ainsi privé de son chef serait facilement anéanti si l'on ne réfrénait la convoitise et la cupidité de ses administrateurs, je veux et j'ordonne que Ponocratès ait la haute main sur tous ses gouverneurs, avec toute l'autorité nécessaire, et qu'il

30 reste auprès de lui jusqu'à ce qu'il le juge capable de gouverner et de régner par lui-même.

« Je considère comme une faiblesse et une lâcheté de pardonner volontiers aux méchantes gens parce qu'ils ont ainsi l'occasion de pouvoir mal agir plus aisément,

35 sans réfléchir aux conséquences, à cause de cette confiance pernicieuse qu'ils ont d'être graciés. [...] »

---

7. *désolé* : seul (sans chef).

8. *entendant* : soit... entendant, forme progressive : qu'il ait autorité, qu'il veille sur ; ou peut-être *intendant* (substantif), contrôleur.

9. *énervée* : qui fait preuve de faiblesse.

10. *dissolue* : lâche, faible.

11. *légèrement* : avec plus de légèreté, sans songer aux conséquences.

12. *pernicieuse confiance* : par la *confiance* qu'ils ont, qui devient alors *pernicieuse*, d'être graciés.

## Compréhension

1. S'attend-on aux questions posées au chapitre 46 par Grand-gousier au prisonnier Touquedillon?

2. En quoi la guerre jugée par Rabelais est-elle anachronique dans le monde moderne? Quel genre de guerre condamne-t-il? Comment le prince doit-il conduire une guerre?

3. Une leçon d'administration : quels sont les devoirs du prince envers ses sujets?

4. Le problème politique du pacifisme : peut-on distinguer des degrés dans la guerre? Y a-t-il plusieurs façons de la faire?

5. Comment se conduit un monarque clément envers Touquedillon? Comment interpréter les honneurs qu'il lui rend?

6. Par quels principes la conduite du prince à l'égard des sujets de Picrochole est-elle guidée durant le chapitre 50?

7. Définissez son attitude envers les vaincus, envers Picrochole et son fils, envers les auteurs du conflit.

8. Quelle conception de la royauté la harangue de Gargantua exprime-t-elle?

## Écriture

9. Relevez, au chapitre 46, quelques sentences et proverbes significatifs des opinions de Rabelais sur la guerre.

10. Quelle qualité de Gargantua sa harangue met-elle en valeur au chapitre 50? En quoi est-elle nécessaire à un roi?

11. Relevez quelques exemples marquant les procédés du style oratoire, exemples : de longues périodes, de subordonnées en tête de phrase, de symétries d'expression, de répétitions et d'oppositions de mots, de groupes de deux mots ayant souvent le même sens, de rythmes binaires ou ternaires, d'absence de transition.

12. Le vocabulaire est-il pittoresque ou non? Pourquoi? Relevez quelques termes abstraits, quelques mots directement traduits du latin. Cherchez d'autres exemples de ce style oratoire dans les chapitres déjà étudiés.

*Bilan*

## L'action

### • Ce que nous savons

*Le thème des prouesses du héros est traditionnel dans la littérature romanesque ou dans sa parodie. Gargantua a d'ailleurs reçu une formation militaire qui lui permettra d'assumer ses devoirs de souverain. L'épisode se juxtapose très abruptement à celui de l'éducation.*

*Il est adroitement construit, les diverses phases du récit s'enchaînent avec vraisemblance. Il oppose sans cesse deux camps, deux méthodes de faire la guerre, le bon prince et le mauvais roi, de façon systématique : une simple querelle de paysans suffit à déclencher de «grosses guerres» (ch. 25) en donnant au belliqueux voisin de Grandgousier l'occasion d'exercer des représailles sur son territoire. L'intervention du moine de Seuilly, frère Jean, n'empêche pas Picrochole de poursuivre son avance, et, malgré ses efforts, le bon géant se voit contraint de rappeler son fils pour défendre les siens (ch. 27-32). L'ambition d'un roi colérique et mal conseillé rend la guerre inévitable. Mais l'intervention de Gargantua et de ses compagnons est décisive. Ils triomphent sans peine des troupes de Picrochole (ch. 33-49).*

*Le thème conventionnel des exploits du héros est singulièrement enrichi. Parodie amusée de l'épopée, cette guerre de géants se déroule sur un territoire minuscule, le Chinonais de Rabelais. Réalité, actualité et fantaisie bouffonne, comique des situations et sérieux des problèmes se mêlent étroitement dans une action mouvementée.*

### • À quoi nous attendre ?

*La guerre est finie, le sort du fils de Picrochole et de ses sujets, réglé, les vainqueurs largement récompensés, reste frère Jean à pourvoir. Comment le sera-t-il ?*

## Les personnages

### • Grandgousier *est un bon roi. Sa politique intérieure et extérieure est conforme aux préceptes humanistes. Le souverain se sait lié à son peuple par un contrat : le peuple entretient le souverain et celui-ci défend son peuple. Monarque humaniste et évangélique, il répugne à la guerre que le christianisme rend anachronique et cherche un apaisement réaliste et pratique. En cas d'échec, il est prêt à mener une guerre défensive, selon des techniques*

modernes. Vainqueur, il sait faire preuve de générosité envers les vaincus comme envers ses troupes victorieuses.

• **Gargantua** a reçu une éducation de prince, une formation physique, intellectuelle et morale qui s'achève avec son entrée en guerre. Fils aimant et respectueux, héritier du royaume, c'est lui qui assume la responsabilité de la guerre. Il fait preuve de courage, de décision dans les combats et aussi de générosité. Le caractère gigantesque du héros réapparaît dans de rares épisodes (ch. 35-36) mais ne lui donne ni avantage ni supériorité sur les ennemis. Si le récit se transforme souvent en épopée c'est parce que tous ses compagnons (qui sont des gens normaux) sont doués d'une vie débordante et que l'auteur fait de chacun d'eux un symbole. Gargantua a donné des preuves de sa valeur. Il est prêt à succéder à son père : c'est lui qui prononce la «concion aux vaincus».

• **Picrochole** est présenté comme une caricature du despote faible et ridicule. Il incarne l'ambition et la folie du conquérant vaniteux et chimérique. Il s'est entouré de mauvais conseillers qui le flattent (ch. 33), se lance sans réflexion et pour un motif futile dans une guerre à laquelle il n'est pas préparé. Sa vanité l'empêche d'accepter de sages conseils (ch. 33) ou des remontrances justifiées (ch. 47). Cruel à l'égard de ceux qui lui disent la vérité (ch. 47), il n'a pas souci de son peuple, et finira misérablement.

• **Frère Jean** apparaît pour la première fois dans le roman. Il y restera jusqu'au dernier livre. C'est par ses critiques et aussi par certains traits de sa physionomie que s'exprime la satire antimonastique. Son courage, sa joie de vivre communicative, sa sociabilité en font un personnage pittoresque et hors pair et, plus que le prince, le vrai héros de la guerre picrocholine.

• **Les sujets des deux rois** reflètent les qualités et les défauts de leur roi respectif, selon une méthode antithétique chère à Rabelais, qui oppose volontairement sans nuance les bons et les méchants.

*Comment était le manoir des thélémites (ch. 55).*

AV millieu de la basse court estoit
vne fontaine magnificq de bel Ala-
bastre. Au dessus les troys Graces
auecques cornes dabondance. Et
gettoiēt leau par les mamelles, bouche, aureil-
les, yeulx, & aultres ouuertures du corps.

Le dedans du logis sus ladicte basse court
estoit sus gros pilliers de Cassidoine & Porphyre, a beaulx ars dantiq. Au dedans desqlz
estoiēt belles gualeries lōgues & amples, aco-
nees de painctures, de corncs de cerfz. & aultres choses spectables. Le logis des dames cō-
prenoit depuis la tour Artice, iusqs a la porte
Mesembrine. Les hōmes occupoient le reste.

Deuāt ledict logis des dames, affin quelles
eussent lesbatement, entre les deux premieres,

q.

133

# COMMENT GARGANTUA FIT BÂTIR
# POUR LE MOINE L'ABBAYE
# DE THÉLÈME[1]

## [CHAPITRE 52]

*Gargantua, au chapitre 51, vient de récompenser largement
ses troupes victorieuses.*

Restait seulement le moine à pourvoir, lequel Gargantua
voulait faire abbé de Seuillé, mais il le refusa. Il lui voulut donner l'abbaye de Bourgueil[2] ou de Saint-Florent[3], laquelle[4]
mieux lui duirait, ou toutes deux, s'il les prenait à gré. Mais le
5  moine lui fit réponse péremptoire que de moines il ne voulait
charge ni gouvernement :

« Car comment, disait-il, pourrai-je gouverner autrui, qui
moi-même gouverner ne saurais ? S'il vous semble que je
vous aie fait, et que puisse à l'avenir faire service agréable,
10  octroyez-moi de fonder une abbaye à mon devis. »

La demande plut à Gargantua, et offrit tout son pays de
Thélème[5], jouxte la rivière de Loire, à deux lieues de la grande
forêt du Port-Huault, et requit à Gargantua qu'il instituât sa
religion[6] au contraire de toutes autres.

15  « Premièrement donc, dit Gargantua, il n'y faudra jà bâtir
murailles au circuit[7], car toutes autres abbayes sont fièrement
murées.

— Voire, dit le moine, et non sans cause : où mur y a, et
devant, et derrière, y a force murmure, envie, et conspiration
20  mutue. »

Davantage, vu que en certains couvents de ce monde est

---

1. *Thélème* : transcription du grec, *thélêma* : volonté, et selon le texte de l'Écriture :
volonté droite, désir souverain.
2. *Bourgueil* : une des plus riches abbayes d'Anjou.
3. *Saint-Florent* : autre riche abbaye angevine.
4. *laquelle* : celle des deux qui.

# COMMENT GARGANTUA FIT BÂTIR
# POUR LE MOINE L'ABBAYE DE THÉLÈME

## [CHAPITRE 52]

Il restait seulement le moine à pourvoir. Gargantua voulait le faire abbé de Seuilly, mais il refusa. Il voulut lui donner l'abbaye de Bourgueil ou celle de Saint-Florent, celle qui lui conviendrait le mieux, ou toutes les deux,
5   s'il lui plaisait. Mais le moine lui répondit catégoriquement qu'il ne voulait ni se charger de moines, ni en gouverner :

« Car comment, disait-il, pourrais-je gouverner autrui, moi qui ne sais me gouverner moi-même ? S'il vous
10  semble que je vous aie rendu et que je puisse à l'avenir vous rendre quelque service qui vous soit agréable, accordez-moi de fonder une abbaye à mon idée. »

La requête plut à Gargantua et il offrit tout son pays de Thélème, le long de la Loire, à deux lieues de la
15  grande forêt de Port-Huault. Il demanda à Gargantua de fonder un ordre au rebours de tous les autres.

« Eh bien, en premier lieu, dit Gargantua, il ne faudra pas construire de murailles tout autour, car toutes les autres abbayes sont farouchement murées.
20   – Oui, dit le moine, et ce ne sera pas sans raison : là où il y a des murs devant et derrière, il y a force murmure, envie, et conspiration mutuelles. »

Bien plus, étant donné que, dans certains couvents de

---

5.  *pays de Thélème* : le pays où elle doit s'élever est située entre l'Indre, le vieux Cher et la Loire.
6.  *religion* : ordre religieux ; couvent.
7.  *au circuit* : tout autour.

en usance que si femme aucune° y entre (j'entends des prudes et pudiques) on nettoie la place par laquelle elles ont passé, fut ordonné que si religieux ou religieuse y entrait par
25  cas fortuit, on nettoierait curieusement tous les lieux par lesquels auraient passé, et parce que ès° religions de ce monde tout est compassé[1], limité et réglé par heures, fut décrété que là ne serait horloge, ni cadran aucun. Mais, selon les occasions et opportunités, seraient toutes les œuvres dispen-
30  sées[2] ; car, disait Gargantua, la plus vraie perte du temps qu'il sût était de compter les heures. Quel bien en vient-il ? et la plus grande rêverie du monde était soi gouverner au son d'une cloche, et non au dicté de bon sens et entendement.

Item, parce qu'en icelui temps on ne mettait en religion des
35  femmes, sinon celles qu'[3]étaient borgnes, boiteuses, bossues, laides, défaites, folles, insensées, maléficiées[4] et tarées, ni les hommes, sinon catarrés, mal nés, niais et empêche[5] de maison...

« À propos, dit le moine, une femme qui n'est ni belle ni
40  bonne, à quoi vaut toile[6] ?

– À mettre en religion, dit Gargantua.

– Voire, dit le moine, et à faire des chemises. »

Fut ordonné que là ne seraient reçues, sinon les belles, bien formées et bien naturées et les beaux, bien formés et bien
45  naturés.

Item, parce que ès couvents des femmes n'entraient les hommes sinon à l'emblé et clandestinement, fut décrété que jà ne seraient là les femmes au cas que n'y fussent les hommes, ni les hommes en cas que n'y fussent les femmes.
50  Item, parce que tant hommes que femmes, une fois reçus en religion, après l'an de probation[7], étaient forcés et astreints y demeurer perpétuellement leur vie durant, fut

---

1. *compassé* : exactement réglé (comme au *compas*).
2. *dispensées* : administrées, réglées.
3. *qu'* : qui, *que* élidé peut signifier *qui* ou *qu'il*.
4. *maléficiées* : frappées d'un *maléfice* : difformes.

ce monde, il est d'usage, si quelque femme y entre
25 (j'entends une femme sérieuse et pudique), de nettoyer
l'endroit par où elle est passée, on ordonna que, si par
hasard il y entrait un religieux ou une religieuse, on nettoierait soigneusement tous les endroits par où ils
seraient passés. Et parce que dans les couvents de ce
30 monde, tout est mesuré, limité et réglé par des horaires,
on décréta qu'il n'y aurait là ni horloge ni cadran. Au
contraire toutes les occupations seraient réparties au gré
des occasions et des circonstances. Gargantua disait
qu'il ne connaissait pas de perte de temps plus réelle
35 que de compter les heures – quel bien en retire-t-on ? –,
et que la plus grande folie du monde, c'était de se gouverner au son d'une cloche, et non selon ce que dicte le
bon sens et l'intelligence.

De même, parce qu'en ce temps-là on ne faisait pas
40 entrer au couvent d'autres femmes que les borgnes, boiteuses, bossues, laides, défaites, folles, insensées, difformes et tarées, ni d'autres hommes que les catarrheux,
mal nés, niais, des fardeaux pour la maison...

« À propos, dit le moine, une femme qui n'est ni belle,
45 ni bonne, à quoi vaut toile ?

– À mettre au couvent, dit Gargantua.

– Oui, dit le moine, et à faire des chemises. »

On ordonna que seules seraient reçues en ce lieu les
belles, bien formées et d'une heureuse nature et les
50 beaux, bien formés et d'une heureuse nature.

De même, parce que dans les couvents de femmes, les
hommes n'entraient qu'en cachette et clandestinement,
on décréta qu'il n'y aurait pas de femmes si les hommes
n'y étaient, ni d'hommes si les femmes n'y étaient.

55 De même, parce que les hommes comme les femmes,
une fois reçus en religion étaient, après l'année proba-
toire, contraints et forcés d'y demeurer perpétuellement
leur vie durant, il fut établi que les hommes comme les

---

5. *empêche* : embarras, fardeau pour la maison.
6. *toile* : la prononciation parisienne était *tèle,* d'où l'équivoque : une femme *telle* et
la *toile.*
7. *probation* : épreuve, essai : désigne le noviciat.

établi que tant hommes que femmes là reçus sortiraient
quand bon leur semblerait, franchement[1] et entièrement[2].

55  Item, parce que ordinairement les religieux faisaient trois
vœux, savoir est de chasteté, pauvreté et obédience, fut
constitué que là honorablement on pût être marié, que chacun
fût riche et vécût en liberté. Au regard de l'âge légitime, les
femmes y étaient reçues depuis dix jusques à quinze ans, les
60  hommes, depuis douze jusques à dix et huit.

## COMMENT FUT BÂTIE
## ET DOTÉE L'ABBAYE DES THÉLÉMITES

### [CHAPITRE 53]

[...] Le bâtiment fut en figure[3] hexagone, en telle façon qu'à
chacun[4] angle était bâtie une grosse tour ronde, à la capacité[5]
de soixante pas en diamètre, et étaient toutes pareilles en
grosseur et portrait[6]. La rivière de Loire découlait sur l'aspect
5  de septentrion. [...]

Entre chacune tour était espace de trois cents douze pas[7].
Le tout bâti à six étages, comprenant les caves sous terre
pour un. Le second[8] était voûté à la forme d'une anse de
panier[9], le reste était embrunché[10] de gui de Flandres[11] à
10  forme de culs-de-lampes[12]. Le dessus[13] couvert d'ardoise
fine, avec l'endossure de plomb, à figures de petits manne-

---

1. *franchement* : librement.
2. *entièrement* : sans restriction.
3. *figure* : forme. En forme d'hexagone.
4. *chacun* : chaque. Le distributif *chacun* s'emploie aussi bien comme adjectif que
comme pronom, et il ne sera que lentement supplanté comme adjectif par *chaque*,
devenu pourtant usuel vers le milieu du siècle.
5. *capacité* : dimension, étendue.
6. *portrait* : figure.
7. *pas* : le pas français mesurait 80 cm.
8. *second* : si l'on compte les caves pour un étage, le *second* désigne le rez-de-
chaussée.

60 femmes qu'on y recevrait sortiraient quand bon leur semblerait, avec une entière liberté.

De même, parce que d'ordinaire les religieux faisaient trois vœux, à savoir de chasteté, de pauvreté et d'obéissance, on institua pour règle que là on pourrait être marié, en tout bien tout honneur, que tous seraient 65 riches et vivraient en liberté. Quant à l'âge légal, on recevait les femmes de dix à quinze ans, les hommes de douze à dix-huit.

## COMMENT FUT BÂTIE ET DOTÉE L'ABBAYE DES THÉLÉMITES

### [CHAPITRE 53]

[...] Le bâtiment était de forme hexagonale, de telle sorte qu'à chaque angle était bâtie une grosse tour ronde mesurant soixante pas de diamètre ; elles étaient toutes d'épaisseur et de forme semblables. La Loire coulait du 5 côté nord. [...]

Entre chaque tour, il y avait un espace de trois cent douze pas. L'ensemble comportait six étages, y compris les caves souterraines. Le second était voûté, en anse de panier, le reste du bâtiment était revêtu de gypse des 10 Flandres en forme de culs-de-lampe. Le toit, couvert d'ardoise fine, s'achevait par un faîtage de plomb orné de petits personnages et d'animaux bien assortis et

---

9. *anse de panier* : c'était la forme des arcades sous Louis XII.
10. *embrunché* : au sens propre : qui a la tête baissée, d'où triste, assombri, d'où revêtu (terme technique).
11. *gui de Flandres* : gypse, ou plutôt sorte de stuc.
12. *culs-de-lampes* : tout support en encorbellement qui n'est pas un corbeau, c'est-à-dire qui ne présente pas deux faces parallèles perpendiculaires au mur.
13. *le dessus* : les combles.

quins[1] et animaux bien assortis et dorés, avec les gouttières qui issaient hors la muraille, entre les croisées[2], peintes[3] en figure diagonale d'or et azur, jusques en terre, où finissaient
15 en grands écheneaux, qui tous conduisaient en la rivière par-dessous le logis.

Ledit bâtiment était cent fois plus magnifique que n'est Bonivet, ni Chambourg, ni Chantilly[4] ; car en icelui étaient neuf mille trois cents trente et deux chambres, chacune garnie
20 d'arrière-chambre, cabinet•, garde-robe, chapelle[5], et issue en une grande salle. Entre chacune tour, au milieu dudit corps de logis, était une vis[6] brisée dedans icelui même corps, de laquelle les marches étaient part de porphyre, part de pierre numidique[7], part de marbre serpentin[8], longues de
25 XXII pieds[9], l'épaisseur était de trois doigts[10], l'assiette par nombre de douze entre chacun repos. En chacun repos étaient deux beaux arceaux d'antique, par lesquels était reçue la clarté, et par iceux on entrait en un cabinet fait à claire voie[11], de largeur de ladite vis. Et montait jusques au-dessus la cou-
30 verture, et là finissait en pavillon. Par icelle vis on entrait de chacun côté en une grande salle, et des salles ès• chambres.

Depuis la tour Artice[12] jusques à Crière[13] étaient les belles grandes librairies en grec, latin, hébreu, français, toscan[14] et espagnol[15], disparties par les divers étages selon iceux lan-
35 gages. [...]

---

1. *mannequins* : du flamand « maneken », petit homme ; petites figurines représentant des hommes (par opposition aux sculptures d'animaux qui suivent).
2. *croisées* : les fenêtres étaient partagées par des montants en bois (meneaux), d'où *croisées*.
3. *peintes* : qualifie *gouttières* (il s'agit ici de tuyaux d'écoulement d'eau décorés de bandes diagonales *d'or et d'azur* alternées).
4. *Chantilly* : *Chambourg* (Chambord) et *Chantilly* ne sont pas mentionnés avant l'édition de 1542. Ils étaient encore en construction à l'époque. *Bonivet* (Bonnivet) n'était pas un château de la Loire, mais des environs de Poitiers. François Ier avait entrepris de transformer *Chambourg*, qui ne fut achevé qu'en 1556. Chantilly, à peine terminé en 1534, était un ancien château fort.
5. *chapelle* : oratoire individuel. Il n'y a pas de chapelle collective à Thélème.
6. *vis* : escalier tournant, coupé par des paliers.
7. *pierre numidique* : marbre rouge.

dorés. Les gouttières saillaient de la muraille entre les
fenêtres peintes en diagonale d'or et d'azur, jusqu'à
15 terre, où elles débouchaient dans de grands canaux qui
allaient tous à la rivière, en contrebas du bâtiment.

Celui-ci était cent fois plus magnifique que Bonnivet,
Chambord ou Chantilly, car il comptait neuf mille trois
cent trente-deux chambres, chacune comportant
20 arrière-chambre, cabinet, garde-robe, oratoire et donnant sur une grande salle. Entre chaque tour, au milieu
du corps de logis, montait un escalier à vis interrompue,
dont les marches partie en porphyre, partie en pierre de
Numidie, partie en serpentine étaient longues de vingt-
25 deux pieds. Leur épaisseur était de trois doigts, et il y
avait douze marches entre chaque palier. À chaque
palier, la lumière entrait par deux belles arcades à l'antique qui donnaient accès à une loggia à claire-voie, de
la largeur de l'escalier. Celui-ci montait jusqu'au-dessus
30 du toit et là se terminait par un pavillon. Par cet escalier
on accédait de chaque côté, à une grande salle, et des
salles aux appartements.

De la tour Artice à la tour Crière se trouvaient les
belles et vastes bibliothèques en grec, en latin, en
35 hébreu, en français, en italien et en espagnol, réparties
sur les divers étages selon les langues. [...]

---

8.  *marbre serpentin* : marbre vert à taches rouges et blanches.
9.  *pieds* : pieds de Paris : 32,5 cm.
10.  *doigt* : mesure romaine : 18 à 19 cm. Le *doigt* et le *pied*, utilisés comme unités
de mesure dans l'Antiquité, n'étaient pas des unités de mesure officiellement en
usage dans la France du XVIᵉ siècle.
11.  *cabinet fait à claire voie* : loggia ouverte.
12.  *Artice* : «Septentrionale».
13.  *Crière* : la tour «Glacée».
14.  *toscan* : considéré comme l'italien le plus pur.
15.  *espagnol* : l'italien et l'espagnol étaient des langues mondaines, dont Rabelais
ne parle pas encore dans le *Pantagruel* comme de langues de culture.

# COMMENT ÉTAIENT RÉGLÉS
## LES THÉLÉMITES
## À LEUR MANIÈRE DE VIVRE

[CHAPITRE 57]

Toute leur vie était employée[1], non par lois, statuts ou règles, mais selon leur vouloir et franc arbitre[2]. Se levaient du lit quand bon leur semblait, buvaient, mangeaient, travaillaient, dormaient quand le désir leur venait. Nul ne les éveillait,
5 nul ne les parforçait ni à boire, ni à manger, ni à faire chose autre quelconque. Ainsi l'avait établi Gargantua. En leur règle n'était que cette clause :

Fais ce que voudras,

parce que gens libères•, bien nés[3], bien instruits, conver-
10 sants[4] en compagnies honnêtes, ont par nature un instinct et aiguillon qui toujours les pousse à faits vertueux et retire de vice, lequel[5] ils nommaient honneur. Iceux, quand par vile[6] subjection et contrainte sont déprimés et asservis, détournent la noble affection[7] par laquelle à vertu franche-
15 ment tendaient, à déposer et enfreindre[8] ce joug de servitude, car nous entreprenons toujours choses défendues et convoitons ce que nous est dénié[9].

Par cette liberté, entrèrent en louable émulation de faire tous ce qu'à un seul voyaient plaire. Si quelqu'un ou quel-
20 qu'une disait : «Buvons», tous buvaient. Si disait : «Jouons», tous jouaient.

Si disait : «Allons à l'ébat ès• champs», tous y allaient. Si

---

1. *employée* : organisée (à rapprocher de l'expression *emploi* du temps).
2. *franc arbitre* : traduit exactement le grec *thélêma* : libre volonté.
3. *bien nés* : nobles, ou nés avec de bonnes dispositions naturelles : les deux sens ne s'excluent pas ici.
4. *conversants* : vivant habituellement avec, se trouvant (du latin *conversari*).
5. *lequel* : a pour antécédent *instinct et aiguillon*.
6. *vile* : se rapporte à *subjection*, mais peut se rapporter aussi à *contrainte*.

# QUELLES RÈGLES
## SUIVAIENT LES THÉLÉMITES
## DANS LEUR MANIÈRE DE VIVRE

### [CHAPITRE 57]

Toute leur vie était organisée non par des lois, par des statuts ou des règles, mais selon leur gré et leur libre volonté. Ils se levaient du lit quand bon leur semblait, buvaient, mangeaient, travaillaient, dormaient, quand le
5 désir leur en venait. Personne ne les éveillait, personne ne les forçait à boire ou à manger ou à faire quoi que ce soit. Ainsi en avait décidé Gargantua. Leur règle ne comportait que cette clause :

Fais ce que tu voudras,

10 parce que les gens libres, bien nés, bien formés, vivant en bonne société, ont naturellement un instinct, un aiguillon qu'ils appellent honneur et qui les pousse toujours à la vertu et les éloigne du vice. Quand ils sont opprimés et asservis par une vile sujétion et par la
15 contrainte, ils emploient à déposer et enfreindre ce joug de servitude la noble ardeur qui, si on les avait laissés libres, les faisait aspirer à la vertu, car nous entreprenons toujours ce qui est défendu, et convoitons ce qu'on nous refuse.
20 Grâce à cette liberté, ils se mirent tous à vouloir faire, avec une louable émulation, ce qu'ils voyaient plaire à un seul. Si l'un ou l'une d'entre eux disait : « Buvons », tous buvaient. Si l'on disait : « Jouons », tous jouaient. Si l'on disait : « Allons nous amuser aux champs »,

---

7. *affection* : ce qui *affecte* : sentiments, passion, désir.
8. *enfreindre* : les deux infinitifs dépendent de *détournent* : emploient, en la détournant, leur noble passion à...
9. *dénié* : ce trait général du caractère de l'homme a inspiré à Montaigne l'essai « Que notre désir s'accroît par la malaisance » (II, 15).

c'était pour voler[1] ou chasser, les dames, montées sur belles
haquenées[2], avec leur palefroi[3] gorrier[4], sur le poing mignon-
25   nement engantelé portaient chacune ou un épervier, ou un
laneret[5], ou un émerillon[6] ; les hommes portaient les autres
oiseaux.

Tant noblement étaient appris[7] qu'il n'était entre eux celui
ni celle qui ne sût lire, écrire, chanter, jouer d'instruments
30   harmonieux, parler de cinq à six langages, et en iceux composer, tant en carmes qu'en oraison solue[8]. Jamais ne furent
vus chevaliers tant preux, tant galants, tant dextres à pied et
à cheval, plus verts, mieux remuants, mieux maniants tous
bâtons[9], que là étaient. Jamais ne furent vues dames tant
35   propres, tant mignonnes, moins fâcheuses, plus doctes à la
main, à l'aiguille, à tout acte mulièbre[10] honnête et libre, que là
étaient.

Par cette raison quand le temps venu était que aucun
d'icelle abbaye, ou à la requête de ses parents, ou pour autre
40   cause, voulût issir hors, avec soi il emmenait une des dames,
celle laquelle l'aurait pris pour son dévot, et étaient ensemble
mariés ; et si bien avaient vécu à Thélème en dévotion[11] et
amitié, encore mieux la continuaient-ils en mariage ; d'autant
s'entr'aimaient-ils à la fin de leurs jours comme le premier de
45   leurs noces. [...]

---

1. *voler* : chasser avec des oiseaux de proie, au *vol* (fauconnerie).
2. *haquenées* : juments faciles à monter. Elles marchaient généralement à l'amble,
et étaient réservées aux femmes et aux ecclésiastiques.
3. *palefroi* : cheval plus rapide que la haquenée. Les dames disposent donc de deux
chevaux et montent le palefroi au moment de la chasse.
4. *gorrier* : de *gore* : faste, pompe ; d'où : élégant, ou ardent.
5. *laneret* : mâle du faucon *lanier*. Il chasse la perdrix et le lapin.
6. *émerillon* : c'est le plus petit des faucons, le plus léger à porter, et c'est la raison
pour laquelle on le réservait aux dames.
7. *appris* : instruits.
8. *oraison solue* : transcription d'un latinisme (*oratio soluta*) : langage dégagé des
liens du rythme : prose. De même *carme* (du latin *carmen*) : poème, vers.
9. *bâtons* : armes offensives.
10. *mulièbre* : adjectif signifiant « féminin » (latin *muliebris*).
11. *dévotion* : dévouement ; de même plus haut *dévot* : homme *dévoué* (au service
d'une dame).

25  tous y allaient. Si c'était pour chasser au vol ou à courre,
les dames, montées sur de belles haquenées, avec leur
fringant palefroi, portaient chacune sur leur poing joli-
ment ganté un épervier, un lanier ou un émerillon ; les
hommes portaient les autres oiseaux.

30      Ils avaient été si noblement instruits qu'il n'y avait
aucun d'entre eux qui ne sût lire, écrire, chanter, jouer
d'instruments de musique, parler cinq ou six langues, et
composer tant en vers qu'en prose dans ces langues.
Jamais on ne vit de chevaliers si preux, si élégants, si
35  habiles à pied et à cheval, plus vigoureux, plus vifs et
maniant mieux les armes que ceux qui étaient là. Jamais
on ne vit de dames si élégantes, si mignonnes, moins
grincheuses, plus adroites de leurs mains, plus habiles
aux travaux d'aiguille et à toute occupation digne d'une
40  femme noble et libre que celles qui étaient là.

      C'est pourquoi, quand le temps était venu pour l'un
de ceux qui vivaient là de quitter l'abbaye, à la demande
de ses parents ou pour toute autre raison, il emmenait
avec lui une des dames, celle qui en avait fait son cheva-
45  lier servant, et on les mariait ensemble. Et l'affection et
l'amitié qu'ils avaient éprouvées en vivant à Thélème se
renforçaient mieux encore dans le mariage : ils s'ai-
maient tout autant à la fin de leur vie qu'au premier jour
des noces. [...]

## Compréhension

Au chapitre 52, Gargantua récompense frère Jean pour ses services au cours de la guerre en faisant construire, à la demande du moine, une abbaye à son «devis» (goût), au contraire de toutes les autres.

1. Lequel des deux personnages en édicte le règlement ?

2. Montrez que toutes les contraintes habituelles d'un couvent sont abolies. Énumérez-les. Dites pourquoi.

3. Pourquoi Gargantua et frère Jean sont-ils absents du chapitre 57 ?

4. La règle des thélémites : quelles diverses interprétations pourrait-on donner de la formule : «Fais ce que voudras» ? Quelle conception de la nature humaine suppose-t-elle ? Montrez-le. Ne peut-on lui donner une portée plus générale ?

5. Le naturalisme de Rabelais : en quoi la contrainte est-elle nuisible ? Cette conception de la nature humaine est-elle conforme à la doctrine chrétienne ?
Comment peuvent se concilier la liberté de chacun et l'unanimité dans les désirs et les occupations ?

6. La vie des thélémites : en quoi reflète-t-elle les aspirations de l'élite contemporaine ? Y a-t-il opposition entre l'idéal de vie proposé et l'idéal pédagogique précédemment exprimé au chapitre 23 ? L'idéal conjugal selon Rabelais est-il incompatible avec l'idéal des habitants de Thélème ? Quelle conception de la femme suppose-t-il ?

7. Apprécier la valeur de l'épisode : utopie ou réalité possible ? En quoi confirme-t-il les idées déjà exprimées par Rabelais sur l'éducation, sur la nature humaine ?

## Écriture

8. Au chapitre 52, le dialogue entre frère Jean et Gargantua prouve leur accord : montrez-le. Relevez les traits comiques.

9. D'après le contexte, quel sens faut-il donner aux mots «honneur», «nature», «instinct» utilisés au chapitre 57 ?

10. Quel est le fondement de la liberté des thélémites, substituée à l'obéissance aux règles d'un couvent ?

11. En quoi l'épisode confirme-t-il les idées déjà exprimées sur l'éducation, sur les méfaits de la contrainte ? Relevez les mots clés.

*Bilan*

### L'action

#### • Singularité de l'épisode

*Il offre avec l'ensemble de l'œuvre un contraste frappant. Thélème est offerte par Gargantua à frère Jean en récompense de ses services au cours de la guerre Picrocholine. C'est son seul lien avec l'épisode précédent. Frère Jean n'y paraît pas plus que les autres personnages du roman, sinon pour indiquer que, selon son désir, cette étrange abbaye sera au rebours de toutes les autres. Le ton y est continuellement soutenu, le mouvement et la verve en sont absents. Sa place privilégiée, à la fin du roman, indique l'importance que Rabelais attachait à ce mythe qui achève le Gargantua en conte de fées.*

#### • Thélème, contre-abbaye

*Le souhait de frère Jean fait de Thélème une «contre-abbaye», où sont niées toutes les contraintes conventuelles, puisque les trois vœux traditionnels sont bannis, que la présence simultanée des hommes et des femmes y est requise, et que les thélémites peuvent quitter l'abbaye quand il leur plaît. Thélème semble d'ailleurs un séjour préparatoire au mariage, qui reste facultatif, il est vrai. La règle «Fais ce que voudras», la seule de Thélème (abbaye au nom symbolique : thélêma, volonté), fait du libre arbitre de chacun le seul pouvoir de décision dans la vie des thélémites.*

#### • Le naturalisme optimiste et ses limites

*Mais Thélème est un monde clos dont l'accès est réservé à une élite, à une jeunesse aristocratique, riche, qui a déjà reçu une saine formation intellectuelle, morale et religieuse, et qui reste soustraite à la contagion du monde extérieur. C'est «l'honneur» des thélémites qui les oriente dans l'usage de leur liberté, les pousse spontanément à la vertu, à l'unanimité, et leur permet de vivre dans l'harmonie. Le recrutement des thélémites restreint singulièrement l'affirmation que la liberté suffit à mener l'homme à la vertu s'il est pourvu d'un heureux naturel, puisque ce «naturel» est le fruit de la naissance, de la culture, et demande à être soigneusement préservé.*

*Réservée à une aristocratie, la vie à Thélème ne connaît que les plaisirs délicats du corps et de l'esprit. L'abbaye évoque surtout l'atmosphère courtoise d'un «séjour de dames». Elle reste un rêve sans doute, mais un rêve généreux où s'exprime la confiance de l'auteur en la nature humaine.*

## Les personnages

*Les personnages principaux sont oubliés.*

• **Frère Jean** *se borne à fonder l'abbaye et disparaît : il n'y aurait pas sa place.*

• **Gargantua,** *modèle achevé du bon prince, digne de régner (il en a donné les preuves), généreux envers ses vassaux et ses amis, selon les habitudes féodales, approuve la fondation et la règle de Thélème, mais n'a rien à faire dans ce séjour préparatoire à la vie noble et s'éclipse.*

• **Les thélémites,** *hommes et femmes ensemble, groupes anonymes, retiennent seuls l'attention du lecteur.*
*Image aristocratique d'une «cour d'amour», et d'une société idéale ou mythe populaire du pays de cocagne où l'on vit sans rien faire ? Les deux thèmes confondus ont pu inspirer Rabelais. Mais il leur a conféré une signification et une ampleur nouvelles.*

# Pantagruel

# PANTAGRUEL

## DU DEUIL QUE MENA GARGANTUA DE LA MORT DE SA FEMME BADEBEC[1]

[CHAPITRE 3]

Quand Pantagruel fut né, qui fut bien ébahi et perplexe? ce
fut Gargantua son père. Car, voyant d'un côté sa femme
Badebec morte, et de l'autre son fils Pantagruel né, tant beau
et tant grand, ne savait que dire ni que faire, et le doute qui
5  troublait son entendement[2] était à savoir s'il devait pleurer
pour le deuil de sa femme, ou rire pour la joie de son fils. D'un
côté et d'autre, il avait arguments sophistiques[3] qui le suffo-
quaient, car il les faisait très bien *in modo et figura*[4], mais il ne
les pouvait souldre, et par ce moyen, demeurait empêtré
10 comme la souris empeigée[5], ou un milan pris au lacet.

«Pleurerai-je? disait-il. Oui, car pourquoi? Ma tant bonne
femme est morte, qui était la plus ceci, la plus cela qui fût au
monde. Jamais je ne la verrai, jamais je n'en recouvrerai une
telle : ce m'est une perte inestimable. O mon Dieu! que
15 t'avais-je fait pour ainsi me punir? Que n'envoyas-tu la mort à
moi premier[6] qu'à elle? car vivre sans elle ne m'est que languir. Ha! Badebec, ma mignonne, m'amie[7], mon petit con
(toutefois elle en avait bien trois arpents et deux sexterées[8]),

---

1. *Badebec* : équivalent de Bâille-Bec, qui tient habituellement la bouche bée, ce qui
donne un air niais ; bada (languedocien) : tenir la bouche ouverte avec un air niais.
2. *entendement* : intelligence.
3. *sophistiques* : fondés sur un raisonnement méthodique (sans aucun sens péjora-
tif), logiques. Mais on peut aussi comprendre : arguments de *sophistes*, qui ensei-
gnaient l'art d'exposer le pour et le contre.
4. *in modo et figura* : selon le mode et la figure, c'est-à-dire suivant les règles du
syllogisme. Les scolastiques distinguaient dans les syllogismes des figures et des
modes. La grosse difficulté était de savoir à quel mode et dans quelle figure ranger
l'argument.

# PANTAGRUEL

## DE LA DOULEUR QU'ÉPROUVA GARGANTUA À LA MORT DE SA FEMME BADEBEC

### [CHAPITRE 3]

Quand Pantagruel fut né, qui fut bien ébahi et perplexe ? Ce fut Gargantua son père. Car, voyant d'un côté sa femme Badebec morte et de l'autre son fils Pantagruel si beau et si grand, il ne savait que dire ni que faire et
5 son esprit était troublé, car il se demandait s'il devait pleurer à cause de la mort de sa femme ou rire de joie à cause de son fils. D'un côté comme de l'autre, il avait des arguments sophistiques qui le plongeaient dans l'anxiété : car il savait très bien dans quelle catégorie les
10 classer, mais il ne parvenait pas à une conclusion, et de ce fait il demeurait comme une souris prise au piège ou un milan pris au lacet.

« Pleurerais-je ? disait-il. Oui, et pourquoi ? Ma si bonne femme est morte, qui était la plus ceci, la plus
15 cela du monde. Jamais plus je ne la reverrai, jamais je n'en retrouverai une semblable : c'est pour moi une perte inestimable. Ô mon Dieu, que t'avais-je fait pour me punir ainsi ? Que ne m'as-tu envoyé la mort à moi le premier ? Car vivre sans elle, pour moi c'est languir. Ah !
20 Badebec, ma mignonne, ma mie, mon petit con (elle en avait pourtant bien trois arpents et deux sexterées), ma

---

5. *empeigée* : engluée, prise dans la poix ; ou : prise au piège (mot angevin ou berrichon) ; le second sens paraît plus vraisemblable.
6. *premier que* : avant que.
7. *m'amie* : mon amie. L'adjectif possessif féminin *ma* s'élidait dans l'ancienne langue devant un nom commençant par une voyelle, au lieu d'être remplacé par le masculin correspondant comme c'est l'usage en français moderne.
8. *arpent* : mesure de surface valant environ 50 ares ; *sexterée* : superficie ensemencée par un *setier* (très approximativement : 154 litres) de blé.

ma tendrette, ma braguette, ma savate, ma pantoufle, jamais
20  je ne te verrai. Ha ! pauvre Pantagruel, tu as perdu ta bonne
mère, ta douce nourrice, ta dame très aimée. Ha ! fausse
mort, tant tu m'es malivole[1], tant tu m'es outrageuse, de me
tollir celle à laquelle immortalité appartenait de droit ! »

Et, ce disant, pleurait comme une vache[2], mais tout sou-
25  dain riait comme un veau, quand Pantagruel lui venait en
mémoire. « Ho ! mon petit fils, disait-il, mon couillon, mon
peton[3], que tu es joli ! et tant je suis tenu à Dieu de ce qu'il
m'a donné un si beau fils, tant joyeux, tant riant, tant joli. Ho,
ho, ho, ho ! que je suis aise ! buvons. Ho ! laissons toute
30  mélancolie ; apporte du meilleur[4], rince les verres, boute la
nappe, chasse ces chiens, souffle ce feu, allume la chandelle,
ferme cette porte, taille ces soupes[5], envoie ces pauvres,
baille-leur ce qu'ils demandent, tiens ma robe[6], que je me
mette en pourpoint pour mieux festoyer les commères[7]. »

35  Ce disant, ouït la litanie et les mémentos[8] des prêtres qui
portaient sa femme en terre, dont• laissa son bon propos et
tout soudain fut ravi ailleurs[9], disant : « Seigneur Dieu, faut-il
que je me contriste encore ? Cela me fâche, je ne suis plus
jeune, je deviens vieux, le temps est dangereux, je pourrai
40  prendre quelque fièvre, me voilà affolé[10]. Foi de gentilhomme[11], il vaut mieux pleurer moins et boire davantage. Ma
femme est morte, hé bien, par Dieu *(da jurandi[12])*, je ne la
ressusciterai pas par mes pleurs. Elle est bien ; elle est en
paradis pour le moins, si mieux n'est. Elle prie Dieu pour
45  nous ; elle est bien heureuse ; elle ne se soucie plus de nos

---

1. *malivole* : malveillante (cf. *bénévole*, qui a subsisté en français moderne).
2. *vache* : on dit plutôt *pleurer comme un veau*. Ici l'expression est plaisamment disloquée.
3. *peton* : petit pied (terme affectueux).
4. *meilleur* : du meilleur vin. Le roi s'adresse à un valet.
5. *soupes* : tranches de pain sur lesquelles on versait du bouillon.
6. *robe* : vêtement de dessus, porté par les hommes.
7. *commères* : marraines (sens propre de commères).

tendrette, ma braguette, ma savate, ma pantoufle, jamais
je ne te reverrai. Ah! pauvre Pantagruel, tu as perdu ta
bonne mère, ta douce nourrice, ta dame très aimée. Ah!
25 mort perfide, comme tu es mauvaise, comme tu es
injuste envers moi, toi qui m'arraches celle à laquelle
l'immortalité revenait de droit!»
   Et en disant cela, il pleurait comme une vache. Mais
soudainement il riait comme un veau, quand il se souve-
30 nait de Pantagruel. «Ho! mon petit fils, disait-il, mon
couillon, mon peton, que tu es joli! Quelle reconnais-
sance je dois à Dieu pour m'avoir donné un si beau fils, si
joyeux, si riant, si joli. Ho! ho! ho! ho! que je suis aise!
buvons. Ho! laissons toute mélancolie. Apporte du meil-
35 leur, rince les verres, mets la nappe, chasse ces chiens,
souffle ce feu, allume la chandelle, ferme cette porte, taille
ces tranches de pain, renvoie ces pauvres après leur avoir
donné ce qu'ils demandent, tiens ma robe, que je me
mette en pourpoint pour mieux faire fête aux commères. »
40 En disant cela, il entendit les litanies et les mémentos
des prêtres qui portaient sa femme en terre ; aussi laissa-
t-il là ses gais propos. Il fut soudainement entraîné vers
d'autres pensées et dit : «Seigneur Dieu, faut-il que je
m'afflige encore ? Cela me fâche, je ne suis plus jeune, je
45 deviens vieux, le temps est malsain, je pourrai prendre
quelque fièvre et me voilà atteint. Foi de gentilhomme, il
vaut mieux pleurer moins et boire davantage. Ma femme
est morte, eh bien, par Dieu (sauf votre respect), je ne la
ressusciterai pas par mes pleurs. Elle est bien, elle est en
50 paradis pour le moins, ou mieux encore. Elle prie Dieu
pour nous ; elle est bien heureuse ; elle ne se soucie plus
de nos misères ni de nos malheurs. C'est ce qui nous

---

8. *mémentos* : début de la prière liturgique : *Memento quia pulvis es,* Souviens-toi
que tu es poussière (formule de l'imposition des cendres au début du Carême, le jour
du mercredi des Cendres).
9. *ailleurs* : dans une autre direction : il fut entraîné vers d'autres pensées.
10. *affolé* : blessé, meurtri (au sens médiéval, de *foler* : fouler), mais sans effusion
de sang. Il y a peut-être un jeu de mots avec le sens de *devenu fou.*
11. *foi de gentilhomme* : juron favori de François Ier.
12. *da jurandi* : sous-entendu *veniam,* c'est-à-dire : donne-moi la permission de
jurer (formule d'excuse pour avoir allégué le nom de Dieu).

misères et calamités. Autant nous en pend à l'œil[1]. Dieu gard•
le demeurant[2]. Il me faut penser d'en trouver une autre.

«Mais voici que[3] vous ferez, dit-il aux sages-femmes (où
sont-elles[4]? Bonnes gens, je ne vous peux voir) : allez à l'en-
50  terrement d'elle, et cependant[5] je bercerai ici mon fils, car je
me sens bien fort altéré[6], et serais en danger de tomber
malade ; mais buvez quelque bon trait devant[7], car vous vous
en trouverez bien, et m'en croyez[8] sur mon honneur.» [...]

1. *à l'œil* : la même chose nous menace.
2. *demeurant* : celui qui reste (désigne Gargantua).
3. *que* : ce que.
4. *où sont-elles* : où sont les femmes vraiment sages ? (jeu de mots sur *sages-femmes* et *femmes sages*). *Bonnes gens* peut s'adresser à un auditoire fictif, c'est une exclamation populaire.
5. *cependant* : en attendant, pendant ce temps.
6. *altéré* : assoiffé, et aussi : ému (jeu de mots). Pantagruel est d'ailleurs présenté comme un héros provoquant la soif.
7. *devant* : adverbe : auparavant.
8. *m'en croyez* : croyez-moi. Quand deux impératifs sont coordonnés, la langue du XVIe siècle (et encore celle du XVIIe) inverse le complément du second, qui prend alors la forme atone. Cf. le vers célèbre du *Cid* (c'est don Diègue qui s'adresse à Rodrigue) : *Va, cours, vole et nous venge.*

pend au nez. Que Dieu garde celui qui reste. Il me faut
penser d'en trouver une autre.

55 « Hé bien, voici ce que vous ferez, dit-il aux sages-
femmes (où sont-elles ? Bonnes gens, de sages je n'en
peux voir !) : allez à son enterrement, et pendant ce
temps je bercerai ici mon fils, car je me sens fort altéré,
et je risquerais de tomber malade ; mais buvez d'abord
60 un bon coup, vous vous en trouverez bien, croyez-m'en
sur mon honneur. » [...]

## Compréhension

1. Le dilemme dans lequel se trouve placé Gargantua prête-t-il au comique ? De quel point de vue devrait se juger sa situation ? De quel point de vue l'envisage-t-il ?

2. L'art des contrastes : d'où vient le comique des revirements successifs du veuf ?

3. Qu'est-ce qui justifie l'évolution des sentiments de Gargantua ? Quelle est la part du raisonnement et celle de la spontanéité de l'émotion ?

4. Le sens du passage : que démontre cette parodie du thème littéraire des consolations ? En quoi Rabelais se montre-t-il ici psychologue et moraliste ?

## Écriture / Réécriture

5. Qu'est-ce qu'une parodie ? Étudier la composition du premier développement. Comment sont démontrés la vanité et le ridicule des arguments scolastiques ?

6. En quoi ce monologue devient-il une scène de comédie ? Comment les gestes sont-ils suggérés ?

7. Donnez des exemples des dissonances de langage, de la variété du ton, de la vivacité et de la spontanéité de l'expression qui contribuent à la virtuosité verbale.

*Pantagruel étudiant, par Derain. Bois en couleur, 1943.*

# COMMENT PANTAGRUEL RENCONTRA UN LIMOUSIN QUI CONTREFAISAIT[1] LE LANGAGE FRANÇAIS

### [CHAPITRE 6]

Quelque jour, je ne sais quand, Pantagruel se pourmenait après souper[2] avec ses compagnons par la porte dont l'on va à Paris. Là rencontra un écolier[3] tout joliet qui venait par icelui chemin, et après qu'ils se furent salués, lui demanda :

5 « Mon ami, dont° viens-tu à cette heure ? »

L'écolier lui répondit :

« De l'alme, inclyte et célèbre académie que l'on vocite Lutèce[4].

– Qu'est-ce à dire ? dit Pantagruel à un de ses gens.

10 – C'est, répondit-il, de Paris.

– Tu viens donc de Paris, dit-il. Et à quoi passez-vous le temps, vous autres messieurs étudiants audit Paris ? »

Répondit l'écolier :

« Nous transfrétons la Séquane au dilucule et crépuscule ;
15 nous déambulons par les compites et quadrivies de l'urbe ; nous despumons la verbocination latiale[5], et, comme verisimiles amorabonds, captons la benevolence[6] de l'omnijuge, omniforme et omnigène sexe féminin. [...] Puis cauponisons ès° tabernes méritoires de la Pomme de pin, du Castel, de la
20 Madeleine et de la Mule[7], belles spatules vervécines, perforaminées de pétrosil[8], et si, par forte fortune, y a rarité ou pénu-

---

1. *contrefaisait* : tourmentait, « écorchait ». Mais à la fin du texte (« ce galant veut *contrefaire* la langue des Parisiens »), il faut prendre le mot au sens moderne de *faire comme, imiter* ces Messieurs de Paris.
2. *souper* : le souper est ce que nous appelons aujourd'hui le dîner (repas du soir).
3. *écolier* : étudiant.
4. *Lutèce* : Paris. L'écolier substitue aux mots français des mots latins francisés : « de la nourricière, illustre et célèbre université que l'on appelle Paris ». L'expression *Alma mater* est souvent appliquée à l'Université. Dans tout ce passage, Rabelais s'inspire textuellement de Geoffroy Tory, élevant en 1529 dans son *Champfleury* un réquisitoire contre les écorcheurs de latin et citant à l'appui un modèle de jargon.

# COMMENT PANTAGRUEL
## RENCONTRA UN LIMOUSIN
## QUI ÉCORCHAIT LE FRANÇAIS

### [CHAPITRE 6]

Un jour, je ne sais quand, Pantagruel se promenait après le dîner avec ses compagnons vers la porte par où l'on sort pour aller à Paris. Là il rencontra un écolier tout mignon qui venait par ce chemin, et quand ils
5 eurent échangé des saluts, il lui demanda :

« Mon ami, d'où viens-tu à cette heure ? »

L'écolier lui répondit :

« De l'alme, inclite et célèbre académie que l'on vocite Lutèce.

10 — Qu'est-ce à dire ? dit Pantagruel à l'un de ses gens.

— C'est de Paris qu'il est question, répondit-il.

— Tu viens donc de Paris, dit le prince. Et à quoi passez-vous le temps à Paris, vous autres messieurs étudiants ? »

15 L'écolier répondit alors :

« Nous transfrétons la Séquane au dilucule et au crépuscule ; nous déambulons par les compites et les quadrivies de l'urbe ; nous despumons la verbocination latiale et comme verisimiles amorabonds, captons la
20 bénévolence de l'omnijuge, omniforme et omnigène sexe féminin. [...] Puis cauponisons dans les tavernes méritoires de la Pomme de pin, du Castel de la Madeleine et de la Mule, belles spatules vervecines performinées de pétrosil, et si, par forte fortune, il y a rareté ou
25 pénurie de pécunes en nos marsupies, et si par hasard

---

5. *latiale* : de Latium. « Nous passons la Seine au point du jour et au crépuscule, nous nous promenons par les places et les carrefours de la ville ; nous écumons la langue latine. »

6. *benevolence* : et comme de vrais amoureux, nous cherchons à gagner la bienveillance...

7. *la Mule* : cabarets célèbres au XVIᵉ siècle. « Nous mangeons dans les auberges payantes » (*méritoires*, du latin *meritorius* : qui procure un gain).

8. *pétrosil* : persil.

rie de pécune en nos marsupies[1], et soient exhaustes de
métal ferruginé[2], pour l'écot nous dimittons nos codices et
vestes oppignerées, prestolant les tabellaires à venir des
25  pénates et lares patriotiques[3]. »

À quoi Pantagruel dit :

« Que diable de langage est ceci ? Par Dieu, tu es quelque
hérétique.

– Seignor, non, dit l'écolier, car libentissimement dès ce
30  qu'il illucesce quelque minutule lèche de jour[4], je démigre en
quelqu'un de ces tant bien architectés moustiers[5], et là, m'irrorant de belle eau lustrale, grignotte d'un transon de quelque
missique précation de nos sacrificules[6], et, submirmillant mes
précules horaires, élue et absterge mon anime de ses inquina-
35  ments nocturnes[7]. Je révère les Olympicoles. Je vénère
latrialement le supernel astripotent[8]. Je dilige et redame mes
proximes[9]. Je serve les prescrits décalogiques, et selon la
facultatule de mes vires, n'en discède le late unguicule[10]. Bien
est vériforme qu'à cause que Mammone ne supergurgite
40  goutte en mes locules[11], je suis quelque peu rare et lent à
superéroger les élémosynes à ces égènes quéritants leur
stipe hostiatement[12].

– Et bren, bren, dit Pantagruel, qu'est-ce que veut dire ce
fol ? Je crois qu'il nous forge ici quelque langage diabolique et
45  qu'il nous charme comme enchanteur. »

À quoi dit un de ses gens :

« Seigneur, sans doute ce galant veut contrefaire la langue

---

1.  *marsupies* : bourses.
2.  *ferruginé* : de fer : « et qu'elles soient vides de métal monnayé ».
3.  *patriotiques* : paternels. « Pour payer (l'écot), nous laissons nos livres et nos
vêtements en gage, attendant les messagers (*tabellaires* : nom officiel des « postiers »
au XVIᵉ siècle) qui viendront des foyers paternels.
4.  *de jour* : « Car très volontiers, dès que commence à luire quelque minuscule
lambeau de jour. »
5.  *moustiers* : églises. « Je me rends dans l'une de ces églises si bien bâties. »
6.  *sacrificules* : prêtres (latin *sacrificulus* : celui qui fait les sacrifices) : « M'asper-
geant de belle eau bénite, je grignote un morceau de quelque prière de la messe dite
par nos prêtres. »

elles sont exhaustes de métal ferrugineux, pour l'écot nous dimittons nos codices et vestes oppignerées, prestolant les tabellaires à venir des Pénates et Lares patriotiques. »

30    À ces paroles, Pantagruel s'écria :
    «Quel diable de langage est-ce là? Par Dieu, tu es quelque hérétique.
    – Seignor, non, dit l'écolier, car libentissimement dès qu'il illuscesce quelque minutule lèche de jour, je
35    démigre dans l'un de ces si bien architectés moutiers, et là, m'irrorant de belle eau lustrale, grignote d'un transon de quelque missique précation de nos sacrificules. Et, submirmillant mes précules horaires, élue et absterge mon anime de ses inquinaments nocturnes. Je révère les
40    Olympicoles, je vénère latrialement le supernel Astripotent. Je dilige et rédame mes proximes. Je serve les prescripts décalogiques, et selon la facultatule de mes vires, n'en discède le late unguicule. Bien est vériforme que, à cause que Mammon ne supergurgite goutte en
45    mes locules, je suis quelque peu rare et lent à supéroger les élémosines à ces égènes quéritant leur stipe hostiatement.
    – Eh, merde, merde, dit Pantagruel, qu'est-ce que veut dire ce fou? Je crois qu'il nous forge ici un langage
50    diabolique et qu'il nous ensorcèle comme un magicien. »
    Un de ses gens répondit à cela :
    «Seigneur, sans doute ce freluquet veut-il imiter la

---

7.  *nocturnes* : «Et, marmottant mes prières réglées par les heures, je lave et nettoie mon âme de ses souillures de la nuit.»

8.  *astripotent* : maître des astres. «Je révère les habitants du ciel (de l'Olympe). Je vénère d'un culte d'adoration le Dieu d'en haut, maître des astres.»

9.  *proximes* : proches : «Je chéris mes proches et leur rends amour pour amour.»

10.  *unguicule* : de l'*ongle* (adjectif) : «J'observe les commandements du décalogue, et selon la faible puissance de mes forces, je ne m'en écarte pas de la largeur d'un ongle.»

11.  *locules* : poches : «Il est bien vrai que, parce que Mammon (terme biblique désignant l'argent) ne dégorge pas dans mes poches.»

12.  *hostiatement* : de porte en porte : «Je suis quelque peu lent et rare à donner les aumônes à ces pauvres qui cherchent leur obole de porte en porte.»

des Parisiens ; mais il ne fait qu'écorcher le latin et cuide ainsi
pindariser[1] et lui semble bien qu'il est grand orateur en fran-
50 çais parce qu'il dédaigne l'usance commun de parler. »

À quoi dit Pantagruel :

« Est-il vrai ? »

L'écolier répondit :

« Seignor missaire[2], mon génie n'est point apte nate à ce
55 que dit ce flagitiose nébulon, pour excorier la cuticule de notre
vernacule gallique[3] ; mais vice-versement je gnave opère et
par vèle et rames je m'énite de le locupleter de la redondance
latinicome[4].

— Par Dieu, dit Pantagruel, je vous apprendrai à parler. Mais
60 devant, réponds-moi, dont es-tu ? »

À quoi dit l'écolier :

« L'origine primève de mes aves et ataves fut indigène des
régions Lémoviques, où requiesce le corpore de l'agiotate
saint Martial[5].

65 — J'entends bien, dit Pantagruel, tu es Limousin, pour tout
potage, et tu veux ici contrefaire le Parisien. Or viens çà, que
je te donne un tour de pigne[6]. »

Lors le prit à la gorge, lui disant :

« Tu écorches le latin ; par saint Jean, je te ferai écorcher le
70 renard*, car je t'écorcherai tout vif. »

Lors commença le pauvre Limousin à dire :

« Vée dicou, gentilâtre ! Ho ! saint Marsault, adiouda mi ;
hau, hau, laissas à quau, au nom de Dious, et ne me touquas
grou[7]. »

75 À quoi dit Pantagruel :

« À cette heure parles-tu naturellement. »

Et ainsi le laissa [...].

---

1. *pindariser* : parler comme *Pindare* (poète grec, 524-441 av. J.-C.), c'est-à-dire
parler un jargon prétentieux.
2. *Seignor missaire* : Seigneur messire.
3. *gallique* : gaulois (c'est-à-dire français) : « Mon génie n'est point né propre
(naturellement apte) à ce que dit cet infâme vaurien pour écorcher la peau de notre
français vulgaire. »

langue des Parisiens ; mais il ne fait qu'écorcher le latin ;
il croit ainsi pindariser, et il s'imagine être un grand
55 orateur français parce qu'il dédaigne la manière
commune de parler. »

Et Pantagruel, à ces mots :

« Est-ce vrai ? »

L'écolier répondit :

60 « Seignor missaire, mon génie n'est point apte nate à
ce que dit ce flagitiose nébulon, pour escorier la cuticule
de notre vernacule gallique, mais vice versement, je
gnave opère, et par vèles et rames, je m'énite de le
locupleter de la redondance latinicome.

65 — Par Dieu, dit Pantagruel, je vous apprendrai à parler ; mais d'abord, réponds-moi : d'où es-tu ? »

L'écolier lui dit alors :

« L'origine primève de mes aves et ataves fut indigène
des régions Lémoviques, où requiesce le corpore de
70 l'agiotate saint Martial.

— Je comprends, dit Pantagruel, tu es Limousin, pour
tout potage ; et tu veux singer le Parisien. Viens donc ici,
que je te donne une peignée. »

Il le prit alors à la gorge, en disant :

75 « Tu écorches le latin, par saint Jean, je vais te faire
rendre gorge, car je vais t'écorcher tout vif. »

Alors le pauvre Limousin se mit à dire :

« Vée dicou, gentillâtre ! Ho, saint Marsau, adjouda
mi ! Hau ! Hau ! laissas à quau, au nom de Dious, et ne
80 me touquas grou. »

Alors Pantagruel lui dit :

« À présent, tu parles naturellement. »

Et il le laissa [...].

---

4. *latinicome* : qui a une chevelure latine : «Mais tout au contraire, je travaille et,
avec voiles et rames, je m'efforce de l'enrichir de l'abondance latine. »

5. *agiotate saint Martial* : agiotate (hellénisme) : très auguste, très saint. «L'origine
première de mes aïeux et ancêtres est issue des régions limousines où repose le corps
du très auguste saint Martial. »

6. *un tour de pigne* : un coup de peigne : une peignée.

7. *grou* : toute la phrase est en patois limousin : «Eh ! là ! (je dis) gentilhomme ! oh !
saint Martial, aide-moi ; ho ! ho ! laissez-moi, au nom de Dieu, et ne me touchez pas»

*Questions*

## Compréhension

1. *Quels sont les divers intérêts du chapitre ?*

2. *Le français décalqué du latin : pourquoi Rabelais, qui use si souvent lui-même de latinismes et de néologismes, s'en prend-il à l'écolier limousin ?*

3. *L'emploi du temps d'un étudiant : quels sont les traits satiriques à l'adresse des étudiants ? Sont-ils traditionnels ? Connaissez-vous d'autres personnages semblables dans la littérature médiévale ?*

4. *Quelles sont les intentions de Rabelais dans ce chapitre ? Sur quels traits du jargon « écorche-latin » fait-il porter la satire ? Rabelais ne tombe-t-il pas souvent dans le même travers que l'écolier limousin ? Justifiez votre opinion à l'aide de quelques exemples.*

## Écriture / Réécriture

5. *En quoi ce jargon est-il comique et pour qui ? Distinguez la plaisanterie populaire et la plaisanterie savante.*

6. *Pourquoi l'écolier est-il ridicule ?*

7. *Faites parler, en quelques phrases, un écolier prétentieux et pédant.*

*Guillaume Budé, humaniste et helléniste français (1467-1540).*
*Peinture attribuée à S. Holbein.*

# COMMENT* PANTAGRUEL, ESTANT À PARIS, RECEUT LETRES[1] DE SON PÈRE GARGANTUA, ET LA COPIE D'ICELLES

## [CHAPITRE 8]

[...] « Encores que mon feu père, de bonne mémoire, Grand-gousier[2], eust adonné tout son estude à ce que je proffitasse en toute perfection et sçavoir politique[3] et que mon labeur et estude correspondît très bien, voire encores oultrepassast
5 son désir[4], toutesfoys, comme tu peulx bien entendre, le temps n'estoit tant idoine ne commode ès• lettres comme est de présent, et n'avoys copie de telz précepteurs comme tu as eu. Le temps estoit encores ténébreux et sentant l'infélicité et calamité des Gothz[5], qui avoient mis à destruction
10 toute bonne litérature. Mais, par la bonté divine, la lumière et dignité a esté de mon eage rendue ès lettres, et y voy tel amendement que de présent à difficulté seroys-je receu en la première classe des petitz grimaulx[6], qui[7] en mon eage virile estoys (non à tord) réputé le plus sçavant dudict siècle.

15 « Ce que je ne dis par jactance vaine, — encores que je le puisse louablement faire en t'escripvant, comme tu as l'autorité[8] de Marc Tulle[9] en son livre de *Vieillesse*[10], et la sentence de Plutarche au livre intitulé : *Comment on se peut louer sans envie*[11], — mais pour te donner affection de plus hault tendre.

---

* Le présent extrait du chapitre 8 est proposé, à titre d'exemple, avec la graphie originale de l'édition de 1542 (cf. note p. 10).
1. *letres* : une lettre (latin *litterae*).
2. *Grandgousier* : le nom est tiré de la *Chronique gargantuine*, où ce personnage, ainsi que sa femme Galemelle (devenue Gargamelle chez Rabelais), a été créé de deux ossements de baleine par l'enchanteur Merlin.
3. *sçavoir politique* : science qui concerne l'art d'administrer un État.
4. *désir* : tour correct au XVIᵉ siècle, bien que *correspondre* demande un régime indirect et *outrepasser* un régime direct. Le tour serait incorrect aujourd'hui.
5. *Gothz* : pour les humanistes, les *Goths* représentent la barbarie du Moyen Âge, et tout spécialement celle de la scolastique décadente.

166

# COMMENT PANTAGRUEL QUI ÉTAIT À PARIS REÇUT UNE LETTRE DE SON PÈRE GARGANTUA DONT VOICI LA COPIE

## [CHAPITRE 8]

[...] «Bien que feu mon père Grandgousier, qui n'a laissé que de bons souvenirs, eût apporté tous ses soins à me faire progresser en perfection et savoir politique, et que mon travail et mon application répondissent tout à
5   fait à son désir, et même l'aient dépassé, le temps cependant, tu le sais bien, n'était pas aussi propice ni favorable à l'étude des belles-lettres qu'il l'est à présent et je n'ai pas eu autant et d'aussi bons précepteurs que toi. Les temps étaient encore ténébreux et se ressentaient des
10  infortunes et des malheurs dus à la barbarie des Goths qui avaient ruiné toute bonne littérature. Mais, grâce à la bonté divine, la gloire et la dignité ont été, au temps où je vis, rendues aux belles-lettres, et j'y vois de tels progrès qu'à présent j'aurais bien du mal à être admis dans la
15  première classe des petits gamins, moi qui, à l'âge de la maturité, étais tenu (non à tort) pour le plus savant du siècle.

«Je ne dis pas cela par vaine gloriole – je pourrais le faire cependant sans qu'on me blâme quand je t'écris,
20  avec pour garant Marc Tulle dans son livre *De la vieillesse* et l'opinion de Plutarque dans le livre intitulé *Comment on peut se louer sans envie* – mais pour t'inspirer le désir de viser plus haut.

---

6.  *grimaulx* : écoliers des classes élémentaires.
7.  *qui* : a pour antécédent *je*. Il faudrait aujourd'hui faire précéder ce relatif par le pronom tonique *moi*.
8.  *autorité* : vient du latin *auctoritas* : crédit apporté à quelqu'un, à ses opinions.
9.  *Marc Tulle* : désigne *Marcus Tullius* Cicéron.
10. *vieillesse* : dans le *De senectute*, le vieux Caton explique qu'on peut pardonner à un vieillard de parler de soi.
11. *sans envie* : sans mériter de reproche. «Il faut être indulgent aux vieillards qui se vantent», dit Plutarque dans *Comment on peut se louer...*, ch. 20.

20 « Maintenant toutes disciplines sont restituées[1], les langues instaurées : Grecque[2], sans laquelle c'est honte que une personne se die sçavant, Hébraïcque, Caldaïcque[3], Latine ; les impressions[4] tant élégantes et correctes en usance, qui ont esté inventées de mon eage par inspiration divine, comme à
25 contrefil l'artillerie par suggestion diabolicque. Tout le monde est plein de gens savans, de précepteurs très doctes, de librairies très amples, et m'est advis que, ny au temps de Platon, ny de Cicéron, ny de Papinian[5], n'estoit telle commodité d'estude qu'on y veoit maintenant, et ne se fauldra plus
30 doresnavant trouver en place ny en compaignie, qui ne sera bien expoly[6] en l'officine de Minerve[7]. Je voy les brigans, les boureaulx, les avanturiers[8], les palefreniers de maintenant, plus doctes que les docteurs[9] et prescheurs de mon temps.

« Que diray-je ? Les femmes et les filles ont aspiré à ceste
35 louange et manne céleste de bonne doctrine[10]. Tant y a que, en l'eage où je suis, j'ay esté contrainct de apprendre les lettres Grecques, lesquelles je n'avois contemné comme Caton[11], mais je n'avoys eu loisyr de comprendre en mon jeune eage ; et voluntiers me délecte à lire les *Moraulx* de
40 Plutarche, les beaulx *Dialogues* de Platon, les *Monumens* de Pausanias[12] et *Antiquitez* de Atheneus, attendant l'heure qu'il plaira à Dieu, mon Créateur, me appeler et commander yssir de ceste terre.

« Par quoy, mon filz, je te admoneste que employe ta jeu-
45 nesse à bien profiter en estudes et en vertus. Tu es à Paris, tu as ton précepteur Épistémon, dont l'un par vives et vocales

---

1. *restituées* : rétablies en leur premier état. Les humanistes désignent la Renaissance par l'expression : *La restitution des bonnes lettres*.
2. *Grecque* : l'enseignement du grec et de l'hébreu, joint à celui du latin, est une victoire des humanistes.
3. *Caldaïcque* : le caldaïque (ou le chaldéen) est une langue sémitique proche de l'hébreu, utile pour l'étude de certains textes bibliques.
4. *impressions* : livres imprimés, imprimerie.
5. *Papinian* : Papinien, jurisconsulte romain (142-212 ap. J.-C.). Ces trois écrivains symbolisent trois âges de la civilisation : l'âge de la philosophie, celui de l'éloquence, et celui des savants.

«Maintenant toutes les études sont restaurées, les langues mises à l'honneur : le grec, sans la connaissance
25 duquel ce serait une honte de se dire savant, l'hébreu, le chaldéen, le latin. Les livres imprimés, si élégants et si corrects, sont en usage, dont l'invention, de mon vivant, est due à l'inspiration divine, comme, au rebours, l'artillerie à une suggestion diabolique. Le monde entier est
30 plein de gens savants, de précepteurs très doctes, de bibliothèques très vastes, au point qu'il n'y avait pas, au temps de Platon, de Cicéron ou de Papinien, autant de facilité pour étudier qu'il s'en trouve maintenant ; et désormais on ne devra plus paraître en public ou en
35 quelque compagnie sans être bien affiné dans l'atelier de Minerve. Je vois les brigands, les bourreaux, les soldats, les palefreniers d'à présent plus doctes que les docteurs et prêcheurs de mon temps.

«Que dire encore ? Les femmes et les filles ont aspiré
40 à cette gloire, à cette manne céleste du beau savoir. Tant et si bien qu'à mon âge, j'ai été contraint d'apprendre le grec, que je n'avais pas méprisé comme Caton, mais que je n'avais pas eu le loisir d'apprendre en ma jeunesse, et je me délecte volontiers à lire les *Œuvres morales* de
45 Plutarque, les beaux *Dialogues* de Platon, les *Monuments* de Pausanias, et les *Antiquités* d'Athénée, en attendant l'heure où il plaira à Dieu, mon créateur, de m'appeler et de m'ordonner de quitter cette terre.

«C'est pourquoi, mon fils, je t'engage à employer ta
50 jeunesse à bien profiter en savoir et en vertu. Tu es à Paris, tu as ton précepteur Épistémon : l'un par un

---

6. *expoly* : du latin *expolitus* : bien poli, perfectionné, cultivé.
7. *Minerve* : déesse des arts et de la science.
8. *avanturiers* : soldats volontaires qui ne recevaient pas de solde.
9. *docteurs* : le mot désigne jusqu'au xvii<sup>e</sup> siècle les docteurs en théologie.
10. *doctrine* : allusion à la promotion culturelle de la femme à l'époque de la Renaissance. Comme Érasme, les humanistes français s'émerveillaient de voir tant de princesses (Marguerite de Navarre, notamment) et de bourgeoises cultivées.
11. *Caton* : Caton l'Ancien (234-149 av. J.-C.) incarne le vieil esprit latin opposé à la culture grecque. Il finit pourtant par apprendre le grec dans son extrême vieillesse.
12. *Pausanias* : historien et érudit grec (ii<sup>e</sup> s. ap. J.-C.) auquel les humanistes empruntent beaucoup de documents sur la géographie et la mythologie antiques.

instructions, l'aultre[1] par louables exemples, te peut endoctriner. J'entens et veulx que tu aprenes les langues parfaictement : premièrement la Grecque, comme le veult Quintilian[2],
50  secondement, la Latine, et puis l'Hébraïcque pour les sainctes letres, et la Chaldaïcque et Arabicque pareillement[3] ; et que tu formes ton stille quand à la Grecque, à l'imitation de Platon, quand à la Latine[4], à Cicéron. Qu'il n'y ait hystoire que tu ne tienne en mémoire présente, à quoy te aidera la cosmogra-
55  phie[5] de ceulx qui en ont escript. Des ars libéraux[6], géométrie, arisméticque et musicque, je t'en donnay quelque goust quand tu estois encores petit, en l'eage de cinq à six ans ; poursuys la reste[7], et de astronomie saiche-en tous les canons ; laisse-moy l'astrologie divinatrice[8] et l'art de Lullius[9],
60  comme abuz et vanitez. Du droit civil, je veulx que tu saiche par cueur les beaulx textes et me les confère[10] avecques philosophie.

« Et quant à la congnoissance des faictz de nature, je veulx que tu te y adonne curieusement : qu'il n'y ait mer, rivière ny
65  fontaine dont tu ne congnoisse les poissons, tous les oyseaulx de l'air, tous les arbres, arbustes et fructices des forestz, toutes les herbes de la terre, tous les métaulx cachez au ventre des abysmes, les pierreries de tout Orient et Midy, rien ne te soit incongneu.

70  « Puis, songneusement revisite les livres des médicins Grecz, Arabes et Latins, sans contemner les Thalmudistes et

---

1. *l'autre* : Paris. *L'un* désigne Épistémon.
2. *Quintilian* : Quintilien, auteur latin du traité *De la formation de l'orateur* (Ier s.), qui recommande de commencer l'éducation des enfants par le grec.
3. *pareillement* : de la même façon.
4. *Latine* : noter l'absence du français, qui n'est pas considéré comme une langue qu'on étudie.
5. *cosmographie* : description de l'univers, géographie. Rabelais établit un lien étroit entre l'histoire et la géographie.
6. *arcs libéraux* : ils se définissent par opposition aux arts mécaniques. La distinction apparaît dès la fin de l'Antiquité.

enseignement vivant et oral, l'autre par de louables exemples peuvent te former. J'entends et je veux que tu apprennes parfaitement les langues : d'abord le grec,
55 comme le veut Quintilien, en second lieu le latin, puis l'hébreu pour l'Écriture sainte, le chaldéen et l'arabe pour la même raison, et que tu formes ton style sur celui de Platon pour le grec, de Cicéron pour le latin. Qu'il n'y ait pas de faits historiques que tu ne gardes présents
60 à la mémoire, ce à quoi t'aidera la description de l'univers par les auteurs qui ont traité ce sujet. Quant aux arts libéraux, géométrie, arithmétique et musique, je t'en ai donné le goût quand tu étais encore petit, à cinq ou six ans ; continue : de l'astronomie, apprends toutes les
65 règles. Mais laisse-moi l'astrologie divinatoire et l'art de Lullius, qui ne sont qu'abus et futilités. Du droit civil, je veux que tu saches par cœur les beaux textes et me les commentes avec sagesse.

 « Quant à la connaissance de la nature, je veux que tu
70 t'y appliques avec soin : qu'il n'y ait mer, rivière, ni source dont tu ne connaisses les poissons ; tous les oiseaux de l'air, tous les arbres, arbustes, buissons des forêts, toutes les herbes de la terre, tous les métaux cachés au ventre des abîmes, les pierreries de toutes les
75 contrées d'Orient et du Midi, que rien ne te soit inconnu.

 « Puis, relis soigneusement les livres des médecins grecs, arabes et latins, sans mépriser les talmudistes et

---

7. *reste* : allusion aux deux cycles des études médiévales : le *trivium* (grammaire, rhétorique, dialectique) et le *quadrivium* (géométrie, arithmétique, astronomie, musique). Le *reste* désigne l'astronomie, celui des arts du quadrivium que Gargantua n'a pas encore étudié.
8. *astrologie divinatrice* : l'astrologie, très en faveur au XVIᵉ siècle, prétendait déterminer l'influence des astres sur la vie de l'homme.
9. *Lullius* : Raymond Lulle, célèbre alchimiste espagnol du XIIIᵉ siècle.
10. *confère* : au subjonctif, dépend de *veulx*. Pantagruel devra *comparer* les textes juridiques avec les textes philosophiques pour s'assurer de la signification des premiers dans le domaine moral.

Cabalistes[1], et par fréquentes anatomies[2] acquiers-toy parfaicte congnoissance de l'aultre monde, qui est l'homme[3]. Et par lesquelles heures du jour commence à visiter les sainctes-
75 letres, premièrement en Grec le *Nouveau Testament et Épistres* des Apostres et puis en Hébrieu le *Vieulx Testament*. Somme, que je voy un abysme de science : car doresnavant que tu deviens homme et te fais grand, il te fauldra yssir de ceste tranquillité et repos d'estude, et apprendre la chevalerie
80 et les armes[4] pour défendre ma maison et nos amys secourir en tous[5] leurs affaires contre les assaulx des malfaisans. Et veulx que, de brief, tu essaye combien tu as proffité, ce que tu ne pourras mieulx faire que tenent conclusions[6] en tout sçavoir, publiquement, envers tous et contre tous, et hantant les
85 gens lettrez qui sont tant à Paris comme ailleurs.

« Mais parce que selon le saige Salomon sapience n'entre poinct en âme malivole et science sans conscience[7] n'est que ruine de l'âme, il te convient servir, aymer et craindre Dieu, et en luy mettre toutes tes pensées et tout ton espoir, et, par
90 foy formée de charité[8], estre à luy adjoinct en sorte que jamais n'en soys desamparé par péché. Aye suspectz les abus du monde. Ne metz ton cueur à vanité, car ceste vie est transitoire, mais la parole de Dieu demeure éternellement. Soys serviable à tous tes prochains et les[9] ayme comme toy-
95 mesmes. Révère tes précepteurs. Fuis les compaignies des gens èsquelz tu ne veux point resembler, et, les grâces que Dieu te a données, icelles ne reçoipz en vain. Et quand tu congnoistras que auras tout le sçavoir de par delà acquis, retourne vers moy, affin que je te voye et donne ma bénédic-
100 tion devant que mourir.

---

1. *thalmudistes et cabalistes* : médecins juifs héritiers du *Talmud* (recueil de l'enseignement des rabbins) et de la *Cabale* (interprétation ésotérique de la Bible).
2. *anatomies* : dissections.
3. *l'homme* : le microcosme, par opposition au macrocosme (l'univers).
4. *les armes* : cette formation militaire du gentilhomme a sa place dans le programme d'études de Gargantua (*Gargantua*, ch. 23).
5. *tous* : *affaires* est un mot masculin au XVIe siècle.

les cabalistes, et, par de fréquentes dissections, acquiers
80 une parfaite connaissance de cet autre monde qu'est
l'homme. Et quelques heures par jour, commence à lire
l'Écriture sainte, d'abord en grec le Nouveau Testament
et les Épîtres des apôtres, puis en hébreu l'Ancien Testament. En somme, que je voie en toi un abîme de
85 science, car maintenant que tu deviens homme et te fais
grand, il te faudra quitter la tranquillité et le repos de
l'étude et apprendre l'art de la chevalerie et les armes
pour défendre ma maison et secourir nos amis dans
toutes leurs difficultés contre les attaques des fauteurs de
90 troubles. Et je veux que bientôt tu mesures tes progrès :
pour cela, tu ne pourras mieux faire que de soutenir des
discussions pubnques sur tous les sujets, envers et
contre tous, et de fréquenter les gens lettrés tant à Paris
qu'ailleurs.
95   « Mais parce que, selon le sage Salomon, la sagesse
n'entre pas dans une âme méchante et que science sans
conscience n'est que ruine de l'âme, il te faut servir,
aimer et craindre Dieu et en lui mettre toutes tes pensées et tout ton espoir, et par une foi faite de charité,
100 t'unir à lui de façon à n'en être jamais séparé par le
péché. Méfie-toi des abus du monde. Ne t'adonne pas à
des choses vaines, car cette vie est transitoire, mais la
parole de Dieu demeure éternellement. Sois serviable à
ton prochain et aime-le comme toi-même. Révère tes
105 précepteurs, fuis la compagnie de ceux auxquels tu ne
veux point ressembler, et ne reçois pas en vain les
grâces que Dieu t'a données. Et quand tu verras que tu
as acquis tout le savoir qu'on acquiert là-bas, reviens
vers moi afin que je te voie et que je te donne ma béné-
110 diction avant de mourir.

---

6.  *conclusions* : thèses de tout genre contre tout argumentateur qui pourra se trouver dans le public, selon les habitudes médiévales.
7.  *science sans conscience* : expression traditionnelle venue de saint Bernard et passée dans le vocabulaire scolastique.
8.  *formée de charité* : *formée* est un terme scolastique : la charité est la *forme* (le moule) de toutes les autres vertus.
9.  *les* : dans l'ancienne langue, et jusqu'à la fin du XVII^e siècle, quand deux impératifs étaient coordonnés, on inversait le complément du second.

«Mon filz, la paix et grâce de Nostre Seigneur soit avecques toy. *Amen.* De Utopie, ce dix-septiesme jour du moys de mars.

«Ton père,

«GARGANTUA. »

105

Ces lettres receues et veues, Pantagruel print nouveau courage et feut enflambé à proffiter plus que jamais, en sorte que, le voyant estudier et proffiter, eussiez dict que tel estoit son esperit entre les livres comme est le feu parmy les brandes[1], tant il l'avoit infatigable et strident[2].

---

1. *brandes* : sorte de bruyère qui pousse dans les lieux incultes.
2. *strident* : qui produit un bruit aigu, au sens propre. Au sens figuré : perçant, dévorant.

« Mon fils, que la paix et la grâce de Notre-Seigneur soient avec toi, amen. D'Utopie, ce dix-sept mars.
    « Ton père,

                                                    « GARGANTUA. »

115    Après avoir reçu et lu cette lettre, Pantagruel éprouva un renouveau de courage et fut enflammé du désir de progresser plus que jamais, en sorte qu'en le voyant étudier et progresser, on aurait dit que son esprit ressemblait au feu dans les bruyères, tant il était infatigable et
120    pénétrant.

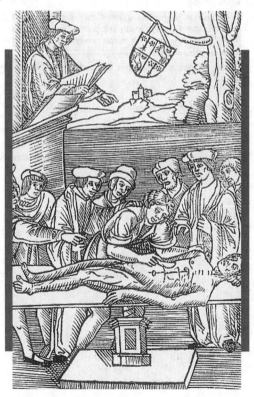

*Questions*

## Compréhension

1. *Comment se manifeste l'affection du père pour son fils tout au long de cette lettre ? Que symbolise ici Gargantua ? En quoi les divers tons traduisent-ils les différents aspects du personnage ?*

2. *Relever les allusions précises à l'actualité dans la lettre de Gargantua. Quel est leur intérêt ? Par quels termes Rabelais manifeste-t-il son mépris pour le Moyen Âge, son enthousiasme pour le temps présent ?*

3. *En quoi le programme d'études tracé par Gargantua est-il caractéristique de la Renaissance : du point de vue de la formation intellectuelle, de la formation morale et religieuse ? Quels rapports Rabelais établit-il entre ces différentes formations ?*

4. *Vous apprécierez et relèverez les nouveautés et les traditions.*

## Écriture / Réécriture

5. *Le point de vue de Rabelais sur l'éducation est-il le même que dans Gargantua (ch. 21-23) ? Donnez brièvement votre avis.*

6. *Le programme vous paraît-il réalisable ? Énumérez les domaines d'études qu'il préconise.*

7. *Y voyez-vous des lacunes ?*

*Bilan*

## L'action

### • Ce que nous savons

*Le prologue a présenté l'œuvre comme la suite des Grandes et Inestimables Chroniques de l'énorme géant Gargantua et comme un récit fait par maître Alcofribas, serviteur du fils de Gargantua, Pantagruel.*

*Après la généalogie du héros, rattaché à une race de géants nés après le meurtre de Caïn (ch. 1), Rabelais raconte sa «nativité» fabuleuse au cours d'une terrible sécheresse qui le destinait à devenir roi des Dipsodes (altérés), puis la mort en couches de sa mère Badebec (ch. 3).*

*Conformément au plan du roman de chevalerie, repris deux ans plus tard dans le Gargantua, le Pantagruel retrace les «enfances» du héros. Ses proportions gigantesques sont constamment soulignées (seul le chapitre 3 fait oublier que le père comme le fils sont des géants et s'attarde à décrire la perplexité du veuf, affligé par son veuvage et heureux de la naissance de son fils, dans une scène où le rire relève du comique de caractère et fait éclater l'égoïsme optimiste de Gargantua).*

*Le thème de l'enfance est très rapidement abandonné. Pantagruel est envoyé à l'école, ce qui est fort inhabituel pour un héros de roman, généralement confié à un précepteur. Il entreprend ensuite un véritable tour de France universitaire (ch. 5, non reproduit ici), peu efficace pour sa formation. La rencontre d'un écolier limousin fournit à l'auteur l'occasion d'exprimer son opinion sur le vocabulaire et la langue ; thème d'actualité, à l'époque où le latin est la langue de l'université, et où la langue française a des défenseurs qui, comme les écrivains de la Pléiade, cherchent à la «défendre» et l'«illustrer».*

*La lettre de Gargantua à son fils (ch. 8) contraste avec les autres chapitres. En un style soutenu, elle trace un programme d'études qui témoigne de l'enthousiasme humaniste de la Renaissance. Programme moins précis et moins techniquement pédagogique que celui tracé dans les chapitres du Gargantua consacrés à l'éducation.*

### • À quoi nous attendre

*Le canevas du roman de chevalerie impose le récit des exploits du héros, son éducation terminée. Celle de Pantagruel laisse espérer qu'il répondra à l'attente de son père, et comblera ses vœux.*

## Les personnages

• **Gargantua,** dont on oublie le caractère gigantesque, est d'abord apparu comme un veuf aisément consolé, roi débonnaire, gentilhomme compagnard, bon vivant (ch. 3), avant d'incarner la paternité bienveillante, attentive d'un homme qui n'a pu acquérir dans sa jeunesse la vaste culture dont il espère voir son fils s'enrichir. Convaincu des bienfaits d'une formation harmonieuse, complète dans toutes les facultés humaines, il est admiratif devant les perspectives qui s'ouvrent à la nouvelle génération.

• **Pantagruel,** doué d'une force prodigieuse, esprit ouvert, curieux, plein de bon sens, a tout à la fois l'appétit de connaissances de l'humaniste (esprit « infatigable et strident », « enflambé à profiter »), l'amour de la vie, une gaité et une sociabilité de bon vivant.
Pantagruel, d'une bonne nature, bien « institué », est prêt à l'action.

Panurge vu par Gustave Doré. Gravure sur bois, 1873.

# DES MŒURS ET CONDITIONS
# DE PANURGE

## [CHAPITRE 16]

*En se promenant hors de Paris, Pantagruel rencontre un
étrange personnage, Panurge, récemment évadé de Turquie.*

Panurgue était de stature moyenne, ni trop grand, ni trop
petit, et avait le nez un peu aquilin, fait à manche de rasoir[1], et
pour lors était de l'âge de trente et cinq ans ou environ, fin à
dorer comme une dague de plomb[2], bien galant homme de sa
5  personne, sinon qu'il était quelque peu paillard et sujet de
nature à une maladie qu'on appelait en ce temps-là «Faute
d'argent, c'est douleur non pareille[3]» (toutefois il avait
soixante et trois manières d'en[4] trouver toujours à son
besoin, dont la plus honorable et la plus commune était par
10  façon de larcin furtivement fait); malfaisant, pipeur, buveur,
batteur de pavés[5], ribleur s'il en était en Paris, au demeurant
le meilleur fils du monde[6], et toujours machinait quelque
chose contre les sergents et contre le guet.
    À l'une fois, il assemblait trois ou quatre bons rustres, les
15  faisait boire comme Templiers[7] sur le soir, après les menait
au-dessous de Sainte-Geneviève ou auprès du collège de
Navarre[8] et à l'heure que le guet[9] montait par là (ce qu'il
connaissait en mettant son épée sur le pavé et l'oreille
auprès, et lorsqu'il oyait son épée branler, c'était signe infail-
20  lible que le guet était près), à l'heure donc, lui et ses compa-

---

1.  *à manche de rasoir* : recourbé.
2.  *fin à dorer* : signifie : «superlativement fin» (H. Estienne). Mais l'adjonction
imprévue de *comme une dague de plomb* détruit le compliment; le plomb ne supporte
pas la dorure au mercure, la seule qu'on connaissait alors.
3.  *faute d'argent, c'est douleur non pareille* : refrain d'une chanson d'étudiant du
xv<sup>e</sup> siècle (*faute* : manque, pénurie).
4.  *en* : de l'argent.
5.  *batteur de pavés* : vagabond.

# DES MŒURS ET DU COMPORTEMENT
## DE PANURGE

### [CHAPITRE 16]

Panurge était de taille moyenne, ni trop grand, ni trop petit, et avait le nez un peu aquilin, en forme de manche de rasoir ; il avait alors trente-cinq ans environ, fin à dorer comme une dague de plomb, bien agréable de sa
5 personne, si ce n'est qu'il était un peu fainéant et sujet par nature à une maladie qu'on appelait en ce temps-là « Manque d'argent, c'est douleur sans égale ». (Toutefois il avait soixante et trois manières d'en trouver toujours selon son besoin, dont la plus honorable et la plus
10 commune était de commettre furtivement un larcin) ; malfaiteur, trompeur, buveur, batteur de pavés, chapardeur, s'il en était à Paris ; au demeurant, le meilleur fils du monde. Il machinait toujours quelque chose contre les sergents et contre le guet.
15 Tantôt il rassemblait trois ou quatre bons rustres, et les faisait boire le soir comme des templiers, après quoi il les menait en bas de Sainte-Geneviève ou près du collège de Navarre et à l'heure où le guet montait par là – ce qu'il savait en mettant son épée sur le pavé et en y
20 collant son oreille : quand il entendait son épée branler, c'était le signe infaillible que le guet était proche –, à cette heure-là donc, ses compagnons et lui prenaient un

---

6. *le meilleur fils du monde* : citation d'un vers de Marot, appliqué de façon comique à un coquin de valet. Il peut s'agir d'ailleurs d'une formule proverbiale à l'époque ; l'épître de Marot (*Au roi, pour avoir été dérobé*) date en effet de 1531, mais ne fut publiée qu'en 1538. On ne peut donc savoir si Rabelais a emprunté l'expression à Marot.
7. *Templiers* : chevaliers de l'ordre du Temple, ordre à la fois militaire et monastique qui fut supprimé par Philippe le Bel.
8. *Navarre* : le *collège de Navarre* se trouvait sur l'emplacement actuel de l'École polytechnique, l'église *Sainte-Geneviève* sur celui de l'actuelle rue Clovis et du lycée Henri-IV.
9. *le guet* : la police de nuit.

gnons prenaient un tombereau et lui baillaient le branle[1], le ruant de grande force contre la vallée, et ainsi mettaient tout le pauvre guet par terre comme porcs, puis fuyaient de l'autre côté, car en moins de deux jours il sut toutes les rues, ruelles
25  et traverses de Paris comme son *Deus det*[2].

À l'autre fois, faisait en quelque belle place, par où ledit guet devait passer, une traînée de poudre de canon et, à l'heure que passait, mettait le feu dedans, et puis prenait son passe-temps à voir la bonne grâce qu'ils avaient en fuyant,
30  pensant que le feu saint Antoine[3] les tînt aux jambes.

Et au regard des pauvres maîtres ès arts[4], il les persécutait sur tous autres. Quand il rencontrait quelqu'un d'entre eux par la rue, jamais ne faillait de leur faire quelque mal : maintenant leur mettant un étron dedans leur chaperon au bourre-
35  let[5], maintenant leur attachant de petites queues de renard ou des oreilles de lièvre par-derrière, ou quelque autre mal. [...]

Et portait ordinairement un fouet sous sa robe, duquel il fouettait sans rémission les pages qu'il trouvait portants du vin à leurs maîtres, pour les avancer d'aller.
40  En son saie avait plus de vingt et six petites bougettes et fasques toujours pleines, l'une d'un petit deau de plomb et d'un petit couteau affilé comme l'aiguille d'un pelletier, dont il coupait les bourses ; l'autre d'aigret qu'il jetait aux yeux de ceux qu'il trouvait ; l'autre de glaterons[6] empennés de petites
45  plumes d'oisons ou de chapons qu'il jetait sur les robes et bonnets des bonnes gens, et souvent leur en faisait de belles cornes qu'ils portaient par toute la ville, aucunes fois toute leur vie [...].

---

1. *lui baillaient le branle* : le mettaient en mouvement.
2. *Deus det* : que Dieu nous donne (sa paix). Début de la prière d'actions de grâces après le repas (*Deus det nobis suam pacem*).
3. *le feu saint Antoine* : appelé aussi *mal des ardents*. Cette maladie, due à une intoxication par l'ergot des céréales, provoquait des convulsions, des brûlures, de la gangrène et pouvait être mortelle.
4. *maître ès arts* : titre obtenu par les étudiants de la faculté des arts à la fin de leurs études.

tombereau auquel il donnait le branle, le poussant de
toute leur force dans la descente; et ainsi ils renver-
25  saient à terre tous les pauvres soldats du guet, comme
des porcs, et s'enfuyaient ensuite de l'autre côté, car en
moins de deux jours, il connaissait toutes les rues, ruelles
et raccourcis de Paris comme son *Que Dieu vous
donne la paix*.

30  Tantôt, en quelque bel endroit par où le guet devait
passer, il jetait une traînée de poudre à canon, et à
l'heure du passage du guet il y mettait le feu, puis se
distrayait à voir la bonne grâce qu'ils avaient en fuyant,
croyant que le feu saint Antoine les tenait aux jambes.

35  Quant aux pauvres maîtres ès arts, il les persécutait
plus que tous les autres. Lorsqu'il en rencontrait un dans
la rue, il ne manquait jamais de lui jouer quelque mauvais tour : tantôt il lui mettait un étron dans le bourrelet
de son chaperon, tantôt il lui attachait de petites queues
40  de renard ou des oreilles de lièvre par-derrière, ou quelque autre malice. [...]

Il portait ordinairement un fouet sous sa robe avec
lequel il fouettait sans rémission les pages qu'il voyait
porter du vin à leurs maîtres, pour les faire avancer plus
45  vite.

Dans sa casaque, il avait plus de vingt-six petites
bourses et petites poches toujours pleines, l'une d'un
petit dé de plomb et d'un petit couteau, aiguisé comme
l'aiguille d'un pelletier, avec lequel il coupait les
50  bourses; l'autre de verjus qu'il jetait aux yeux de ceux
qu'il rencontrait; l'autre de gratterons emplumés de
petites pennes d'oisons ou de chapons qu'il jetait sur les
robes et les bonnets des bonnes gens, et souvent il leur
en faisait de belles cornes qu'ils portaient par toute la
55  ville, quelquefois toute leur vie [...].

---

5. *bourrelet* : le haut du chaperon comportait un bourrelet qui pouvait retenir ce
qu'on y mettait.
6. *glaterons* : gratterons, teignes (fruits de la bardane, semblables aux têtes des
chardons qui s'accrochent aux habits des passants).

En l'autre un tas de cornets tous pleins de puces et de poux
50 qu'il empruntait des guenaux de Saint-Innocent[1], et les jetait,
avec belles petites cannes ou plumes dont on écrit, sur les
collets des plus sucrées demoiselles qu'il trouvait, et mêmement en l'église, car jamais ne se mettait au chœur au haut,
mais toujours demeurait en la nef entre les femmes, tant à la
55 messe, à vêpres, comme au sermon.

En l'autre, force provision de haims et claveaux dont il
accouplait souvent les hommes et les femmes en compagnies où ils étaient serrés, et mêmement celles qui portaient
robes de taffetas armoisi[2], et, à l'heure qu'elles se voulaient
60 départir, elles rompaient toutes leurs robes [...].

En l'autre avait provision de fil et d'aiguilles, dont il faisait
mille petites diableries. Une fois, à l'issue du Palais, à la Grand
Salle, lorsqu'un cordelier[3] disait la messe de Messieurs[4], il lui
aida à soi habiller et revêtir ; mais en l'accoutrant, il lui cousit
65 l'aube[5] avec sa robe et chemise, et puis se retira quand Messieurs de la cour vinrent s'asseoir pour ouïr icelle messe. Mais
quand ce fut à l'*Ite missa est*[6], que le pauvre frater[7] se voulut
dévêtir de son aube, il emporta ensemble et habit et chemise,
qui étaient bien cousus ensemble, et se rebrassit jusqu'aux
70 épaules [...].

Item, il avait une autre poche pleine d'alun de plume[8], dont
il jetait dedans le dos des femmes qu'il voyait les plus accrêtées[9], et les faisait dépouiller devant tout le monde, les autres
danser comme jau sur braise ou bille sur tambour, les autres
75 courir les rues ; et lui après courait, et à celles qui se dépouil-
laient il mettait sa cape sur le dos comme homme courtois et
gracieux.

Item, en une autre il avait une petite guedoufle pleine de

---

1. *Saint-Innocent* : cimetière, lieu de rendez-vous des mendiants.
2. *armoisi* : taffetas mince, non lustré et très fragile. Il venait de Gênes.
3. *cordelier* : moine franciscain.
4. *Messieurs* : les magistrats de la cour du Parlement.
5. *aube* : robe blanche (du latin *alba* : blanche) que le prêtre revêt sous la chasuble
pour dire la messe.

Dans une autre, il y avait un tas de cornets tout pleins de puces et de poux qu'il empruntait aux gueux de Saint-Innocent et il les jetait, avec de belles petites sarbacanes ou avec des plumes pour écrire sur les cols des demoi-
60 selles les plus sucrées qu'il rencontrait, et de préférence à l'église : car il ne se mettait jamais dans le chœur, en haut, mais il restait toujours dans la nef, avec les femmes, aussi bien à la messe, aux vêpres qu'au sermon.

Dans une autre, une bonne provision d'hameçons et
65 de crochets avec lesquels il accouplait souvent les hommes et les femmes serrés dans une foule, et surtout celles qui portaient des robes de taffetas mince et, au moment où elles voulaient s'en aller, elles déchiraient toutes leurs robes [...].

70 Dans une autre, il avait une provision de fil et d'ai-guilles dont il faisait mille petites diableries. Une fois, à la sortie du Palais, dans la Grande Salle, alors qu'un cordelier disait la messe des Messieurs, il l'aida à s'habil-ler et à se vêtir ; mais en l'aidant à se préparer, il cousit
75 son aube avec sa robe et sa chemise ; puis il se retira quand les Messieurs de la Cour vinrent s'asseoir pour entendre cette messe. Mais quand on fut à l'*Ite missa est,* et que le pauvre frère voulut retirer son aube, il enleva en même temps l'habit et la chemise qui étaient bien
80 cousus avec, et se retroussa jusqu'aux épaules [...].

De même il avait une autre poche pleine de poil à gratter qu'il jetait dans le dos des femmes qui lui sem-blaient les plus arrogantes : il les faisait ainsi se dévêtir devant tout le monde, danser comme coq sur braise ou
85 bille sur tambour, ou courir dans les rues, et il leur cou-rait après et mettait sa cape sur le dos de celles qui se dévêtaient, en homme courtois et galant.

De même, dans une autre, il avait un petit flacon plein

---

6. *Ite missa est* : « Allez, la messe est dite », formule qui indique la fin de la messe.
7. *frater* : frère (latin).
8. *de plume* : qualifie l'*alun* parce qu'il ressemble un peu à une barbe de plume. L'alun, très astringent, provoque des démangeaisons.
9. *accrêtées* : fières (comme un coq dont la crête se dresse).

vieille huile, et quand il trouvait ou femme ou homme qui eût
80 quelque belle robe, il leur engraissait et gâtait tous les plus
beaux endroits, sous le semblant de les toucher et dire :
« Voici de bon drap, voici bon satin, bon taffetas, madame ;
Dieu vous doint[1] ce que votre noble cœur désire : vous avez
robe neuve, nouvel ami ; Dieu vous y maintienne ! » Ce disant,
85 leur mettait la main sur le collet, ensemble la male[2] tache y
demeurait perpétuellement, si énormément engravée en
l'âme, en corps et en renommée, que le diable ne l'eût point
ôtée […].

En l'autre, tout plein de petits gobelets dont il jouait fort
90 artificiellement, car il avait les doigts faits à la main[3] comme
Minerve ou Arachné[4], et avait autrefois crié le thériacle[5], et
quand il changeait un teston[6] ou quelque autre pièce, le changeur eût été plus fin que maître Mouche[7] si Panurge n'eût fait
évanouir à chacune fois cinq ou six grands blancs[8], visible-
95 ment, apertement, manifestement, sans faire lésion ni blessure aucune, dont le changeur n'en eût senti que le vent[9].

*Comment Pantagruel trouva Panurge, lequel il aima toute sa vie.*
*Illustration de Gustave Doré. Gravure sur bois de Jonnard, 1873.*

1. *doint* : ancienne forme de 3ᵉ personne du singulier du subjonctif présent de
*donner* : *que Dieu vous donne!*
2. *male* : mauvaise, vilaine.
3. *faits à la main* : maniables, souples.
4. *Arachné* : fileuse très habile que Minerve, par jalousie, transforma en araignée.
5. *thériacle* : sorte de panacée. Le médecin qui vendait (en criant pour appeler la
clientèle) cette drogue était le type du charlatan.
6. *teston* : monnaie d'argent sur laquelle était gravée la tête du souverain.
7. *maître Mouche* : type populaire d'escamoteur.
8. *blancs* : pièces *blanches* (monnaie de billon).
9. *le vent* : le vent du geste.

de vieille huile et quand il rencontrait un homme ou une
90  femme avec une belle robe, il leur graissait et salissait
tous les plus beaux endroits, sous le prétexte de les toucher et de dire : «Voici du bon drap, du bon satin, du
bon taffetas, madame ; Dieu vous donne ce que votre
noble cœur désire : vous avez robe neuve et nouvel
95  amant ; que Dieu vous les garde !» En disant cela, il mettait sa main sur leur col, du même coup la laide tache y
demeurait perpétuellement, si profondément gravée
dans l'âme, dans le corps et dans la renommée que le
diable ne l'aurait pas ôtée [...].
100  Dans une autre, il avait tout plein de petits gobelets
avec lesquels il jouait fort artistement, car il avait des
doigts aussi habiles que Minerve ou Arachné et autrefois
il avait été charlatan ; quand il changeait un teston ou
quelque autre pièce, le changeur aurait été plus fin que
105  maître Mouche si Panurge n'avait réussi à faire dispa-
raître cinq ou six grandes pièces d'argent, visiblement,
ouvertement, manifestement, sans mal ni douleur, et le
changeur n'y aurait vu que du feu.

# COMMENT PANURGE GAGNAIT
# LES PARDONS[1]
# ET MARIAIT LES VIEILLES
# ET DES PROCÈS QU'IL EUT À PARIS

## [CHAPITRE 17]

Un jour, je trouvai Panurge quelque peu écorné et taciturne, et me doutai bien qu'il n'avait denare ; dont* je lui dis : « Panurge, vous êtes malade à ce que je vois à votre physionomie, et j'entends le mal : vous avez un flux[2] de bourse ;
5 mais ne vous souciez ; j'ai encore six sols et maille[3] qui ne virent oncq père ni mère[4], qui ne vous faudront non plus que la vérole en votre nécessité. » A quoi il me répondit : « Eh bren pour l'argent ! je n'en aurai quelque jour que trop, car j'ai une pierre philosophale qui m'attire l'argent des bourses comme
10 l'aimant attire le fer. Mais voulez-vous venir gagner les pardons ? dit-il.

— Et par ma foi, je lui réponds, je ne suis grand pardonneur[5] en ce monde ici ; je ne sais si je serai en l'autre. Bien allons, au nom de Dieu, pour un denier ni plus ni moins.

15 — Mais, dit-il, prêtez-moi donc un denier à l'intérêt.

— Rien, rien, dis-je. Je vous le donne de bon cœur.

— *Grates vobis, dominos*[6] », dit-il.

Ainsi allâmes, commençant à Saint-Gervais[7], et je gagnai

---

1. *pardons* : ce sont les indulgences accordées par l'Église moyennant certaines bonnes œuvres. L'indulgence, dans la théologie catholique, est la rémission des peines temporelles qui sont dues pour obtenir le pardon de certains péchés. L'Église avait autorisé le rachat des effets de certaines pénitences publiques imposées pour des fautes graves.
2. *flux* : écoulement ; métaphore médicale, qui signifie : écoulement (perte) d'argent.
3. *maille* : petite pièce de monnaie, valant un demi-denier. Le sol (ou *sou*) se divisait en 12 deniers et représentait la vingtième partie du franc.
4. *mère* : souvenir de *La Farce de Maître Pathelin*, v. 215-216 :
    *Encor ai-je denier et maille*
    *Qu'onc ne virent père ne mère.*

# COMMENT PANURGE
## GAGNAIT LES INDULGENCES,
## MARIAIT LES VIEILLES
## ET EUT DES PROCÈS À PARIS

### [CHAPITRE 17]

Un jour je trouvai Panurge quelque peu abattu et taciturne et je me doutai bien qu'il n'avait pas d'argent.
Aussi je lui dis : « Panurge, vous êtes malade, je le vois à
votre physionomie et je devine votre mal : vous avez un
5    trou dans la bourse ; mais ne vous faites pas de souci ;
j'ai encore six sous et des mailles qui n'ont jamais vu ni
père ni mère ; ils ne vous manqueront pas plus que la
vérole dans ce besoin. » Il répondit alors : « Eh ! merde
pour l'argent ! Je n'en aurai que trop un de ces jours, car
10   j'ai une pierre philosophale qui attire à moi l'argent des
bourses comme l'aimant attire le fer. Mais voulez-vous
venir gagner des indulgences ? dit-il.

— Et par ma foi, je lui réponds, je ne suis pas fort
porté sur l'indulgence en ce monde : je ne sais si je le
15   serai dans l'autre. Eh bien, allons, au nom de Dieu, pour
un denier, ni plus ni moins.

— Mais, dit-il, prêtez-moi donc un denier à intérêt.

— Non, non, dis-je. Je vous le donne de bon cœur.

— Merci à vous, messieurs », dit-il.

20   Nous nous mîmes en route, en commençant à Saint-

---

5. *pardonneur* : jeu sur les deux sens du mot : qui gagne des indulgences et qui
pardonne les injures.
6. *Grates vobis, dominos* : la formule de remerciement est : *grates vobis do* (je vous
remercie), à laquelle Panurge ajoute une terminaison en latin macaronique, c'est-à-
dire en latin de cuisine.
7. *Saint-Gervais* : église située à l'est de la place de Grève (actuelle place de
l'Hôtel-de-Ville).

les pardons au premier tronc seulement, car je me contente
20 de peu en ces matières ; puis disais mes menus suffrages[1] et
oraisons de sainte Brigitte. Mais il gagna à tous les troncs, et
toujours baillait argent à chacun des pardonnaires[2]. De là
nous transportâmes à Notre-Dame, à Saint-Jean[3], à Saint-
Antoine[4], et ainsi des autres églises où était banque de par-
25 dons[5]. De ma part, je n'en gagnais plus ; mais lui, à tous les
troncs il baisait les reliques et à chacun donnait. Bref, quand
nous fûmes de retour, il me mena boire au cabaret du Château[6] et me montra dix ou douze de ses bougettes pleines
d'argent. À quoi je me signai faisant la croix et disant : « Dont
30 avez-vous tant recouvert[7] d'argent en si peu de temps ? » À
quoi il me répondit qu'il l'avait pris ès bassins des pardons :
« Car, en leur baillant le premier denier, dit-il, je le mis si sou-
plement qu'il sembla que fut un grand blanc[8]. Ainsi d'une
main je pris douze deniers, voire bien douze liards[9] ou
35 doubles[10] pour le moins, et de l'autre, trois ou quatre douzains[11], et ainsi par toutes les églises où nous avons été.

— Voire, mais, dis-je, vous vous damnez comme une
serpe[12] et êtes larron et sacrilège.

— Oui bien, dit-il, comme il vous semble ; mais il ne me
40 semble, quant à moi, car les pardonnaires me le[13] donnent
quand ils me disent, en présentant les reliques à baiser : *Centuplum accipies*[14], que pour un denier j'en prenne cent. Car

---

1. *menus suffrages* : courtes prières.
2. *pardonnaires* : prêtres ou quêteurs assis à la porte de l'église pour recevoir les aumônes. Cette visite permet d'acquérir le pardon.
3. *Saint-Jean* : sans doute Saint-Jean-en-Grève (non loin de l'actuel Hôtel de Ville) ; l'église fut démolie à la Révolution.
4. *Saint-Antoine* : église située dans la rue Saint-Antoine, entre la rue Pavée et la rue des Juifs.
5. *banque de pardons* : comptoir, c'est-à-dire plateau que présentent les pardonnaires. Le terme de *banque* évoque le trafic des indulgences.
6. *cabaret du Château* : taverne du Castel, dont parle l'écolier limousin au chapitre 6.
7. *recouvert* : recouvré. La confusion entre *recouvrer* et *recouvrir* est habituelle aux XVIᵉ et XVIIᵉ siècles.

Gervais : je gagnai les indulgences au premier tronc seulement, car je me contente de peu en ces matières ; puis je disais de courtes prières et les oraisons de sainte Brigitte. Lui au contraire en gagna à tous les troncs, et
25 continuait à donner de l'argent à chaque vendeur d'indulgences. De là, nous nous transportâmes à Notre-Dame, à Saint-Jean et à Saint-Antoine, et de même dans les autres églises où il y avait des comptoirs d'indulgences. Pour ma part, je n'en gagnai plus ; mais lui, à
30 tous les troncs il baisait les reliques et donnait à chaque fois. Bref, quand nous fûmes de retour, il m'emmena boire au cabaret du Château et me montra dix ou douze de ses poches pleines d'argent. Je me signai alors, faisant la croix et disant : « D'où avez-vous récupéré tant
35 d'argent en si peu de temps ? » Là-dessus il me répondit qu'il l'avait pris dans les plateaux des indulgences : « Car, lorsque j'ai donné le premier denier, dit-il, je l'ai mis si dextrement qu'on aurait dit une grande pièce d'argent. Ainsi, d'une main, je pris douze deniers, et
40 même douze liards, ou le double pour le moins, et de l'autre trois ou quatre douzains, et cela dans toutes les églises où nous sommes allés.

— Oui mais, dis-je, vous vous damnez comme un serpent et vous êtes voleur et sacrilège.

45 — Oui, dit-il, c'est ce que vous croyez ; mais je ne le crois pas, moi, car les vendeurs d'indulgences, quand ils me disent en présentant les reliques à baiser : *Tu recevras le centuple,* me font cadeau de cet argent puisqu'ils me disent pour un denier d'en prendre cent. Car ils

---

8. *blanc* : pièce d'argent.
9. *liard* : monnaie valant 3 deniers.
10. *double* : pièce de 2 deniers.
11. *douzain* : pièce de 12 deniers. (Escroquerie traditionnelle, mentionnée par Érasme, cf. *Colloques, Peregrinatio religionis*.)
12. *serpe* : serpent. Toute la descendance du serpent d'Éden est maudite à jamais (*Genèse*, III, 14).
13. *le* : l'argent.
14. *centuplum accipies* : verset de saint Matthieu, XIX, 29 : c'est la récompense promise à ceux qui auront tout sacrifié.

*accipies* est dit selon la manière des Hébreux, qui usent du
futur en lieu de l'impératif, comme vous avez en la Loi :
45 *Diliges dominum, id est dilige.* Ainsi quand le pardonnigère[1]
me dit : *Centuplum accipies,* il veut dire *Centuplum accipe,* et
ainsi l'expose rabi Kimy[2] et rabi Aben Ezra[3], et tous les massorètes[4] et *ibi Bartolus*[5]. Davantage, le pape Sixte[6] me donna
quinze cents livres de rente sur son domaine et trésor ecclé-
50 siastique pour lui avoir guéri une bosse chancreuse qui tant le
tourmentait qu'il en cuida devenir boiteux toute sa vie. Ainsi
je me paie par mes mains, car il n'est tel, sur ledit trésor
ecclésiastique. Ho, mon ami, disait-il, si tu savais comment je
fis mes choux gras de la croisade[7], tu serais tout ébahi. Elle
55 me valut plus de six mille florins[8].

— Et où diable sont-ils allés? dis-je, car tu n'en as une
maille.

— Dont° ils étaient venus, dit-il : ils ne firent seulement que
changer de maître. » [...]

*Panurge explique alors l'emploi qu'il a fait de son argent : il a*
*doté richement de vieilles femmes qui n'auraient pu trouver*
*preneur autrement, et intenté des procès pour obliger les*
*demoiselles à se décolleter, les vidangeurs à exercer leur*
*métier en plein jour, à l'Université, les mules des juges à por-*
*ter des bavoirs...*

60 « Or sommez à cette heure combien me coûtent les petits
banquets que je fais aux pages du Palais de jour en jour.

— Et à quelle fin? dis-je.

— Mon ami, dit-il, tu n'as passe-temps aucun en ce monde.

---

1. *pardonnigère* : le porteur de pardons (du latin *gero* : je porte), le colporteur de
pardons.
2. *Kimy* : savant juif de Narbonne, auteur d'une grammaire et d'un dictionnaire
hébraïques, mort en 1240.
3. *Aben Ezra* : savant rabbin espagnol du xiie siècle. Kimy et Aben Ezra ont écrit de
savants commentaires de la Bible.

50 disent : *Tu recevras* à la manière des Hébreux, qui
emploient le futur en guise d'impératif, comme on a
dans la Loi : *Tu aimeras le Seigneur,* c'est-à-dire *Aime.*
Ainsi, quand le colporteur de pardons me dit : *Tu rece-*
*vras le centuple,* il veut dire : *Reçois le centuple,* comme
55 l'exposent rabi Kimy et rabi Aben Ezra, et tous les massorètes, et Bartolus sur ce sujet. De plus, le pape Sixte
me donna quinze cents livres de rente sur son domaine
et sur le trésor ecclésiastique pour lui avoir guéri un
ulcère qui le faisait tant souffrir qu'il croyait en rester
60 boiteux toute sa vie. Ainsi je me paie moi-même, car
c'est plus sûr, sur ledit trésor ecclésiastique. Ho ! mon
ami, disait-il, si tu savais comme je fis mes choux gras à
la croisade, tu serais tout ébahi. Elle me rapporta plus de
six mille florins.
65   — Et où diable sont-ils allés ? dis-je, car tu n'en a plus
une maille.
  — D'où ils étaient venus, dit-il, ils n'ont fait que changer de maître. » [...]
  « Calculez donc à présent combien me coûtent les
70 petits banquets que je donne aux pages du Palais chaque
jour.
  — Et dans quel but ? dis-je.
  — Mon ami, dit-il, tu n'as aucun passe-temps en ce

---

4. *massorètes* : réviseurs de la Bible.
5. *Bartolus* : célèbre juriste italien du XIVe siècle, surnommé « le Flambeau du
droit ». Rabelais parodie la manie des juristes qui alléguaient à tort et à travers son
autorité.
6. *Sixte* : Sixte IV, pape de 1471 à 1484, qui fit construire la chapelle Sixtine.
7. *croisade* : allusion probable à la croisade de Mytilène en 1502. Les croisades
servaient surtout, disait-on, à alimenter les finances de la papauté. On prêcha à
plusieurs reprises, à partir de 1515, des croisades qui n'avaient pas lieu.
8. *florin* : monnaie d'or frappée du lis de *Florence.*

J'en ai plus que le Roi. Et si voulais te rallier avec moi, nous
65 ferions diables.

— Non, non, dis-je, par saint Adauras[1] ! Car tu seras une
fois pendu.

— Et toi, dit-il, tu seras une fois enterré : lequel est plus
honorable, ou l'air ou la terre ? Hé, grosse pécore ! [...] Cepen-
70 dant que les pages banquetaient, je garde leurs mules et
coupe à quelqu'une l'étrivière[2] du côté du montoir[3], en sorte
qu'elle ne tient qu'à un filet. Quand le gros enflé de conseiller
a pris son branle pour monter sus, ils tombent tout à plat
comme porcs devant tout le monde et apprêtent à rire pour
75 plus de cent francs. Mais je me ris encore davantage, c'est
que, eux arrivés au logis, ils font fouetter Monsieur du page
comme seigle vert[4]. Par ainsi, je ne plains point ce que m'a
coûté à les banqueter. »

Fin de compte, il avait (comme ai dit dessus) soixante et
80 trois manières de recouvrer argent ; mais il en avait deux cent
quatorze de le dépenser hormis la réparation de dessous le
nez.

---

1. *saint Adauras* : saint dont le nom semble forgé par Rabelais : saint Vers-le-Haut,
ou saint Loin-du-Sol (ce serait le saint patron des pendus !).
2. *étrivière* : courroie qui soutient l'étrier.
3. *du côté du montoir* : du côté gauche, où l'on monte en selle.
4. *seigle vert* : quand le seigle n'est pas bien mûr, il faut le battre plus énergique-
ment.

monde. J'en ai plus que le Roi. Et si tu voulais t'associer
75  avec moi, nous ferions merveilles.

    – Non, non, dis-je, par saint Adauras ! Car un beau
jour tu seras pendu.

    – Et toi, dit-il, un beau jour tu seras enterré :
qu'est-ce qui est le plus honorable, l'air ou la terre ? Hé !
80  grosse pécore ! [...] Pendant que les pages banquetaient,
je garde leurs mules et coupe à l'une d'elles l'étrivière du
côté du montoir, en sorte qu'elle ne tient plus que par
un fil. Quand le gros enflé de conseiller, ou bien un
autre, a pris son élan pour monter dessus, ils tombent et
85  s'aplatissent comme des porcs devant tout le monde et
donnent à rire pour plus de cent francs. Mais ce qui me
fait rire encore davantage, c'est que, arrivés au logis, ils
font fouetter Monsieur du page comme seigle vert. Ainsi
je ne regrette pas ce que j'ai dépensé à les faire banque-
90  ter. »

    En fin de compte, il avait (comme je l'ai dit plus haut)
soixante-trois manières de trouver de l'argent ; mais il en
avait deux cent quatorze de le dépenser, sans compter
ce qui lui fallait pour emplir le trou qu'il avait entre le
95  nez et le menton.

*Questions*

## Compréhension

1. *Le chapitre 16 retrace l'univers d'un étudiant parisien vers 1530. Qu'est-ce que ce texte nous apprend sur le décor et les habitants du Quartier latin ?*

2. *La mentalité de l'étudiant mauvais garçon : connaissez-vous des types littéraires que vous pouvez rapprocher de Panurge ?*

3. *Le portrait physique de Panurge est-il précis ? Relevez les traits essentiels de son caractère : est-il sympathique, antipathique ?*

4. *Quel rôle joue le narrateur au chapitre 17 ?*

5. *Quels éléments nouveaux pour la connaissance de Panurge ce texte apporte-t-il ?*

6. *Comment juger l'attitude du personnage ? Quels sentiments vous inspire-t-il dans les deux chapitres ?*

## Écriture

7. *Au chapitre 16 les mauvais tours du vaurien farceur révèlent des aspects déplaisants, relevez-les.*

8. *Comment l'intérêt est-il ménagé dans l'épisode des « banques de pardons » du chapitre 17 ? Étudiez la composition de la scène.*

*Bilan*

## L'action

### • Ce que nous savons

*Les chapitres 16 et 17 n'ont guère de lien dramatique avec l'ensemble du roman, pas plus que ceux consacrés à Panurge (ch. 9-22), où l'on oublie Pantagruel. Comme les héros des romans de chevalerie, Pantagruel est entouré d'«apostoles», de compagnons, qui apparaissent au chapitre 9 (non reproduit ici). Ils symbolisent chacun une qualité. Panurge, lui, est l'incarnation de la ruse et de l'agilité d'esprit. Cette éclipse du héros principal au profit d'un premier rôle comique est caractéristique du «roman de verve», où l'auteur se soucie peu de la liaison des épisodes.*

*La succession des chapitres où figure Panurge constitue une sorte de revue, une suite de numéros, où le dialogue tient une place prépondérante : l'étonnante exhibition du chapitre 9, où Panurge s'exprime en une dizaine de langues, montre son habileté, sa verve et sa culture. Il fait la conquête du prince en parlant une douzaine de langages incompréhensibles pour Pantagruel. Mais, à la différence de l'écolier limousin, il manie avec élégance de vraies langues étrangères, sans compter l'hébreu, le grec, le latin classique. Il n'en est pas moins pauvre et affamé.*

*Au chapitre 14 (non reproduit ici), Panurge occupe à nouveau le devant de la scène, pour raconter ses invraisemblables aventures en Turquie. Il enseigne ensuite une plaisante manière de bâtir les murailles de Paris et conte à ses nouveaux amis des histoires gaillardes (ch. 15, non reproduit ici).*

*Il est alors dépeint par l'auteur de façon plus complète. Il se gausse de tous les corps constitués, universitaires, gens de justice, ecclésiastiques, se moque cyniquement des conventions sociales et ne répugne pas aux farces d'un goût douteux (ch. 16).*

*Sa bourse est toujours vide. Mais il n'est jamais à court d'expédients pour la remplir. Sous les yeux de l'auteur, il pille sans vergogne les troncs des marchands d'indulgences, puis énumère quelques-unes de ses diverses façons de dépenser en s'amusant (ch. 17).*

### • À quoi nous attendre

*L'habile et rusé Panurge, que Pantagruel va aimer toute sa vie, sera sans doute d'un grand secours au prince quand celui-ci devra accomplir les exploits obligés d'un héros de roman de chevalerie.*

## Le personnage

La verve et l'ingéniosité dans la mystification : c'est essentiellement sur elles que repose le comique du personnage. Il apparaît comme un éblouissant bonimenteur et un personnage de farce tout en restant ambigu.

Il n'est pas toujours très cohérent et le polyglotte du chapitre 9 est fort différent de l'étudiant bohème, du mauvais plaisant aux allures inquiétantes du chapitre 16.

Mais la variété de ses dons, son esprit et sa bonne humeur estompent les aspects déplaisants du personnage. Son mépris des conventions rachète aussi ce que pourrait avoir d'excessif son goût pour la satire. Si ses farces sont souvent cruelles, ses victimes ne sont pas non plus toujours estimables. Il fait retomber sur elles le ridicule du dupeur dupé.

*Comment Pantagruel partit de Paris,*
*oyant nouvelles que les Dipsodes envahissaient le pays des Amaurotes (ch. 23).*
*Illustration de Gustave Doré, 1873.*

# COMMENT PANTAGRUEL
## DÉFIT LES TROIS CENTS GÉANTS
## ARMÉS DE PIERRES DE TAILLE,
## ET LOUP GAROU, LEUR CAPITAINE

[CHAPITRE 29]

*Anarche, roi des Dipsodes, envahit le royaume d'Utopie. Pan-*
*tagruel et ses compagnons regagnent le pays et remportent*
*des victoires. Les combattants décident de remettre leur sort*
*aux mains de deux champions : Pantagruel et le géant Loup*
*Garou qui s'affrontent en combat singulier, l'un armé du mât*
*de son navire, l'autre de sa masse.*

[...] Loup Garou donc s'adressa à Pantagruel avec une masse toute d'acier, pesante• neuf mille sept cents quintaux deux quarterons d'acier de Chalybes[1], au bout de laquelle étaient treize pointes de diamants, dont la moindre était aussi
5   grosse comme la plus grande cloche de Notre-Dame de Paris[2] (il s'en fallait par aventure l'épaisseur d'un ongle, ou au plus, que je ne mente, d'un dos de ces couteaux qu'on appelle coupe-oreille[3], mais pour un petit, ni avant ni arrière[4]), et était fée[5], en manière que jamais ne pouvait rompre[6], mais au
10  contraire, tout ce qu'il en touchait rompait incontinent.

Ainsi donc, comme il approchait en grande fierté, Pantagruel, jetant les yeux au ciel, se recommanda à Dieu de bien bon cœur, faisant vœu tel comme s'ensuit : «Seigneur Dieu, qui toujours as été mon protecteur et mon servateur, tu vois la
15  détresse en laquelle je suis maintenant. Rien ici ne m'amène, sinon zèle naturel, ainsi comme[7] tu as octroyé ès• humains de

---

1.  *Chalybes* : l'acier des Chalybes, peuple de l'Asie Mineure, était renommé dans l'Antiquité.
2.  *la plus grande cloche de Notre-Dame de Paris* : elle pesait 12 500 kilogrammes.
3.  *coupe-oreille* : couteau très effilé, bistouri, avec lequel on coupait les oreilles des malfaiteurs au XVIe siècle.

## COMMENT PANTAGRUEL
### DÉFIT LES TROIS CENTS GÉANTS
### ARMÉS DE PIERRES DE TAILLE
### ET LOUP GAROU, LEUR CAPITAINE

### [CHAPITRE 29]

Loup Garou se dirigea donc vers Pantagruel avec une massue d'acier pesant neuf mille sept cents quintaux et deux quarterons, en acier des Chalybes, au bout de laquelle il y avait treize pointes de diamants, dont la plus petite était aussi grosse que la plus grande cloche de Notre-Dame de Paris (il s'en fallait peut-être de l'épaisseur d'un ongle, ou, au plus, pour ne pas mentir, si ce n'est guère, d'un dos de ces couteaux qu'on appelle coupe-oreille, un peu plus ou un peu moins), et elle était magique, si bien qu'elle ne pouvait jamais se briser, mais au contraire tout ce qui la touchait se brisait sur-le-champ.

Ainsi donc, comme il s'approchait d'un air tout à fait féroce, Pantagruel, levant les yeux au ciel se recommanda à Dieu de tout son cœur et fit le vœu suivant : « Seigneur Dieu, toi qui as toujours été mon protecteur et mon sauveur, tu vois dans quelle détresse je suis maintenant. Rien d'autre ne m'amène ici qu'une ardeur naturelle, puisque tu as octroyé aux hommes de

---

4.  *mais pour un petit, ni avant ni arrière* : mais sans ajouter, ni sur une face, ni sur l'autre, la plus petite épaisseur.

5.  *fée* : enchanté par les fées.

6.  *rompre* : au sens réfléchi de *se rompre*.

7.  *ainsi comme* : étant donné que.

garder et défendre soi, leurs femmes, enfants, pays et famille,
en cas que ne serait ton négoce propre qui est la foi, car en telle
affaire tu ne veux nul coadjuteur, sinon de confession catho-
20 lique et service de ta parole ; et nous as défendu toutes armes
et défenses, car tu es le tout-puissant, qui, en ton affaire
propre, et où ta cause propre est tirée en action, te peux
défendre trop* plus qu'on ne saurait estimer[1], toi qui as mille
milliers de centaines de millions de légions d'anges, duquel le
25 moindre[2] peut occire tous les humains, et tourner le ciel et la
terre à son plaisir, comme jadis bien apparut en l'armée de
Sennachérib[3]. Donc, s'il te plaît à cette heure m'être en aide,
comme en toi seul est ma totale confiance et espoir, je te fais
vœu que, par toutes contrées tant de ce pays d'Utopie que
30 d'ailleurs où j'aurai puissance et autorité, je ferai prêcher ton
saint Évangile purement, simplement et entièrement[4], si que
les abus d'un tas de papelards et faux prophètes, qui ont par
constitutions humaines[5] et inventions dépravées[6] envenimé
tout le monde, seront d'entour moi exterminés. »
35    Alors fut ouïe une voix du ciel, disant : *Hoc fac et vinces*[7],
c'est-à-dire : « Fais ainsi et tu auras victoire. »
   Puis voyant Pantagruel que Loup Garou approchait la
gueule ouverte, vint contre lui hardiment et s'écria tant qu'il
put : « À mort, ribaud ! à mort ! » pour lui faire peur, selon la
40 discipline des Lacédémoniens, par son horrible cri. Puis lui
jeta de sa barque, qu'il portait à sa ceinture, plus de dix et huit
caques et un minot[8] de sel, dont il lui emplit et gorge et
gosier, et le nez et les yeux. De ce irrité, Loup Garou lui lança
un coup de sa masse, lui voulant rompre la cervelle, mais

---

1. *estimer* : penser.
2. *duquel le moindre* : *duquel* a pour antécédent *anges*, avec attraction en nombre.
3. *Sennachérib* : roi assyrien.
4. *purement, simplement et entièrement* : les évangélistes rejettent aussi bien les mutilations du texte de l'Écriture que les gloses qui viennent le surcharger.
5. *constitutions humaines* : institutions, règles et traditions qui se substituent à la pure loi divine.
6. *inventions dépravées* : ce que l'homme ajoute à la foi la *déprave*, la fait sortir de son droit chemin.

20 se protéger et de se défendre, eux, leurs femmes, leurs
enfants, leurs pays et leurs familles, dans les cas où tes
intérêts propres, c'est-à-dire la défense de la foi, ne sont
pas en jeu ; car dans une telle affaire, tu ne veux pas de
coadjuteur qui ne serait pas de confession catholique et
25 au service de ta parole, et tu nous as défendu toutes
armes et toute défensive, car tu es le Tout-Puissant qui,
dans tes propres affaires, là où ta propre cause est en
jeu, peux te défendre bien mieux qu'on ne saurait estimer, toi qui as mille milliers de centaines de millions de
30 légions d'anges, dont le moindre peut tuer tous les
hommes, et tourner le ciel et la terre à son plaisir,
comme jadis cela est bien apparu dans l'armée de Sennachérib. Donc, s'il te plaît maintenant de venir à mon
aide, puisque c'est en toi seul que sont mon entière
35 confiance et mon espoir, je te fais le vœu que, dans
toutes les contrées de ce pays d'Utopie comme d'ailleurs
où j'aurai puissance et autorité, je ferai prêcher ton saint
Évangile purement, simplement et entièrement, si bien
que les abus d'un tas de papelards et de faux prophètes
40 qui, par des constitutions humaines et des inventions
dépravées, ont empoisonné le monde entier, seront
entièrement réprimés dans mon entourage. »

On entendit alors une voix dans le ciel qui disait : *Hoc
fac et vinces,* c'est-à-dire : « Fais ainsi, et tu auras la vic-
45 toire. »

Puis Pantagruel, voyant que Loup Garou approchait la
gueule ouverte, s'avança vers lui hardiment et s'écria de
toutes ses forces : « À mort, coquin ! à mort ! » pour lui
faire peur, à la manière des Lacédémoniens, par son
50 horrible cri. Puis du baril qu'il portait à sa ceinture, il lui
jeta plus de dix-huit caques et un minot de sel, avec
lesquels il lui emplit la gorge, le gosier, le nez et les
yeux. Là-dessus, Loup Garou en fureur lui lança un coup
de massue, voulant lui briser la cervelle. Mais Pantagruel

---

7. *Hoc fac et vinces* : l'expression rappelle la devise qui figurait sur l'étendard de
l'empereur Constantin : *In hoc signo vinces* (Par ce signe, tu vaincras).
8. *minot* : ancienne mesure, d'une valeur de 39 litres. La *caque,* sorte de baril où
l'on conservait des salaisons, n'était pas une mesure.

45 Pantagruel fut habile et eut toujours bon pied et bon œil. Par ce démarcha du pied gauche un pas arrière, mais il ne sut si bien faire que le coup ne tombât sur la barque, laquelle rompit en quatre mille octante et six pièces, et versa le reste du sel en terre.

50 Quoi voyant, Pantagruel galantement ses bras déplie, et, comme est l'art de la hache, lui donna du gros bout de son mât en estoc[1], au-dessus de la mamelle, et retirant le coup à gauche en taillade[2], lui frappa entre col et collet [...].

Loup Garou, haussant sa masse, avança son pas sur lui et 55 de toute sa force la voulait enfoncer sur Pantagruel. De fait en donna si vertement que, si Dieu n'eût secouru le bon Pantagruel, il l'eût fendu depuis le sommet de la tête jusques au fond de la ratelle ; mais le coup déclina à droit par la brusque hâtiveté de Pantagruel, et entra sa masse plus de soixante et 60 treize pieds en terre à travers un gros rocher, dont il fit sortir le feu plus gros que neuf mille six tonneaux.

Voyant Pantagruel qu'il s'amusait à tirer sa dite masse qui tenait en terre entre le roc, lui court sus et lui voulait avaller la tête tout net ; mais son mât, de malefortune, toucha un peu 65 au fût de la masse de Loup Garou, qui était fée (comme avons dit devant).

Par ce moyen, son mât lui rompit à trois doigts de la poignée, dont il fut plus étonné qu'un fondeur de cloches[3], et s'écria :

70 « Ha ! Panurge, où es-tu ? »

Ce que oyant Panurge dit au roi et aux géants : « Par Dieu, ils se feront mal, qui ne les départira. » Mais les géants étaient aises comme s'ils fussent de noces.

Lors Carpalim se voulut lever de là pour secourir son 75 maître, mais un géant lui dit :

---

1. *estoc* : coup de pointe, à l'épée ; *taille*, coup de tranchant.
2. *taillade* : coupure en longueur.
3. *plus étonné qu'un fondeur de cloches* : lorsque, après avoir brisé le moule, il trouve la cloche brisée.

55 fut habile et garda bon pied, bon œil. Aussi recula-t-il du
pied gauche d'un pas en arrière, mais il ne put éviter que
le coup ne tombât sur le baril qui se brisa en quatre
mille quatre-vingt-six morceaux, et renversa le reste du
sel à terre.

60 Voyant cela, Pantagruel déplia gaillardement les bras,
et, selon l'art de la hache, le frappa du gros bout de son
mât, d'estoc, au-dessus de la poitrine, et ramenant le
coup à gauche, en frappant de taille, il l'atteignit entre le
cou et le col [...].

65 Loup Garou avança sur lui et, levant sa massue, il
cherchait à l'assener de toutes ses forces sur Pantagruel.
De fait, il frappa si vigoureusement que, si Dieu n'avait
pas secouru le bon Pantagruel, il l'aurait fendu depuis le
sommet de la tête jusqu'au fond de la rate ; mais le coup

70 dévia vers la droite, à cause de la brusque rapidité de
Pantagruel ; la massue entra à plus de soixante-treize
pieds en terre à travers un gros rocher, d'où elle fit jaillir
une flamme plus grosse que neuf mille six tonneaux.

Pantagruel voyant qu'il s'attardait à tirer ladite massue
75 qui demeurait en terre au milieu du rocher, lui court
dessus et voulait lui abattre la tête tout net ; mais son
mât, par malheur, toucha un peu le bois de la massue de
Loup Garou qui était magique (comme nous l'avons dit
plus haut).

80 De la sorte, son mât se brisa à trois doigts de la poignée. Il en fut plus étonné qu'un fondeur de cloches et
s'écria : «Ah! Panurge, où es-tu?»

Entendant cela, Panurge dit au roi et aux géants : « Par
Dieu, ils vont se faire mal, si on ne les sépare pas. » Mais
85 les géants étaient bien aises, comme s'ils étaient à la
noce.

Carpalim voulut alors se lever de là pour secourir son
maître, mais un géant lui dit : «Par Golfarin, petit-fils de

«Par Golfarin[1] neveu de Mahon[2], si tu bouges d'ici, je te mettrai au fond de mes chausses comme on fait d'un suppositoire ! [...]»

Cependant [...] Pantagruel le [Loup Garou] frappa du pied un
80 si grand coup contre le ventre qu'il le jeta en arrière à jambes rebindaines[3], et vous le traînait ainsi à l'écorche cul plus d'un trait d'arc.

Et Loup Garou s'écriait, rendant le sang par la gorge : «Mahon ! Mahon ! Mahon !»

85 À quelle voix se levèrent tous les géants pour le secourir ; mais Panurge leur dit :

«Messieurs, n'y allez pas, si m'en croyez, car notre maître est fol et frappe à tort et à travers et ne regarde point où. Il vous donnera malencontre.»

90 Mais les géants n'en tinrent compte, voyant que Pantagruel était sans bâton[4]. Lorsqu'approcher les vit, Pantagruel prit Loup Garou par les deux pieds, et son corps leva comme une pique en l'air, et d'icelui armé d'enclumes[5] frappait parmi ces géants armés de pierres de taille, et les abattait comme un
95 maçon fait de copeaux[6], que nul arrêtait devant lui qu'il ne ruât par terre, dont à la rupture de ces harnais[7] pierreux fut fait un si horrible tumulte qu'il me souvint quand la grosse tour de beurre, qui était à Saint-Étienne de Bourges[8], fondit au soleil.

100 Panurge, ensemble Carpalim et Eusthénès, cependant, égorgetaient[9] ceux qui étaient portés par terre. [...]

Finalement, voyant que tous étaient morts, [Pantagruel] jeta le corps de Loup Garou tant qu'il put contre la ville, et

---

1. *Golfarin* : Goinfre (souvenir comique des romans de chevalerie).
2. *Mahon* : déformation de *Mahomet*, juron employé par les infidèles dans les romans de chevalerie.
3. *à jambes rebindaines* : les jambes en l'air.
4. *bâton* : arme.
5. *d'icelui armé d'enclumes* : avec le corps de *celui-ci* (Loup Garou) qui était armé d'enclumes.
6. *copeaux* : le mot a un sens général au XVIe siècle et s'applique aussi aux éclats de pierre.

Mahomet, si tu bouges d'ici, je te mettrai au fond de mes
90  chausses, comme un suppositoire ! [...] »

Cependant [...] Pantagruel frappa Loup Garou d'un si
grand coup de pied au ventre qu'il le jeta en arrière les
jambes en l'air et vous le traînait ainsi à l'écorche-cul sur
plus d'une portée d'arc.

95  Loup Garou s'écriait, en rendant le sang par la gorge :
« Mahomet ! Mahomet ! Mahomet ! »

À ce cri les géants se levèrent pour le secourir, mais
Panurge leur dit :

« Messieurs, n'y allez pas, si vous m'en croyez, car
100  notre maître est fou et frappe à tort et à travers, sans
regarder où. Il va vous faire du mal. »

Mais les géants n'en tinrent pas compte, en voyant
que Pantagruel était sans arme. Lorsqu'il les vit approcher, Pantagruel prit Loup Garou par les deux pieds,
105  leva son corps comme une pique, et avec celui-ci, qui
était armé d'enclumes, il frappait parmi les géants armés
de pierres de taille et les abattait comme on fait tomber
des éclats de pierre si bien que personne ne se trouvait
face à lui sans être renversé à terre. Aussi, à la rupture de
110  ces armures de pierre, ce fut un si horrible tumulte qu'il
me rappela le jour où la grosse tour de beurre de Saint-
Étienne de Bourges fondit au soleil.

Panurge, avec Carpalim et Eusthénès, égorgetaient
pendant ce temps-là ceux qui étaient tombés à terre. [...]
115  Finalement, voyant qu'ils étaient tous morts, Pantagruel jeta de toutes ses forces dans la ville le corps de

---

7.  *harnais* : armures.
8.  *Saint-Étienne de Bourges* : la tour nord de la cathédrale s'écroula en 1506. En fait,
c'est la tour qui lui succéda que l'on baptisa *tour de beurre* parce qu'elle fut édifiée
avec l'argent donné pour avoir la permission de manger du beurre en carême. Mais
celle-ci ne s'écroula pas.
9.  *égorgetaient* : ne cessaient d'*égorger* (fréquentatif).

tomba comme une grenouille sur ventre en la place mage[1] de
105 ladite ville, et en tombant du coup tua un chat brûlé, une
chatte mouillée, une cane petière[2], et un oison bridé[3].

## COMMENT ÉPISTÉMON,
## QUI AVAIT LA COUPE TÊTÉE[4],
## FUT GUÉRI HABILEMENT PAR PANURGE,
## ET DES NOUVELLES DES DIABLES
## ET DES DAMNÉS

[CHAPITRE 30]

Cette déconfite gigantale parachevée, Pantagruel se retira
au lieu des flacons et appela Panurge et les autres, lesquels
se rendirent à lui sains et saufs, excepté Eusthènes, lequel un
des géants avait égraphiné quelque peu au visage, ainsi qu'il
5 l'égorgetait, et Épistémon qui ne se[5] comparaît point. Dont
Pantagruel fut si dolent qu'il se voulut tuer soi-même, mais
Panurge lui dit : « Déa, Seigneur, attendez un peu, et nous le
chercherons entre les morts et verrons la vérité du tout. »

Ainsi donc comme ils le cherchaient, ils le trouvèrent tout
10 roide mort, et sa tête entre les bras toute sanglante. Lors
Eusthènes s'écria :

« Ha ! male mort, nous as-tu tollu le plus parfait des
hommes ! »

À laquelle voix se leva Pantagruel, au[6] plus grand deuil
15 qu'on vit jamais au monde, et dit à Panurge : « Ha ! mon ami,
l'auspice de vos deux verres et du fût de javeline était bien
par trop fallace[7] ! »

---

1. *la place mage* : la grand-place.
2. *cane petière* : petite outarde (oiseau échassier).
3. *oison bridé* : jeune oie à qui on passe un brin de bois dans le bec (pour l'empêcher de traverser les haies).

Loup Garou qui tomba comme une grenouille sur le ventre au milieu de la grand-place de la ville, et, en tombant, tua du coup un chat brûlé, une chatte mouil-
120 lée, une cane petière, et un oison bridé.

## COMMENT ÉPISTÉMON
## QUI AVAIT LA COUPE TÊTÉE
## FUT GUÉRI HABILEMENT PAR PANURGE,
## ET DES NOUVELLES QU'ON EUT
## DES DIABLES ET DES DAMNÉS

### [CHAPITRE 30]

Cette déconfiture gigantale une fois achevée, Panta-gruel se retira à l'endroit où étaient les bouteilles et appela Panurge et les autres ; ils se rendirent auprès de lui sains et saufs, excepté Eusthénès, qu'un des géants
5 avait un peu égratigné au visage, tandis qu'il l'égorgetait, et Épistémon qui ne paraissait pas. Pantagruel en fut si affligé qu'il voulut se tuer lui-même, mais Panurge lui dit : « Allons, Seigneur, attendez un peu ; nous le cher-cherons parmi les morts et nous saurons toute la vérité. »
10 Ainsi donc, comme ils le cherchaient, ils le trouvèrent raide mort, sa tête toute sanglante entre ses bras. Eus-thénès s'écria alors :
« Ah ! mort cruelle, tu nous as enlevé le plus parfait des hommes ! »
15 À ce cri, Pantagruel se leva, frappé de la plus grande douleur qu'on vit jamais au monde, et il dit à Panurge : « Ah ! mon ami, l'auspice de vos deux verres et du bois de la javeline était vraiment par trop menteur ! »

---

4. *coupe têtée* : contrepèterie pour *tête coupée*.
5. *se* : la forme réfléchie serait incorrecte aujourd'hui.
6. *au* : ici : *dans le plus grand*.
7. *fallace* : trompeur. Panurge avait placé deux verres sur un bois de javeline, puis avait brisé le bois sans casser les verres : présage de victoire, disait-il.

Mais Panurge dit : « Enfants, ne pleurez goutte. Il est encore tout chaud : je vous le guérirai aussi sain qu'il fut jamais. »

20 Ce disant, prit la tête et la tint sur sa braguette chaudement, afin qu'elle ne prît vent ; Eusthènes et Carpalim portèrent le corps au lieu où ils avaient banqueté, non par espoir que jamais guérît, mais afin que Pantagruel le vît. Toutefois Panurge les réconfortait, disant : « Si je ne le guéris, je veux

25 perdre la tête (qui[1] est le gage d'un fol[2]) ; laissez ces pleurs et m'aidez. »

Adonc nettoya très bien de beau vin blanc le col et puis la tête, et y sinapisa de poudre de diamerdis[3], qu'il portait toujours en une de ses fasques ; après les oignit de je ne sais

30 quel oignement, et les affûta justement, veine contre veine, nerf contre nerf, spondyle contre spondyle, afin qu'il ne fût torticolis[4] (car telles gens il haïssait de mort). Ce fait, lui fit à l'entour quinze ou seize points d'aiguille afin qu'elle ne tombât derechef, puis mit à l'entour un peu d'un onguent qu'il appe-

35 lait ressuscitatif.

Soudain Épistémon commença respirer, puis ouvrir les yeux, puis bâiller, puis éternuer, puis fit un gros pet de ménage[5]. Dont dit Panurge : « À cette heure est-il guéri assurément. » Et lui bailla à boire un verre d'un grand vilain[6] vin blanc, avec une

40 rôtie sucrée[7]. En cette façon fut Épistémon guéri habilement, excepté qu'il fut enroué plus de trois semaines et eut une toux sèche, dont il ne put onques guérir, sinon à force de boire.

Et là commença à parler, disant qu'il avait vu les diables, avait parlé à Lucifer familièrement et fait grand chère[8] en enfer

45 et par les Champs-Élysées, et assurait devant tous que les

---

1. *qui* : ce qui ; *qui* (neutre) peut représenter dans l'ancienne langue des noms de choses ou même avoir le sens de *ce qui.*
2. *le gage d'un fol* : il faut être fou pour mettre sa tête en gage.
3. *diamerdis* : mot burlesque sur le modèle des termes pharmaceutiques commençant souvent par *dia* ; signifie : poudre d'excrément.
4. *torticolis* : Rabelais les appelle aussi *torcouls*, ou *cols tors* : faux dévot qui tord le cou et penche la tête en marmottant des prières. Les hypocrites seront exclus de l'abbaye de Thélème.

Mais Panurge dit : «Enfants, ne pleurez pas. Il est
20  encore tout chaud : je vous le guérirai et vous le rendrai
aussi sain qu'il fut jamais.»

En disant cela, il prit la tête et la tint au chaud sur sa
braguette pour la garantir du vent. Eusthénès et Carpalim portèrent le corps au lieu où ils avaient banqueté : ce
25  n'était pas qu'ils espéraient sa guérison, mais c'était
pour que Pantagruel le vît. Toutefois Panurge les
réconfortait, en disant : «Si je ne le guéris pas, je veux
perdre la tête (ce qui est une gageure de fou) ; cessez ces
pleurs et aidez-moi.»
30  Il nettoya donc très bien avec du beau vin blanc le cou,
puis la tête, et les saupoudra de poudre de diamerdis qu'il
portait toujours dans une de ses poches ; après il les oignit
de je ne sais quel onguent, et les ajusta exactement, veine
contre veine, nerf contre nerf, vertèbre contre vertèbre,
35  afin d'éviter qu'il eût le cou de travers (car il haïssait à
mort les gens de cette sorte). Après quoi, il lui fit tout
autour de la tête quinze ou seize points avec une aiguille
pour qu'elle ne retombât pas aussitôt ; puis il mit autour
un peu d'un onguent qu'il appelait ressuscitatif.
40  Soudain Épistémon commença à respirer, puis à ouvrir
les yeux, puis à bâiller, puis à éternuer, puis il fit un gros
pet de ménage. Ce qui fit dire à Panurge : «Maintenant il
est guéri assurément.» Et il lui donna à boire un verre
d'un grand méchant vin blanc, avec une rôtie sucrée. De
45  cette façon, Épistémon fut guéri habilement, mais il fut
enroué plus de trois semaines et eut une toux sèche dont
il ne put jamais guérir, sinon à force de boire.

Et là, il commença à parler, disant qu'il avait vu les
diables, avait parlé familièrement à Lucifer et qu'il avait
50  fait grande chère en enfer et aux champs élysées ; il

---

5.  *pet de ménage* : pet très bruyant.
6.  *vilain* : par antiphrase.
7.  *rôtie sucrée* : la rôtie était un morceau de pain qu'on mettait au fond du verre. Le
sucre étant rare et coûteux, celle-ci est plus qu'un aliment : c'est un remède.
8.  *grand chère* : les adjectifs du type *grand, tel*, pouvaient encore au XVIᵉ siècle,
comme en ancien français, avoir la même forme au féminin et au masculin. (Cf. les
expressions *grand-mère, grand-route, grand-messe*, qui ont subsisté jusqu'aujourd'hui.)
*Faire grand chère* a ici le sens médiéval de *recevoir un bon accueil*.

diables étaient bons compagnons. Au regard des damnés, il dit qu'il était bien marri de ce que Panurge l'avait si tôt révoqué en vie : « Car je prenais, dit-il, un singulier passe-temps à les voir.

50     — Comment ? dit Pantagruel.

    — L'on ne les traite, dit Épistémon, si mal que vous penseriez [...]. »

*Comment Pantagruel transporta une colonie d'Utopiens en Dipsodie (ch. 31). Illustration de Gustave Doré, 1873.*

assurait devant tout le monde que les diables étaient de bons compagnons. Quant aux damnés, il dit qu'il était bien désolé de ce que Panurge l'eût si vite rappelé à la vie: «Car je m'amusais singulièrement, dit-il, à les voir.

55   – Comment? dit Pantagruel.

  – On ne les traite pas aussi mal que vous pourriez le croire», dit Épistémon [...].

## *Compréhension*

1. *Quel est le ton de la prière de Pantagruel au chapitre 29 ? Quels sentiments du héros met-elle en valeur ?*

2. *Le combat singulier de Gargantua et de Loup Garou est une parodie d'un combat d'épopée. Quels traits le montrent ?*

3. *Le personnage de Panurge prend, au chapitre 30, de nouvelles dimensions. Lesquelles ?*

4. *Dans quelle atmosphère se déroule cette scène : lugubre ou tonique ?*

## *Écriture*

5. *Dans la description de Pantagruel au combat (ch. 29) relevez quelques exemples du mélange des tons.*

6. *Le récit de la résurrection d'Épistémon : appréciez la précision des gestes, l'alliance des vocabulaires familier et savant. Relevez quelques traits caractéristiques.*

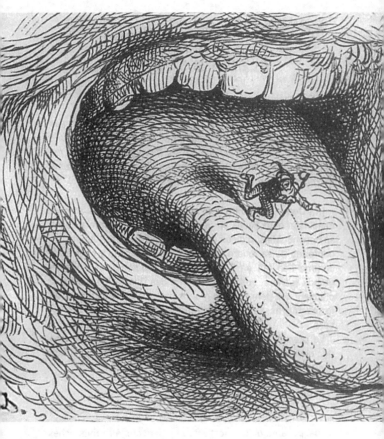

*Pantagruel tire sa langue à demi et abrite ses soldats (ch. 32).*
*Illustration Gustave Doré, 1873.*

# COMMENT PANTAGRUEL DE SA LANGUE COUVRIT TOUTE UNE ARMÉE ET DE CE QUE L'AUTEUR VIT DEDANS SA BOUCHE

## [CHAPITRE 32]

*Au cours de sa campagne contre les Almyrodes (les «salés»), les troupes de Pantagruel sont surprises par une averse. En attendant qu'elle passe, Pantagruel tire la langue «seulement à demi» et abrite ses soldats. L'auteur lui-même ne réussit pas à trouver place auprès d'eux.*

[...] Donc, le mieux que je pus, montai par-dessus, et cheminai bien deux lieues sur sa langue, tant que j'entrai dedans sa bouche. Mais, ô dieux et déesses, que vis-je là? Jupiter me confonde de sa foudre trisulque[1] si j'en mens. J'y cheminais
5 comme l'on fait en Sophie[2] à Constantinople, et y vis de grands rochers, comme les monts des Danois[3] (je crois que c'étaient ses dents), et de grands prés, de grandes forêts, de fortes et grosses villes, non moins grandes que Lyon ou Poitiers.
10 Le premier qu'y trouvai ce fut un bonhomme qui plantait des choux[4]. Dont•, tout ébahi, lui demandai : «Mon ami, que fais-tu ici?

— Je plante, dit-il, des choux.

— Et à quoi ni comment[5]? dis-je.

15 — Ha! monsieur, dit-il, chacun ne peut avoir les couillons aussi pesants qu'un mortier[6] et ne pouvons être tous riches. Je gagne ainsi ma vie, et les porte vendre au marché, en la cité qui est ici derrière.

— Jésus! dis-je, il y a ici un nouveau monde?

---

1. *trisulque* : qui trace trois sillons.
2. *Sophie* : la majesté de la basilique Sainte-Sophie, construite par Justinien (VIᵉ siècle) et devenue mosquée, était proverbiale.

# COMMENT PANTAGRUEL COUVRIT
## DE SA LANGUE TOUTE UNE ARMÉE,
## ET CE QUE L'AUTEUR VIT DANS SA BOUCHE

### [CHAPITRE 32]

[...] Je montai donc par-dessus de mon mieux et je cheminai bien deux lieues sur sa langue, tant et si bien que j'entrai dans sa bouche. Mais, ô dieux et déesses, que vis-je là ? Que Jupiter m'abatte de sa triple foudre si
5 je mens. J'y cheminais comme l'on fait à Sainte-Sophie, à Constantinople, et j'y vis des rochers grands comme les monts des Danois (je crois que c'étaient ses dents), et de grands prés, d'imposantes et grosses villes, non moins grandes que Lyon ou Poitiers.

10 Le premier individu que j'y rencontrai, ce fut un bonhomme qui plantait des choux. Aussi, tout ébahi, je lui demandai : « Mon ami, que fais-tu ici ?

– Je plante des choux, dit-il.

– Et pourquoi et comment ? dis-je.

15 – Ah ! monsieur, dit-il, tout le monde ne peut pas avoir un poil dans la main et nous ne pouvons être tous riches. Je gagne ainsi ma vie, et je vais les vendre au marché dans la cité qui est là-derrière.

– Jésus ! dis-je, il y a ici un nouveau monde ?

---

3. *Danois* : la première syllabe de *Danois* se prononçait comme *dents*. (Notez qu'il n'y a pas de monts au Danemark.)
4. *choux* : l'épisode a peut-être été suggéré à Rabelais par Lucien (*Histoire véritable*, I, 33 : le narrateur rencontre à l'intérieur d'une baleine des jardiniers soignant des légumes).
5. *à quoi ni comment* : ni s'emploie souvent dans le sens de *et* quand la phrase est interrogative ou négative.
6. *aussi pesants qu'un mortier* : pesants est ici participe et non adjectif : *pesant autant qu'un mortier* (voir lexique sous *ayants*, p. 287). Cette locution proverbiale qualifie l'attitude appesantie des paresseux.

20 — Certes, dit-il, il n'est mie nouveau ; mais l'on dit bien que, hors d'ici, y a une terre neuve où ils ont et soleil et lune, et tout plein de belles besognes ; mais celui-ci est plus ancien.

— Voire mais, dis-je, mon ami, comment a nom cette ville où tu portes vendre tes choux ?

25 — Elle a, dit-il, nom Aspharage[1], et sont christians, gens de bien, et vous feront grande chère[2]. »

Bref, je délibérai d'y aller.

Or, en mon chemin, je trouvai un compagnon qui tendait aux pigeons, auquel je demandai : « Mon ami, dont• vous
30 viennent ces pigeons ici ?

— Sire, dit-il, ils viennent de l'autre monde. » Lors je pensai que, quand Pantagruel bâillait, les pigeons à pleines volées entraient dedans sa gorge, pensant que fût[3] un colombier. Puis entrai en la ville, laquelle je trouvai belle, bien forte et en
35 bel air ; mais, à l'entrée, les portiers me demandèrent mon bulletin[4], de quoi je fus fort ébahi, et leur demandai : « Messieurs, y a-t-il ici danger de peste ?

— Ô seigneur, dirent-ils, l'on se meurt ici tant que le chariot[5] court par les rues.

40 — Vrai Dieu, dis-je, et où ? » À quoi me dirent que c'était en Laryngues et Pharyngues[6], qui sont deux grosses villes telles comme Rouen et Nantes, riches et bien marchandes. Et la cause de la peste a été pour une puante et infecte exhalation qui est sortie des abîmes depuis naguère, dont ils sont morts plus
45 de vingt et deux cents soixante mille et seize personnes, depuis huit jours. Lors je pensai et calculai, et trouvai que c'était une puante haleine qui était venue de l'estomac de Pantagruel alors qu'il mangea tant d'aillade[7] comme nous avons dit dessus.

De là partant, passai entre les rochers qui étaient ses dents

---

1. *Aspharage* : arrière-gorge : ville « Gosier » (transcrit du grec).
2. *faire grande chère* : signifie d'abord faire bon visage ; *chère* : visage (grec : *kara*). Du sens de *faire bon accueil*, on est passé à celui de *faire bombance*.
3. *fût* : après les verbes signifiant *croire, penser*, la proposition complétive était souvent au subjonctif, là où le français moderne met l'indicatif.
4. *bulletin* : laisser-passer qui était en même temps un certificat de santé.

20   – Certes, dit-il, il n'est pas nouveau; mais l'on dit
bien que, hors d'ici, il y a une nouvelle terre où ils ont et
soleil et lune, et tout plein de belles affaires; mais
celui-ci est plus ancien.
   – Oui, mais, dis-je, mon ami, quel est le nom de cette
25  ville où tu vas vendre tes choux?
   – On la nomme Aspharage, dit-il, les habitants sont
chrétiens, ce sont des gens de bien, ils vous feront bon
accueil. »
   Bref, je décidai d'y aller.
30   Or, sur mon chemin, je rencontrai un compagnon qui
tendaient des filets aux pigeons et je lui demandai :
« Mon ami, d'où vous viennent ces pigeons-ci?
   – Sire, dit-il, ils viennent de l'autre monde. » Je pensai alors que, quand Pantagruel bâillait, les pigeons
35  entraient à toute volée dans sa gorge, croyant que c'était
un colombier. Puis j'entrai dans la ville, que je trouvai
belle, imposante et d'un bel aspect; mais, à l'entrée, les
portiers me demandèrent mon laisser-passer, ce dont je
fus fort ébahi, et je leur demandai : « Messieurs, y a-t-il
40  ici danger de peste?
   – Ô Seigneur, dirent-ils, on meurt tant, près d'ici, que
le corbillard va et vient par les rues.
   – Vrai Dieu, dis-je, et où? » Ils me répondirent alors
que c'était à Laryngues et Pharyngues, deux villes aussi
45  grosses que Rouen et Nantes, de riches villes très
commerçantes, que l'origine de la peste était une puante
et infecte exhalaison sortie depuis peu des abîmes, et
que plus de deux millions deux cent soixante mille seize
personnes en étaient mortes depuis huit jours. Alors je
50  réfléchis et calculai et découvris que c'était une puante
haleine qui était venue de l'estomac de Pantagruel,
quand il mangea tant d'aillade, comme nous l'avons dit
plus haut.
   Partant de là, je passai entre les rochers, qui étaient

---

5. *chariot* : le chariot pour enlever les morts.
6. *Laryngues et Pharyngues* : villes de « Larynx » et de « Pharynx ».
7. *aillade* : ragoût à l'ail, consommé lors des noces du roi Anarche.

50   et fis tant que je montai sur une, et là trouvai les plus beaux
lieux du monde, beaux grands jeux de paume, belles galeries,
belles prairies, force vigne et une infinité de cassines[1] à la
mode italique par les champs pleins de délices, et là demeurai
bien quatre mois, et ne fis onques telle chère que pour lors.

55   Puis descendis par les dents du derrière pour venir aux bau-
lièvres ; mais en passant, je fus détroussé des brigands par
une grande forêt qui est vers la partie des oreilles. Puis trouvai une petite bourgade à la devallée (j'ai oublié son nom), où
je fis encore meilleure chère que jamais, et gagnai quelque

60   peu d'argent pour vivre. Savez-vous comment ? À dormir[2],
car l'on loue les gens à journée pour dormir, et gagnent cinq
et six sols par jour ; mais ceux qui ronflent bien fort gagnent
bien sept sols et demi. Et contais aux sénateurs comment on
m'avait détroussé par la vallée, lesquels me dirent que, pour

65   tout vrai, les gens de delà[3] étaient mal vivants[4] et brigands de
nature. À quoi je connus qu'ainsi comme nous avons les
contrées de deçà et delà les monts, aussi ont-ils deçà et delà
les dents. Mais il fait beaucoup meilleur deçà, et y a meilleur
air.

70   Là commençai penser qu'il est bien vrai ce que l'on dit que
la moitié du monde ne sait comment l'autre vit, vu que nul
n'avait encore écrit de ce pays-là, auquel sont plus de vingt-
cinq royaumes habités, sans les déserts et un gros bras de
mer. Mais j'en ai composé un grand livre intitulé l'*Histoire des*

75   *Gorgias*[5], car ainsi les ai-je nommés, parce qu'ils demeurent
en la gorge de mon maître Pantagruel. Finalement voulus
retourner, et, passant par sa barbe, me jetai sur ses épaules,

---

1. *cassines* : petites maisons de plaisance, hors de la ville.
2. *à dormir* : selon un refrain populaire, «au pays de Cocagne, qui plus y dort, plus y gagne».
3. *de delà* : qui sont au-delà (des dents).
4. *mal vivants* : de mauvaise vie.
5. *Histoire des Gorgias* : *gorgias* : élégant ; jeu de mots avec *gorge*, renforcé d'une allusion au *Gorgias*, dialogue de Platon.

55   ses dents, et fis tant et si bien que je montai sur l'une
d'elles ; là je trouvai les plus beaux lieux du monde, de
beaux et grands jeux de paume, de belles galeries, de
belles prairies, force vignes et une infinité de villas à
l'italienne dans les champs pleins de délices, et là je
60   demeurai bien quatre mois, et je ne menai jamais meilleure vie qu'alors.

    Puis je redescendis par les dents de derrière pour aller
aux lèvres ; mais en passant, je fus détroussé par des
brigands dans une grande forêt qui se trouve du côté des
65   oreilles. Puis, à la descente, je trouvai une petite bourgade dont j'ai oublié le nom, où je vécus encore mieux
que jamais et gagnai quelque argent pour vivre. Savez-
vous comment ? À dormir, car l'on loue les gens à la
journée pour dormir, et ils gagnent cinq à six sous par
70   jour ; mais ceux qui ronflent bien fort gagnent bien sept
sous et demi. Je racontai aux sénateurs comment on
m'avait détroussé dans la vallée ; ils me dirent qu'à la
vérité les gens qui sont au-delà étaient méchants et brigands de nature. Je compris à cela que, de même que
75   nous avons des contrées en deçà et au-delà des monts,
ils en ont en deçà et au-delà des dents. Mais il fait bien
meilleur en deçà, l'air y est meilleur.

    Je commençai à penser alors qu'il est bien vrai,
comme on le dit, que la moitié du monde ne sait com-
80   ment vit l'autre, puisque personne n'avait encore écrit
sur ce pays-là, où se trouvent plus de vingt-cinq
royaumes habités, sans compter les déserts et un important bras de mer. Mais j'ai composé là-dessus un grand
livre intitulé l'*Histoire des Gens de gorge* : je les ai ainsi
85   nommés, parce qu'ils demeurent dans la gorge de mon
maître Pantagruel. Finalement je voulus m'en retourner,
et, passant par sa barbe, je me jetai sur ses épaules, et de

et de là me dévalai en terre et tombai devant lui. Quand il m'aperçut, il me demanda : «Dont* viens-tu, Alcofribas[1]?»

80 Je lui réponds : «De votre gorge, monsieur.

– Et depuis quand y es-tu? dit-il.

– Depuis, dis-je, que vous alliez contre les Almyrodes.

– Il y a, dit-il, plus de six mois. Et de quoi vivais-tu? Que buvais-tu?» Je réponds : «Seigneur, de même vous, et des

85 plus friands morceaux qui passaient par votre gorge, j'en prenais le barrage[2]. [...]»

---

1. *Alcofribas : Alcofribas Nasier* : anagramme de «François Rabelais», sous lequel l'auteur se met lui-même en scène.
2. *barrage* : droit payé aux barrières, péage, octroi.

là je descendis à terre et tombai devant lui. Quand il
m'aperçut, il me demanda : «D'où viens-tu, Alcofri-
90 bas?» Je lui réponds : «De votre gorge, monsieur.

— Et depuis quand y es-tu? dit-il.

— Depuis, dis-je, que vous avez marché contre les
Almyrodes.

— Il y a, dit-il, plus de six mois. Et de quoi vivais-tu?
95 Que buvais-tu?» Je réponds : «Seigneur, de même que
vous, et sur les plus friands morceaux qui passaient par
votre gorge je prélevais les droits de douane. [...]»

**Questions**

## Compréhension

1. *Quelle est la place de cet épisode dans l'économie du roman ? Quelles sont les intentions de Rabelais ?*

2. *Comment s'allie la vraisemblance à la fantaisie dans ce conte fantastique :*
*– dans la description des paysages et le récit de l'exploration ;*
*– dans la rencontre avec le premier paysan ?*

3. *La leçon de relativisme : quelles sont les attitudes respectives du narrateur et du paysan à l'égard de leur propre monde ? Quelle conclusion tirez-vous de l'exploration du narrateur ?*

## Écriture

4. *Comment apparaît la similitude des deux univers :*
*– d'après la description des contrées du nouveau monde,*
*– d'après les mœurs de ses habitants ?*

*Bilan*

## L'action

### • Le périple de Pantagruel

*Le récit des prouesses du héros succède brusquement à celui du séjour parisien. Pantagruel reprend alors le premier rôle. La disparition de Gargantua (emporté au pays des fées) rend indispensable l'intervention de son fils pour défendre l'Utopie, attaquée par les Dipsodes. Il s'embarque à Honfleur, fait le tour de l'Afrique par le cap de Bonne-Espérance (le royaume de l'Utopie se situerait donc vers les Indes), remporte une brillante victoire sur les Dipsodes (ch. 23-28). Mais la garde du roi constituée par trois cents géants est intacte. Et Pantagruel affronte leur chef, Loup Garou, en combat singulier (ch. 29).*

### • La parodie

*Le récit du combat tourne à la parodie épique et à la farce ; le style est volontairement trivial. Pantagruel, qui incarne l'habileté face à la sotte brutalité, n'a pas toujours la dignité convenable au héros chevaleresque. Le mélange des tons est constant. Le pittoresque du langage populaire voisine avec l'éloquence soutenue. La résurrection d'Épistémon (ch. 30) est-elle une parodie irrévérencieuse, ou un simple souvenir des romans médiévaux ? En tout cas la vision de l'enfer, qu'il a visité, n'est pas effrayante, et donne seulement une image inversée de la vie terrestre. L'exploration de la gorge du géant par l'auteur qui y découvre un nouveau monde permet à celui-ci de dénouer brusquement le roman, puisque la guerre est terminée lorsqu'il en sort, et il se borne à promettre une suite à son œuvre (ch. 31-34, non reproduits ici).*

### • Portée et signification du voyage en Utopie

*Au total, l'expédition en Utopie est beaucoup moins réussie que la guerre Picrocholine : les éléments réels ne s'y mêlent pas à la fantaisie bouffonne, la variété des épisodes est moins grande, et les personnages y demeurent bien plus stéréotypés. Mais surtout le récit est beaucoup moins chargé de signification que la narration parallèle du Gargantua.*

| DATES | ÉVÉNEMENTS HISTORIQUES | ÉVÉNEMENTS CULTURELS |
|---|---|---|
| 1483 | Mort de Louis XI. Avènement de Charles VII. Naissance de Martin Luther en Saxe. | |
| 1494 | Charles VII envahit l'Italie. Naissance de François Ier. | Érasme enseigne au collège de Montaigu à Paris. |
| 1498 | | Commynes, *Mémoires*. |
| 1508 | | Publication d'une Bible en français par Lefèvre d'Étaples. Michel-Ange commence le plafond de la chapelle Sixtine. |
| 1509 | | Érasme, *Éloge de la folie*. |
| 1511 | Le pape Jules II et la Sainte Ligue contre Louis XII. | |
| 1512 | Concile de Latran. | |
| 1513 | | Machiavel, *Le Prince*. |
| 1515 | Avènement de François Ier. Victoire de Marignan. | Léonard de Vinci en France. |
| 1516 | | Thomas More, *L'Utopie*. Érasme édite le Nouveau Testament. |
| 1517 | | Luther affiche ses thèses à Wittenberg. |
| 1519 | Charles Quint, empereur. | Expédition de Cortez au Mexique. Voyage de Magellan. |
| 1520 | Entrevue du Camp du Drap d'or. | Machiavel, *La Mandragore*. |
| 1521 | | Excommunication de Luther. |
| 1522 | Les Français sont chassés d'Italie. | Naissance de Joachim du Bellay. |
| 1523 | | La Sorbonne tente d'empêcher l'étude du grec. |
| 1524 | Mort de Bayard. | Naissance de Ronsard. Construction du château de Chambord. |
| 1525 | Désastre de Pavie. François Ier est fait prisonnier à Madrid. | |
| 1527 | Sac de Rome par les impériaux. Vienne assiégée par les Turcs. | |
| 1528 | | Balthazar Castiglione, *Le Courtisan*. Début des travaux au château de Fontainebleau. |
| 1529 | | Guillaume Budé, *Commentaires de la langue grecque* (en latin). |
| 1530 | Diète et Confession d'Augsbourg. | Création du collège des lecteurs royaux, futur Collège de France. |
| 1532 | Annexion de la Bretagne à la France. | Marot, *L'Adolescence clémentine*. L'Arioste, *Roland furieux*. |
| 1533 | Prise de Cuzco, capitale des Incas, par Pizarre. | Naissance de Montaigne. |
| 1534 | Affaire des Placards (18 octobre). | Premier voyage de Jacques Cartier au Canada. Marot en Béarn chez Marguerite de Navarre. Luther, Bible allemande complète. Édits royaux réglementant l'imprimerie. |

| VIE ET ŒUVRE DE RABELAIS | DATES |
|---|---|
| Naissance de François Rabelais (date probable, selon une épitaphe de l'église Saint-Paul à Paris) à La Devinière, près de Chinon. | 1483 |
| Naissance de François Rabelais (date possible selon A. Lefranc). | 1494 |
| Novice au couvent de la Baumette près d'Angers. | 1510 (ou 1511) |
| Séjours à Angers. | 1515-1518 |
| Cordelier à Fontenay-le-Comte. Correspondance avec Budé. | 1520 |
| On prend à Rabelais ses livres grecs. | 1523 |
| Autorisation pontificale de passer chez les bénédictins de Maillezais. | 1524 |
| Séjour à Paris. Rabelais prend l'habit de prêtre séculier. Commence ses études de médecine probablement à Paris. | 1528 |
| Il s'inscrit à la faculté de Montpellier, où il est reçu bachelier (novembre). | 1530 |
| Cours de Rabelais à Montpellier sur Hippocrate et Galien. | 1531 |
| Médecin à l'hôtel-Dieu de Lyon. *Pantagruel*. Lettre à Érasme. Édition d'Hippocrate et de Galien. | 1532 |
| *Gargantua* (ou 1535). Séjours à Rome en février et en avril. | 1534 |

| DATES | ÉVÉNEMENTS HISTORIQUES | ÉVÉNEMENTS CULTURELS |
|---|---|---|
| 1535 | Siège de Tunis par Charles Quint. Alliance de François I$^{er}$ avec les Turcs. | Marot en exil à Ferrare. |
| 1536 | Charles Quint envahit la Provence. | Calvin à Bâle, puis Genève, 1$^{re}$ édition de l'*Institution de la religion chrétienne* (en latin). Mort d'Érasme. |
| 1537 | | |
| 1538 | Entrevue d'Aigues-Mortes. Trêve entre Charles Quint et François I$^{er}$. | |
| 1539 | Ordonnance de Villers-Cotterêts. | Mort de Guillaume Budé. Ignace de Loyola fonde la congrégation des jésuites. |
| 1540 | | |
| 1541 | | |
| 1542 | Quatrième guerre contre l'Empire germanique. | |
| 1543 | | Traité de Copernic sur la révolution du système solaire. |
| 1544 | Bataille de Cérisoles (avril). Paix de Crépy (septembre). | Mort de Marot. |
| 1545 | Ouverture du concile de Trente. Massacre des vaudois de Mérindol et de Cabrières. | Ouvrages d'Ambroise Paré. Parution du *Catalogue des livres censurés*. |
| 1546 | Guerre de Charles Quint contre les princes protestants. | Mort de Luther. Supplice d'Étienne Dolet. Pierre Lescot commence la reconstruction du Louvre. |
| 1547 | Mort d'Henri VIII (janvier). Mort de François I$^{er}$ et avènement d'Henri II. | Ronsard et du Bellay au collège de Coqueret. Michel-Ange dirige les travaux de Saint-Pierre de Rome. |
| 1548 | Révolte de la gabelle en Guyenne. | Interdiction par le Parlement de représenter les mystères. |
| 1549 | | Mort de Marguerite de Navarre. Joachim du Bellay, *Défense et illustration de la langue française*. |
| 1550 | Crise entre Henri II et la papauté. | Ronsard, les quatre premiers livres des *Odes*. |
| 1551 | Cinquième guerre contre l'Empire germanique. | |
| 1552 | Alliance d'Henri II avec les princes protestants. Siège de Metz par les impériaux. | Ronsard, *Les Amours* (de Cassandre), le cinquième livre des *Odes*. |
| 1553 | Avènement de Marie Tudor. Occupation des Trois-Évêchés par Henri II. | Joachim du Bellay à Rome. Départ de Camões pour les Indes orientales. Supplice de Michel Servet à Genève. |
| 1562 | Début des guerres de religion. | |
| 1564 | | |

| VIE ET ŒUVRE DE RABELAIS | DATES |
|---|---|
| Almanach pour l'année 1535. Troisième séjour à Rome. | 1535 |
| Absous du crime d'apostasie, il est autorisé à exercer la médecine. Chanoine à l'abbaye de Saint-Maur. | 1536 |
| Reçu docteur en médecine. Enseigne à Montpellier et à Lyon. | 1537 |
| Présent à l'entrevue d'Aigues-Mortes. | 1538 |
| Démonstration d'anatomie à Montpellier. Cours sur le texte grec des *Pronostics* d'Hippocrate. | 1539 |
| Séjour en Piémont. | 1540 |
| Rupture avec Étienne Dolet. | 1541 |
| | 1542 |
| *Gargantua* et *Pantagruel* censurés par le Parlement. | 1543 |
| | 1544 |
| | 1545 |
| Le *Tiers Livre*. Censure du livre par la Sorbonne. Fuite à Metz. Y devient médecin de la ville. Séjour à Paris, puis à Rome. Médecin de Jean du Bellay. | 1546 |
| Dernier voyage à Rome. | 1547 |
| Publication à Lyon de onze chapitres du *Quart Livre*. | 1548 |
| | 1549 |
| Privilège de dix ans pour l'œuvre de Rabelais. Il est accusé d'impiété par Calvin. | 1550 |
| Curé de Saint-Martin de Meudon et de Saint-Christophe-du-Jambet (diocèse du Mans). | 1551 |
| Le *Quart Livre* (complet) (février). Censure du livre par la Sorbonne. | 1552 |
| Mars : mort de Rabelais à Paris. | 1553 |
| | 1562 |
| Publication posthume du *Cinquième Livre* (en entier). | 1564 |

## LES « NOUVEAUX INTELLECTUELS » : LES ECCLÉSIASTIQUES HUMANISTES

La génération qui fonde la tradition humaniste, dans le premier tiers du xvie siècle, va encourager nombre d'intellectuels qui cultivent passionnément le savoir, très différents de ceux du Moyen Âge.

Moines comme Érasme et Rabelais, théologiens comme Lefèvre d'Étaples, ils ont étudié dans les couvents ou les universités, mais critiquent ou refusent l'enseignement qui les a formés, et se trouvent en rupture – plus ou moins consciemment reconnue – avec ces institutions. Novateurs, ils se heurtent à l'hostilité des détenteurs du savoir officiel traditionnel, notamment à celle des théologiens scolastiques et de leur bastion, la Sorbonne.

Grands voyageurs, ils parcourent l'Europe et y diffusent leurs connaissances. François Ier leur accorde d'abord sa faveur, mais après l'affaire des Placards[1] (1534) et après la parution d'*Institution de la religion chrétienne* de Calvin (1536), ils deviennent suspects de sympathies réformées. Ces hommes d'action, tout à la fois « chercheurs », éditeurs, enseignants ou imprimeurs (la famille Estienne) prennent une place importante dans la vie intellectuelle et jouissent d'un prestige plus grand que les intellectuels médiévaux.

## PROTECTEURS ET MÉCÈNES

On ne vit pas de sa plume au xvie siècle. Les publications sont plus fructueuses pour l'éditeur que pour l'auteur. La propriété littéraire n'existe pas. Les ecclésiastiques vivent des revenus et des bénéfices qu'on leur octroie. Les écrivains doivent donc s'assurer de hautes protections pour obtenir des subsides et plus encore pour se mettre à l'abri des suspicions et des attaques. Rabelais à cet égard est exemplaire. Il s'est attiré la haine du monde clérical, a eu des adversaires chez les catholiques traditionalistes comme chez les protestants. Mais il a su se ménager des protecteurs puissants, comme peu d'écrivains en ont trouvé à son époque : l'évêque de Maillezais, Geoffroy d'Estissac, lui a permis de passer dans l'ordre moins rigoureux

---

1. *Placards* : pamphlets contre la messe placardés à Amboise et à Paris jusque sur les portes de la chambre du roi.

des Bénédictins ; Jean du Bellay, évêque de Paris puis cardinal, prélat humaniste, l'un des premiers diplomates du temps, et son frère Guillaume, seigneur de Langey, tout aussi humaniste, militaire, gouverneur du Piémont, l'ont emmené en Italie. Odet de Coligny, cardinal de Châtillon (qui embrassa plus tard la Réforme), membre du conseil privé d'Henri II, lui fait obtenir, en 1550 – faveur exceptionnelle –, un privilège de dix ans pour l'impression de tous ses livres. La protection royale ne lui fit pas défaut non plus, ni celle de Marguerite, sœur de François Ier.

En dépit de ces prestigieux appuis, Rabelais ne fut pas toujours en sécurité. À plusieurs reprises, il prit la fuite pour échapper aux censeurs et, en 1535 à Rome et en 1546 à Metz, connut la gêne (il dut adresser de pressantes demandes d'argent).

Bien d'autres écrivains contemporains connurent les mêmes difficultés (Marot s'est enfui en Italie, puis à Genève). Les imprimeurs n'étaient pas davantage en sécurité : pour avoir édité des livres suspects, beaucoup furent conduits au bûcher, comme Étienne Dolet.

La solidarité humaniste (aide financière et morale) face aux adversaires a, par contrecoup, joué dans toute l'Europe.

## LA CENSURE

L'écrivain court de grands risques si son ouvrage ne se conforme pas à l'orthodoxie religieuse. Si elle le condamne, la faculté de théologie de Paris (la Sorbonne) transmet sa censure au parlement, qui en rend compte au roi (tout livre de quelque importance doit avoir obtenu un privilège royal). Le Parlement, directement ou en appel, condamne à mort les hérétiques (notamment L. Berquin, traducteur d'Érasme, en 1529).

Dès l'apparition de la Réforme, les théologiens se montrent très méfiants à l'égard des livres, que la diffusion de l'imprimerie a multipliés. Cependant, à l'exception des moments de crise, où se déchaînent perquisitions et exécutions (l'affaire des Placards), bien des suspects réussissent à s'échapper (incertitude de la politique religieuse du roi, sympathies de certaines autorités, situations différentes selon les villes : par exemple, à Paris, le roi peut sévir, ainsi que le Parlement et la faculté de théologie, mais Lyon – où Rabelais se fait éditer – ne possède ni parlement, ni faculté).

La censure ne devient vraiment efficace qu'à partir de 1545 avec la parution du *Catalogue des livres censurés* officialisé par le Parlement.

## LA MÉDECINE HUMANISTE

La science médicale (à partir des années 1520) est du ressort de l'humanisme. Elle doit être encyclopédique car elle cherche non seulement à guérir les maladies corporelles, mais encore à délivrer l'âme de ses maux. Il lui faut agir sur les mœurs du malade, la santé du corps ne pouvant s'obtenir qu'au prix d'une réforme du mode de vie. Le médecin se double ainsi d'un moraliste et d'un philosophe.

Le savoir médical embrasse alors des domaines aujourd'hui distincts, comme l'anatomie, l'histoire naturelle, la botanique, la physique, l'arithmétique et même l'astronomie. Surtout, il reste un savoir théorique qui s'acquiert par l'étude des textes, non par l'observation.

C'est pourquoi la plupart des grands savants et des lettrés de la Renaissance ont été aussi des médecins, les études médicales pouvant se poursuivre parallèlement à celles des lettres.

La dissection (que Rabelais préconise et réalise pour la première fois à Montpellier) est une pratique rare et hardie. La chirurgie, tenue pour un art manuel, inférieur, est laissée aux barbiers. Lorsque le pape autorise Rabelais à exercer la médecine, en 1536, c'est à la condition de n'employer ni le fer, ni le feu (ni le bistouri, ni le cautère).

Une querelle divise alors le monde médical entre partisans de la médecine grecque et partisans de la médecine arabe (qui emprunte beaucoup à la médecine grecque, mais en y introduisant des préoccupations astrologiques ou philosophiques, et recommande une pharmacopée discutable) ; Rabelais ne méconnaît pas les mérites des Arabes mais, avec les humanistes, se range du côté des Grecs (étude des textes grecs dans le texte).

## LA TRADITION MÉDIÉVALE

Dès la fin du XII<sup>e</sup> siècle, les termes de «conte», «dit», «lai», «exemple» ou «fabliau» (dérivé dialectal de «fable») s'appliquent, et parfois concurremment, à de brefs récits en vers (généralement des octosyllabes) de caractère comique. Les auteurs en sont, pour la plupart, anonymes. La brièveté distingue le conte du roman. Le conte peut être chargé d'intentions moralisatrices, tout en cherchant à divertir. Le comique assez élémentaire et le plus souvent grossier qui s'en dégage peut être satirique ou parodique. Mais sa visée essentielle reste le rire.

Le XV<sup>e</sup> siècle voit se développer le genre narratif bref, c'est-à-dire la nouvelle en prose, plus réaliste que le roman et d'un style plus alerte. L'influence du *Décaméron*, que l'Italien Boccace écrivit au XIV<sup>e</sup> siècle et que traduisit en français Laurent de Premierfait (1414), contribue à la vogue de la nouvelle. Le terme apparaît pour la première fois, vers 1462, dans les *Cent Nouvelles nouvelles* (anonyme). Si les auteurs reprennent de vieux thèmes, et des histoires rebattues, ils proclament l'authenticité des faits qu'ils rapportent, même quand leur invraisemblance est manifeste, cherchent à créer des personnages vivants, soigneusement définis par leur catégorie sociale, et à donner l'impression de la réalité par l'accumulation des «petits faits vrais».

*Les Quinze Joies de mariage* (anonyme) constituent une série de variations sur le thème traditionnel de la perversité foncière de la femme, et des malheurs qui en résultent pour le mari, toujours berné.

Le *Petit Jehan de Saintré* d'Antoine de La Sale (1456), l'un des chefs-d'œuvre du genre, mêle les thèmes du roman courtois à ceux des fabliaux. Le *Roman de Jehan de Paris* (vers 1495), dont l'auteur est inconnu, rend compte de l'évolution sociale et politique de l'époque. Malgré leur caractère très différent, les deux œuvres montrent le même sens de la réalité, le même souci de mêler l'observation à la fiction, et la même attention au style.

Les *Cent Nouvelles nouvelles* (anonyme) visent essentiellement à divertir. Les histoires gaillardes qui composent le recueil, très inégal, s'inspirent à la fois des fabliaux et du *Décaméron*. Ce n'est pas l'originalité du sujet, mais celle de la mise en œuvre et notamment de la technique du récit qui fait leur mérite.

## LE CONTE ET LA NOUVELLE AU XVIᵉ SIÈCLE

Le succès des *Cent Nouvelles nouvelles* (anonyme) suscita des imitateurs : les *Cent Nouvelles nouvelles* de Philippe de Vigneulles (1515), le *Grand Parangon des nouvelles* (1537) de Nicolas de Troyes, le *Parangon des nouvelles honnêtes et délectables* (1531, anonyme), les *Contes du monde aventureux* (1533, anonyme) restent dans la même veine. Ils reprennent à l'envi des thèmes de fabliaux, des extraits, voire des traductions de nouvelles italiennes, ou empruntent à la tradition orale, car le conte parlé reste à l'honneur tout au long du XVIᵉ siècle.

À l'influence de la tradition médiévale française s'ajoute celle des conteurs italiens, de Boccace surtout, dont le succès contribue à répandre le genre en France. On ne saurait non plus négliger l'influence des écrivains espagnols. Leurs adaptations d'auteurs italiens sont souvent reprises en France ; par ailleurs, le genre est enrichi et renouvelé par des auteurs que marque l'humanisme européen.

Bien que le XVIᵉ siècle ne distingue pas nettement le conte de la nouvelle, les deux genres sont antinomiques, le premier relevant de la littérature d'imagination, le second de la littérature d'observation. En fait, le genre du conte fantastique, merveilleux, est peu représenté au XVIᵉ siècle, qui fait une part beaucoup plus large à la littérature narrative réaliste. Rabelais, prince des conteurs, réussit pourtant à fondre ces deux tendances opposées du genre dans ses quatre romans, où l'on retrouve tout à la fois la fantaisie du conte de géants, la saveur de la langue parlée, celle du récit oral où intervient le conteur, de la farce ou du boniment, la verve facétieuse et grossière des fabliaux, la culture humaniste et l'évocation pittoresque de la vie quotidienne des divers milieux sociaux de son temps. Ces œuvres inimitables, qui échappent aux classifications, Rabelais ne les qualifie pas de « nouvelles » (terme à la mode, mais qui, selon lui, s'applique au récit de faits récents), mais d'« histoires » ou de « contes ».

## LA LITTÉRATURE ROMANESQUE POPULAIRE

La littérature humaniste, destinée à une élite cultivée, désireuse de rompre avec le passé, n'empêche pas la vogue d'une littérature narrative largement héritière des goûts et des genres médiévaux. L'imprimerie ne contribue pas seulement à la diffusion des œuvres érudites et des livres moraux et religieux, extrêmement nombreux, qui constituent le lien culturel essentiel entre les diverses classes sociales. Outre les brochures bon marché de petit format, vendues dans les foires ou répandues par les colporteurs (merciers ambulants) notamment en milieu rural, calendriers, recueils de proverbes, almanachs (le célèbre *Kalendrier des Bergers* est né au xvᵉ siècle), l'imprimerie met à la portée du grand public des chroniques historiques, proches de la légende, des épopées féodales écrites en prose, des romans d'aventures et de chevalerie, comme l'*Amadis de Gaule*, traduit de l'espagnol, qui fut le grand succès de librairie du siècle.

Si les romans médiévaux – *Lancelot, Perceval, Tristan* – sont dédaignés par le public cultivé, ils sont repris par la littérature populaire. Le goût pour les légendes merveilleuses, les contes de fées et de géants reste vivace : ce sont les romans héroïques et féeriques (80 titres sont diffusés à près de 700 000 exemplaires) qui touchent le plus grand nombre de lecteurs ; ils peuvent être considérés comme des livres populaires si l'on entend par là des livres très lus. Mais la culture dont ils se réclament n'intègre aucun élément d'une authentique culture populaire, car la vision du monde qu'ils proposent, vision anachronique, est celle de la féodalité.

Dans les *Chroniques gargantuines*, dont Rabelais déclare s'inspirer, le géant Gargantua, auxiliaire du roi Arthur, n'est en rien le représentant des intérêts ou des forces du peuple, mais combat pour le monarque féodal (symbole de Dieu) contre les forces du Mal.

Ces chroniques ne relèvent pas non plus de la littérature comique médiévale, où s'exprime la culture populaire qui conteste par le rire la hiérarchie sociale, politique ou religieuse. La contestation, caractère essentiel de cette culture, selon M. Bakhtine, n'a plus guère l'occasion de se manifester dans la société du xviᵉ siècle, dont l'organisation devient plus répressive. Elle se traduira par le « carnaval », par le renversement des valeurs officielles, dans les « romans » rabelaisiens, qui n'ont rien à voir avec ce qu'on appelle roman depuis le xixᵉ siècle. Ces romans proposent (la distinction des genres n'existe pas au xviᵉ siècle) un pot-pourri de narrations comiques, de poèmes, de dialogues et de harangues sérieuses à l'intérieur du canevas traditionnel du roman chevaleresque et du roman de géants dans les deux premiers volumes, *Pantagruel* et *Gargantua*. Ils restent uniques et inclassables.

Si les « romans » de Rabelais n'appartiennent pas vraiment au genre du conte ou de la nouvelle, ils vont néanmoins exercer une influence profonde sur les conteurs de son temps.

À PROPOS DE L'ŒUVRE

Rabelais n'a pas plus inventé le schéma narratif que les personnages de ses romans. Pour rédiger ces œuvres de délassement, intermèdes à des œuvres savantes, il a puisé à des sources multiples, dans ses lectures ou dans sa propre expérience, les mêmes pour les deux romans.

## DANS LA LITTÉRATURE POPULAIRE

Le livre dont il se réclame dans le prologue de *Pantagruel*, ce sont les *Grandes et Inestimables Chroniques de l'énorme géant Gargantua*, rattachées par l'auteur au cycle de la Table ronde et qui se déroulent en partie en Irlande et en Hollande.

Le thème romanesque du *Gargantua* est fourni par le même livret populaire des *Grandes Chroniques* qui avait servi de point de départ au *Pantagruel*. Plusieurs livrets s'inspirent de la même source, de 1532 à 1534 : les *Chroniques admirables*, les *Chroniques du roi Gargantua*, la *Grande et Merveilleuse Vie de très puissant et très redouté roi Gargantua*, le *Vrai Gargantua*. Par ailleurs, des sources folkloriques, non négligeables, et des légendes populaires, probablement d'origine celtique, associent souvent aux exploits des géants, à Gargantua notamment, certains lieux-dits, dolmens et menhirs, grottes, etc.

## DANS LA LITTÉRATURE MÉDIÉVALE

Mais c'est surtout le goût pour la littérature comique du Moyen Âge, celle des fabliaux, des farces et des sotties, celle du théâtre de la place publique et des foires, dont le public se recrute dans toutes les classes sociales, que trahissent les romans de Rabelais, où reparaissent les thèmes traditionnels exploités par ces genres littéraires : satires des moines, des femmes et du mariage.

## DANS LA CULTURE POPULAIRE

Cette culture non littéraire, dont on a souligné l'apport décisif, remonte au haut Moyen Âge et s'est manifestée par des rites et des spectacles (le carnaval), des œuvres comiques, orales et écrites, en latin et en français, des parodies comme le «sermon joyeux», et par des formes et des genres du vocabulaire familier, injures, jurons, blasons.

L'«esprit populaire» qui emplit l'œuvre de Rabelais de propos facétieux, de farces bouffonnes, dont la grossièreté a déconcerté, se caractérise essentiellement par la prédominance de la vie matérielle et corporelle, décrite dans ses fonctions réputées les plus basses, par l'image du «corps grotesque» constamment présent. Il traduit la révolte contre les forces sociales ou morales de répression.

L'importance de cet élément populaire dans la culture rabelaisienne doit être soulignée, à condition de ne pas méconnaître l'aspect humaniste, aussi consubstantiel aux romans que la culture populaire à laquelle Rabelais a su donner une expression littéraire.

## DANS L'ÉRUDITION HUMANISTE

Comme tous les grands esprits européens de sa génération, Rabelais aspire à un *savoir encyclopédique*, et manifeste une érudition dont son œuvre porte témoignage. Sa vie se passe toute entière dans des cercles lettrés composés de gentilshommes, de prélats, de moines, de poètes, de médecins, de juristes, admirateurs passionnés de l'Antiquité grecque et latine comme de la littérature italienne, qui s'efforcent de répandre la culture nouvelle. «Homme de grandes lettres grecques et latines» (J. Bouchet), le correspondant d'Érasme et de Budé est d'abord un philologue, soucieux de restituer avec exactitude les textes originaux, qu'ils soient littéraires, médicaux, juridiques ou religieux, et de les débarrasser des commentaires qui les obscurcissent, pour revenir aux sources de la connaissance. D'où le respect inconditionnel de Rabelais pour l'Antiquité. L'étendue de ses lectures est immense (le livre au xvi$^e$ siècle est la clé de la culture intellectuelle). Elles ont laissé dans ses romans des traces nombreuses sous les formes les plus diverses : résumés, anecdotes, citations, etc.

Rabelais a le goût des œuvres d'érudition, compilations (Varron, Aulu-Gelle, Valère Maxime), répertoires scientifiques, catalogues encyclopédiques, guides touristiques. Les philosophes et les moralistes l'attirent. Rabelais avait étudié le droit à Poitiers, s'était nourri des œuvres des juristes antiques et de celles de Guillaume Budé, auteur des *Annotations aux pandectes* (recueil de décisions d'anciens jurisconsultes romains). Comme lui, et comme des amis poitevins, l'avocat A. Tiraqueau et le procureur J. Bouchet, il préconise une rénovation du droit, dénonce les complications de la procédure et l'obscurité du jargon juridique.

Médecin, excellent praticien, professeur, éditeur d'ouvrages médicaux (Hippocrate, Galien, l'Italien Manardi), Rabelais a utilisé dans ses romans son savoir médical (précisions anatomiques des massacres, hygiène et diététique, etc.).

Cette fusion paradoxale de registres contradictoires confère à l'œuvre une originalité puissante et une place exceptionnelle dans la littérature comme dans l'histoire de la langue française.

| *PANTAGRUEL* | *GARGANTUA* |
|---|---|
| Dizain de Hugues Salel à l'auteur. Prologue. | Dizain* *Aux lecteurs.* Prologue*. |

ENFANCE

ENFANCE

4 chapitres
Ch. 1 : origine et antiquité du grand Pantagruel.
Ch. 2 : de la « nativité » du très redouté Pantagruel.
Ch. 3* : deuil de Gargantua : mort de Badebec, sa femme, et joie due à la naissance de son fils.
Ch. 4 : appétit et exploits prodigieux du bébé, qui refuse de rester enchaîné dans son berceau.

13 chapitres
Ch. 1 : de la généalogie et antiquité de Gargantua.
Ch. 2 : fanfreluches antidotées trouvées en un monument antique : 14 huitains octosyllabiques.
Ch. 3-4-5-6 : gestation, banquet, naissance de Gargantua.
Ch. 7* : le pourquoi du nom de Gargantua.
Ch. 8-9-10 : vêtements, livrée, couleurs de Gargantua et signification des couleurs.
Ch. 11* : adolescence : animalité de la petite enfance.
Ch. 12-13* : malice, ingéniosité, virtuosité verbale de Gargantua.

ÉDUCATION

ÉDUCATION

4 chapitres
**Éducation de Pantagruel**
Ch. 5 : tour universitaire en France, hésitations sur le choix des études.
Ch. 6* : rencontre d'un écolier limousin qui latinise le français.
Ch. 7 : répertoire de la bibliothèque de Saint-Victor : les genres de livres à éviter. Satire des commentaires scolastiques.
Ch. 8* : lettre de Gargantua : esquisse du plan d'études de Pantagruel.
**Rencontre de Panurge**
Ch. 9 : rencontre de Panurge, que Pantagruel aima toute sa vie.

10 chapitres
Ch. 14* : « institution » par un précepteur sophiste.
Ch. 15* : un jeune homme élevé selon les méthodes nouvelles face à Gargantua devenu niais sous l'effet de méthodes ineptes.
Ch. 16* : Gargantua envoyé à Paris sur une énorme jument qui déforeste la Beauce.
Ch. 17 : Gargantua, à Paris, noie une foule dans un déluge d'urine et vole les cloches de Notre-Dame.
Ch. 18-19*-20 : épisode de Janotus envoyé pour réclamer les cloches, et harangue comique et incohérente du théologien (satire de la formation scolastique).

* : l'astérisque indique les chapitres publiés dans ce volume.

**Jugement de Pantagruel**
Ch. 10-11-12-13 : procès ridicule jugé par Pantagruel.

**Panurge**
Ch. 14-15-16*-17* : les «numéros» de Panurge : il échappe aux Turcs, enseigne une méthode très spéciale pour construire les murailles de Paris, portrait en action, épisode des banques de pardons.
Ch. 18-19-20 : Panurge se substitue au prince pour argumenter par signes.
Ch. 21-22 : Panurge joue un méchant tour à une dame parisienne.

Ch. 21* : première et mauvaise éducation de Gargantua.
Ch. 22 : les jeux de Gargantua.
Ch. 23*-24 : la bonne éducation sous la direction de Ponocratès.

EXPLOITS GUERRIERS

12 chapitres
**La campagne contre les Dipsodes : expédition en Utopie**
Ch. 23 : Pantagruel apprend que son père a été transporté au pays des fées et que les Dipsodes ont envahi l'Utopie.
Ch. 24 : Panurge déchiffre le sens d'une lettre envoyée à Pantagruel par une dame de Paris. Le prince rejoint l'Utopie.
Ch. 25 : Panurge, par ruse, fait brûler tous les ennemis, sauf un.
Ch. 26 : chasse de Carpalim, qui renseigne le prince sur l'armée des Dipsodes.
Ch. 27 : deux trophées élevés par Pantagruel et Panurge. Actions merveilleuses de Pantagruel.
Ch. 28 : Pantagruel inonde le camp des ennemis dans un déluge d'urine.
Ch. 29* : Anarche, roi des géants, est sauvé par 300 géants qui l'emportent attaché à leur cou. Combat singulier du prince et de Loup Garou.

EXPLOITS GUERRIERS

34 chapitres
**La guerre Picrocholine**

Ch. 25* : une querelle entre bergers et marchands de galettes va dégénérer en «grosses guerres». La brutalité des gens de Picrochole contraste aussitôt avec la bonhomie des gens de Grandgousier.
Ch. 26 : les fouaciers se plaignent à Picrochole, qui, sans déclaration de guerre, envahit et dévaste les terres de son voisin.
Ch. 27* : frère Jean sauve le clos de l'abbaye de Seuilly du sac des ennemis.
Ch. 28*-29* : Grandgousier se désole, envoie une ambassade à Picrochole et rappelle son fils Gargantua.
Ch. 30-31 : l'envoyé de Grandgousier n'est pas reçu par Picrochole (qui l'écoute du haut des remparts) et fait appel à ses sentiments d'humanité ; il le somme de quitter le pays.

À PROPOS DE L'ŒUVRE

Ch. 30* : Panurge ressuscite Épistémon - qui raconte ce qu'il a vu en enfer.

Ch. 31 : Pantagruel entre dans la ville des Amaurotes, Panurge marie Anarche, devenu crieur de sauce verte.

Ch. 32* : Pantagruel abrite une armée sous sa langue et le narrateur descend dans sa bouche.

Ch. 33 : Pantagruel malade est guéri d'étrange façon.

Ch. 34 : Alcofribas promet la suite de l'histoire (le mariage de Panurge, ses aventures) et invite les lecteurs à vivre en bons pantagruélistes.

Ch. 32 : Grandgousier envoie à Picrochole de quoi le dédommager ; celui-ci s'en empare.

Ch. 33* : les conseillers de Picrochole encouragent sa folie guerrière en le flattant.

Ch. 34-35-36-37-38-39 : exploits de Gargantua et de ses gens. Festin général auquel se joint frère Jean.

Ch. 40-41 : joyeux propos et satire des moines.

Ch. 42-43-44 : frère Jean se bat avec ardeur, est fait prisonnier, puis s'échappe en tuant ses gardes, délivre les pèlerins prisonniers et capture Touquedillon, capitaine de Picrochole.

Ch. 45-46*-47 : le moine amène les pèlerins à Grandgousier, qui leur adresse de bonnes paroles, traite bien le capitaine et le renvoie en ambassade auprès de Picrochole qui le fait tuer.

Ch. 48-49-50*-51 : les gargantuistes sont vainqueurs, Picrochole s'enfuit. Le prince interdit le pillage de la ville prise et, s'adressant aux vainqueurs et aux vaincus, libère les prisonniers, récompense ses troupes.

**L'abbaye de Thélème**

Ch. 52*-53*-54-55-56-57* : épisode de Thélème, contre-abbaye offerte à frère Jean : règlement, vie à Thélème.

Ch. 58 : énigme trouvée dans les fondations de l'abbaye.

# LES QUATRE (OU CINQ) ROMANS PANTAGRUÉLIQUES

La composition des quatre livres publiés du vivant de Rabelais, et du cinquième, si l'on en admet l'authenticité partielle[1], s'étend sur une vingtaine d'années. L'œuvre n'a pas été conçue selon un dessein bien arrêté dès le premier roman. Après la vie du fils, Pantagruel, il raconte celle du père, Gargantua, pour revenir à Pantagruel douze ans plus tard. *Tiers Livre, Quart Livre* et *Cinquième Livre* sont étroitement liés l'un à l'autre. La question du mariage, posée par Panurge (*Tiers Livre*), entraîne Pantagruel et ses compagnons en des aventures extraordinaires, qui aboutissent à l'oracle de la Dive Bouteille (*Cinquième Livre*). Il s'agit bien d'un même voyage, annoncé à la fin du deuxième livre et préparé à la fin du troisième, mais le troisième constitue une longue parenthèse, et l'itinéraire en est bien malaisé à suivre.

Le caractère même de l'œuvre ne montre pas davantage de cohérence. Le *Pantagruel* s'attache surtout aux fabuleuses aventures de géants au pays d'Utopie, le *Gargantua* nous ramène quant à lui dans un univers beaucoup plus humanisé, en Touraine ou à Paris. On oublie dans le *Tiers Livre* que Pantagruel est un géant, et les dialogues, qui traitent tous du mariage, font songer à la comédie de mœurs ou de caractère. Le *Quart Livre*, qui nous entraîne dans des contrées imaginaires, retrouve le ton de l'épopée, mais les allusions à des événements contemporains y sont continuelles, et le *Cinquième Livre* est une allégorie.

L'œuvre toutefois présente une certaine unité : elle raconte l'histoire d'une famille de géants, Grandgousier, Gargantua et Pantagruel (les femmes des deux premiers n'y apparaissent que pour accoucher). Les dates de publication indiquent qu'à deux reprises deux ouvrages ont paru presque coup sur coup : d'une part le *Pantagruel* (1532) et le *Gargantua* (1534 ou 1535), d'autre part le *Tiers Livre* (1546) et le *Quart Livre* (1548). Ils constituent deux ensembles distincts.

---

1. Posthume, le *Cinquième Livre* – 1562 et 1564 – a été écrit à partir de brouillons laissés par Rabelais.

# PANTAGRUEL ET GARGANTUA :
# UNITÉ DE L'ŒUVRE

## Le schéma du roman de chevalerie
•

Les deux premiers livres empruntent leur plan au schéma habituel du roman de chevalerie consacré à l'initiation du chevalier, de la naissance aux exploits, qui s'achèvent en triomphe : origines, généalogie, naissance, «enfances» du héros, éducation, exploits guerriers. On retrouve auprès des héros des compagnons, leurs «apostoles», symboles d'une qualité : Panurge, Eusthénès, Carpalim, Épistémon dans le *Pantagruel* ; Ponocratès, Gymnaste, Eudémon, frère Jean dans le *Gargantua* – Panurge et frère Jean tenant un rôle de premier plan. Seul manque l'épisode obligé de la Dame dont l'amour inspire les prouesses de son «serviteur» dans le roman courtois.

## L'action
•

L'action est peu mouvementée, très pauvre en péripéties romanesques : elles se limitent à la déclaration de guerre et aux exploits. L'intérêt se reporte sur des passages parallèles (conduite de Pantagruel et de Panurge), des tableaux contrastés (vicieuse et bonne éducation), des thèmes, qui prêtent à la réflexion (la guerre, la royauté) ou à la discussion (la naissance, etc.)

# DEUX ŒUVRES DIFFÉRENTES

## La portée
•

Les schémas narratifs (cf. p. 238) montrent que *Gargantua* redouble *Pantagruel* sans le refaire, ni le copier : Rabelais y consacre dix chapitres à l'éducation (dont six concernent les méthodes contrastées des sophistes et des humanistes), contre quatre dans *Pantagruel*. Les récits de l'expédition en Utopie relèvent de l'épopée burlesque, de la parodie, voire de la farce. Sans doute Pantagruel défend-il la légitimité de la guerre défensive et tourne-t-il en dérision la prétendue noblesse des combats (ch. 30), mais ces épisodes ne soutiennent pas la comparaison avec ceux de la guerre Picrocholine si l'on y cherche des leçons de sagesse politique et les vues de Rabelais sur la guerre et les devoirs d'un roi philosophe. Les regrets et l'hésitation de Grandgousier à entreprendre la guerre (ch. 28), sa lettre à Gargantua (ch. 29), la harangue d'Ulrich Gallet, les efforts du roi pour arrêter la guerre, le traitement de Touquedillon prisonnier, la «concion» aux vaincus atteignent à une ampleur de vues qu'on ne trouve pas dans *Pantagruel*.

## Le climat
•

La différence de climat est grande entre les deux romans, où la guerre apparaît comme une parodie des massacres de l'épopée médiévale. Les prouesses du fils ont un aspect plus populaire, plus archaïque et plus irresponsable que celles du père. La conscience civilisée s'éveille avec Gargantua. Le *Pantagruel*, comme les *Grandes Chroniques*, fait s'affronter des corps monstrueux (le héros et Loup Garou), les massacres à coup d'enclume et de pierres de taille alternent avec des scènes de farce (Panurge fait du roi Anarche un «crieur de sauce verte»). Les combattants de la guerre Picrocholine sont de pitoyables humains, point différents des soldats des guerres contemporaines. Quant à la taille et à la force de Gargantua, rarement rappelées, elles n'ont aucune influence décisive sur les opérations militaires.

## Les convictions religieuses
•

Dans le *Pantagruel*, les convictions religieuses érasmiennes et évangéliques de Rabelais n'apparaissent guère que dans la prière du héros avant le combat (ch. 29). Elles s'affichent clairement tout au long du *Gargantua*, soit que l'auteur réprouve, soit qu'il encourage ou prêche par la voix de ses personnages.
Enfin, si le fils se contente d'abriter de la pluie deux armées sous sa langue, à la fin de la guerre, le père se montre généreux envers les vaincus comme envers les vainqueurs et fait bâtir l'utopique abbaye de Thélème (d'où sont exclus les faux dévots et où sont accueillis les évangélistes), séjour d'une élite, l'espoir des temps nouveaux.

## L'écriture et la composition
•

L'édition originale du *Pantagruel*, publiée à nouveau en 1946 par V.-L. Saulnier, montre le caractère hâtif et improvisé de la rédaction : chapitres de longueur et d'importance très inégales, incohérences du récit, digressions (celles des chapitres 14 à 22 consacrés à Panurge) et conclusion qui tourne court. Rabelais accumule les scènes comiques, sans plan bien assuré : énumération cocasse des ouvrages d'une bibliothèque, pédant exposé de l'écolier limousin, récit étonnamment descriptif de la dispute par signes, hâbleries de Panurge. La fantaisie désordonnée de ces épisodes justifie la qualification de « chef-d'œuvre baroque » appliquée au *Pantagruel*. Elle contraste avec la composition beaucoup plus rigoureuse du *Gargantua*, qui relève d'une élaboration réfléchie. Gargantua dirige ou inspire tous les événements du livre. Frère Jean, en dépit de sa personnalité débordante, ne fait pas l'objet de digressions, comme Panurge. Les divers épisodes, « enfances », éducation, exploits, sont beaucoup mieux reliés entre eux, et chaque épisode narratif s'achève sur un tableau où s'exprime la pensée de Rabelais sur l'éducation, la politique, la sagesse. Enfin le contenu philosophique ou moral de l'ouvrage s'équilibre avec la fantaisie du conte de géants.

Ainsi, dans le *Gargantua*, deuxième des romans en date, qui, paradoxalement, conte l'histoire du père *après* celle du fils, Rabelais ne s'est pas contenté de reprendre les thèmes de l'œuvre à succès de 1532. On a maintes fois souligné l'approfondissement et l'enrichissement de la pensée d'un roman à l'autre, et le progrès, sur le plan de la création esthétique, du *Pantagruel* au *Gargantua*. Le dessein de Rabelais, enhardi par le succès de son premier livre, s'est affirmé et précisé avec plus d'ampleur et de vigueur. Mais la reprise des mêmes motifs indique que les deux ouvrages sont animés de la même pensée, qu'ils exaltent un même art de vivre, le pantagruélisme. C'est là ce qui fonde la ressemblance des deux livres et donne à l'œuvre entière son unité.

## LES ROIS GÉANTS

### Des caractères communs
•

Les rois géants sont les héros. Ils portent des noms à programme : Grandgousier, Pantagruel (de *panta*, mot grec pour «tout»; et *gruel*, «altéré», en langue mauresque), ainsi nommé parce qu'il naît pendant une grande sécheresse et sera le roi des «altérés», et Gargantua (qui demande à boire dès son premier cri, ch. 7) sont de grands buveurs certes, mais sont aussi assoiffés de savoir et de vérité. Bien nés, de bonne «nature», bien formés après une éducation harmonieuse et complète, ils sont des souverains débonnaires, bienveillants, généreux, bons administrateurs, dont les rois fous, Anarche et Picrochole («bile amère» en grec, c'est-à-dire le colérique), mettent en évidence les qualités d'humanistes et de vrais chrétiens.

### Évolution des héros
•

La personnalité des héros se transforme pourtant d'un livre à l'autre, ou présente des aspects différents selon les chapitres. Grandgousier, bon père de famille, gentilhomme terrien, vieux et inquiet, sait être un roi résolu et un bon organisateur en cas de nécessité! Pantagruel, géant d'une force prodigieuse, grand buveur qui assoiffe ses adversaires, devient, au *Tiers Livre*, le symbole de l'équilibre moral, l'incarnation de la sagesse. Confronté au terrifiant Loup Garou, il fait figure d'évangéliste comme le sera, au livre suivant, son père Gargantua. Celui-ci déplore dans *Pantagruel* d'avoir vécu en un temps où il n'a pu bénéficier d'une éducation humaniste, mais de «niais et rassoté» qu'il était devenu sous ses premiers précepteurs, il recevra ensuite une formation parfaite et sera un prince accompli. Tous ces géants – dont la taille se rétrécit selon les besoins du récit – sont prêts à remplir leur fonction de roi et suscitent la sympathie du lecteur.

## LES AUXILIAIRES

La même symétrie qui oppose les bons et les mauvais princes oppose en deux camps leurs auxiliaires, les bons compagnons et les mauvais conseillers qui les entourent. Autour des princes gravitent en effet une foule de personnages aux noms révélateurs d'un caractère : les «apostoles» des princes portent des noms d'étymologie grecque, transparents pour des lettrés :

Ponocratès (dur au travail), Eusthénès (le fort), Carpalim (le rapide), Épistémon (le savant), etc. Les lieutenants de Picrochole ont des sobriquets d'origine populaire ou comiques (Trepelu, le loqueteux, Basdefesse, Merdaille, Morpiaille) qui les ridiculisent d'avance. Janotus de Bragmardo – dont le prénom très commun, Janotus, est pourvu d'une désinence latine et le nom (Braquemart) a un sens obscène – est désigné aussitôt comme un théologien à l'ancienne, ridicule et paillard. Les compagnons de Gargantua ont des noms grecs, ceux d'une génération nouvelle et cultivée. Quant à frère Jean des Entommeures (entamures : hachis), on devine son goût pour les hachis de la cuisine ou de la guerre.

## PANURGE

Panurge est un personnage déconcertant dans cet univers symétriquement divisé en bons et en méchants. La succession des chapitres qui lui sont consacrés, au cours de l'épisode de l'«institution» du prince, semble une parenthèse dans le roman. D'où vient-il? Qui est-il? Nous n'en saurons rien. Brillant polyglotte, pauvre et affamé, il va, dès son apparition, concurrencer le héros principal, Pantagruel, et exercer sur lui une étrange fascination. Le prince l'aimera «toute sa vie». Étonnante amitié entre ce bon géant (il le prend dans sa suite, sorte de bouffon du roi) et ce personnage ambigu et inquiétant. Panurge (homme apte à tout), l'incarnation de l'agilité d'esprit et de la ruse, n'est pas seulement un vaurien sympathique. Capable de méchancetés cruelles, il est à l'aise dans tous les milieux, les plus choisis comme les moins recommandables. On a proposé des interprétations très diverses de Panurge (double du prince, dont il manifeste les aspects déplaisants, ou symbole du mal, homme libre et autonome, en révolte contre les conventions sociales, dans un monde très hiérarchisé, etc.) Au *Tiers* et au *Quart Livre*, Panurge, toujours beau parleur, deviendra le symbole de l'inquiétude, puis de la peur.

## FRÈRE JEAN

Frère Jean, au contraire de Panurge, est sans ambiguïté. Moine ignorant, aux manières frustes, dont les défauts sont, pour la plupart, des réactions aux traditionnels défauts des moines, il est un guerrier redoutable, incarnant la vitalité généreuse, l'activité inlassable et la belle humeur. Par ses côtés ridicules, autant que par ses aspects les plus dignes, il figure ou parodie le héros type des romans de chevalerie (il défend les opprimés, réconforte les affligés, aide ceux qui souffrent). C'est lui qui a le dernier mot dans le roman.

## LE NARRATEUR

Rabelais n'a pas signé de son nom ses deux premiers livres (c'est seulement à partir du *Tiers Livre* qu'il se présentera, avec son titre : docteur en médecine). Il les publie sous un pseudonyme, Alcofribas Nasier (anagramme de François Rabelais), qu'il ne faut pas confondre avec l'auteur Rabelais. Celui-ci a pris le masque d'un joyeux bonimenteur, d'un charlatan de foire qui vante son livre comme une appréciable marchandise devant un auditoire choisi : ses disciples pantagruélistes.

Selon la tradition du conteur, il est fidèle à la narration orale, et s'assure que la communication est établie avec son lecteur-auditeur.

Dans le *Pantagruel*, il s'impose comme une présence romanesque, intervient pour décrire Panurge qui lui paie à boire et l'entraîne à aller gagner des pardons (ch. 17). Mais Alcofribas, lorsqu'il s'adresse à lui pour le relancer sur la voie des confidences, démasque toujours l'hypocrisie de Panurge, qui de dangereux en devient comique. Quand Alcofribas explore la bouche de son héros à la fin du roman, sa découverte d'un nouveau monde inconnu ne débouche pas sur la description d'un univers supplémentaire mais en souligne la ressemblance avec le monde connu pour en tirer une leçon de relativisme.

Dans le *Gargantua*, Alcofribas ne se met plus en scène pour participer à l'action. Il reste un conteur du temps passé (la langue est volontairement plus archaïque que dans le *Pantagruel*). Mais sa présence s'impose bien au-delà du prologue. Elle devient envahissante et le narrateur semble remplacer Panurge (nécessairement absent du livre dont Gargantua est le héros) pour déployer dans les neuf premiers chapitres une éblouissante faconde érudite (durée maximale d'une grossesse, généalogie, symbolique des couleurs, etc.).

Si le narrateur respecte d'ordinaire l'ordre chronologique du récit, sans s'interdire parfois les retours en arrière (épisode de la guerre), il rappelle sa présence au lecteur par de fréquentes interventions («notez que c'est viande céleste... », ch. 25). Il ne s'efface que pour laisser la parole à ses personnages.

Mais le masque comique du meneur de jeu permet à l'auteur, à l'abri derrière lui, de lancer des critiques contre ses cibles préférées et de rire de la bêtise et de la vanité humaines. Ce jeu du rire est symbolisé par Alcofribas Nasier.

# RABELAIS VU PAR SES CONTEMPORAINS

L'œuvre de Rabelais a été très diversement jugée par les contemporains. Elle a suscité de véhémentes condamnations.

## Des condamnations
●

– De la part des catholiques

> *Faiseur de bons mots, vivant de sa langue, parasite, à la rigueur on le supporterait ; mais qu'il se damne en même temps ; que chaque jour il se saoule et s'empiffre ; qu'il ait des mœurs grecques ; qu'il flaire les odeurs de toutes les cuisines ; qu'il imite le singe à longue queue, et de plus souillant son papier d'infamies ; qu'il vomisse un poison qui infecte peu à peu toutes les contrées ; qu'il lance la calomnie et l'impose sur tous les ordres indistinctement ; qu'il attaque les honnêtes gens et les pieuses études, et les droits de l'honneur ; qu'il se gausse sans vergogne ni ombre d'honnêteté, comment le supporte-t-on ? Fait inouï, un évêque de notre religion, le premier par le rang et par la science, protège, nourrit et admet à sa table un tel vivant défi aux bonnes mœurs et à l'honnêteté publique : que dis-je, leur pire ennemi, l'homme impur et pourri qui possède tant de bagou et si peu de raison !*
>
> Gabriel de Puy Herbault, *Théotimus*, 1549.

– De la part des protestants

> *Voici un rustre qui aura des brocards vilains contre l'Écriture sainte : comme ce diable qui s'est nommé Pantagruel, et toutes ces ordures et vilenies ; tous ceux-là ne prétendent point de mettre quelque religion nouvelle, pour dire qu'ils soient abusés en leurs folles fantaisies : mais ce sont des chiens enragés qui dégorgent leurs ordures à l'encontre de la majesté de Dieu et ont voulu pervertir toute religion.*
>
> Calvin, *Opera*, tome XXVII, 1555.

## Des jugements plus nuancés
●

L'opinion des poètes de la Pléiade est plus nuancée. Du Bellay reconnaît les mérites de l'œuvre :

> *Je te veux bien avertir que tous les savants hommes de France n'ont point méprisé leur vulgaire. Celui qui fit renaître Aristophane et feint si bien le nez de Lucien en porte bon témoignage.* Du Bellay, *Défense et illustration de la langue française*, 1549.
>
> *L'utile doux Rabelais.*
>
> Du Bellay, *L'Olive* , 2<sup>e</sup> édition, 1550.

Mais du Bellay impose l'image d'un auteur bon vivant :

> *C'est moi Pamphagus, qui gis ici, enseveli sous la masse immense de l'énorme ventre qui me sert de tertre funéraire. Le sommeil et la gourmandise, les femmes et la raillerie furent mes seules divinités durant ma vie. Qui peut ignorer le reste ? J'ai possédé l'art et la critique de la médecine, mais ma grande affaire fut de pratiquer le rire.*

Du Bellay, traduction de l'épitaphe latine<br>rédigée pour Rabelais.

Et Ronsard se montre franchement méprisant :

> *Si d'un mort qui pourri repose*
> *Nature engendre quelque chose,*
> *Et si la génération*
> *Se fait de la corruption,*
> *Une vigne prendra naissance*
> *De l'estomac et de la panse*
> *Du bon Rabelais qui buvait*
> *Toujours cependant qu'il vivait...*
> *Ô toi, quiconque sois, qui passes,*
> *Sur sa fosse répands des tasses,*
> *Répands du bril[1] et des flacons,*
> *Des cervelas et des jambons;*
> *Car si encor dessous la lame*
> *Quelque sentiment a son âme,*
> *Il les aime mieux que les lys*
> *Tant soient-ils fraîchement cueillis.*

Ronsard, *Bocage*, «Épitaphe de François Rabelais», 1554.

## Des admirateurs

•

Cependant Rabelais ne manque pas d'admirateurs ; les uns apprécient ses talents de conteur :

> *Entre les livres simplement plaisants, je trouve, des modernes, le Décaméron de Boccace, Rabelais...*

Montaigne, *Essais*, livre II, chapitre 10, texte de 1580.

D'autres le sérieux de sa pensée :

> *Non, ce n'était pas un bouffon, ni un farceur trivial. Mais avec un génie raffiné, il raillait le genre humain et la crédulité de ses espérances.*

P. Boulanger, 1587.

---

1. *bril* : au sens, vraisemblablement, de *vin pétillant*.

# LE XVIIᵉ SIÈCLE ET RABELAIS

## Une œuvre généralement méprisée
•

On continue à lire Rabelais au XVIIᵉ siècle. Mais s'il est apprécié de Molière, de La Fontaine, et de quelques indépendants, son œuvre est généralement méprisée. Ce n'est plus la hardiesse de sa pensée que l'on condamne, mais le manque de goût et l'indifférence à l'ordre et à l'équilibre de ce génie indiscipliné.

> Pour Rabelais, il n'est rempli que de sots contes, qui sont si monstrueux qu'un homme de bon jugement ne saurait avoir la patience de lire tout. Son Gargantua, son Pantagruel, ses Andouilles armées, ce sont toutes niaiseries d'enfants [...] D'ailleurs, tout cela n'est point agréable, et le discours n'est rempli que de quolibets de taverne, sans que l'on puisse dire en le lisant : voilà une rencontre qui me plaît. Toutefois il y a des hommes si sots que d'estimer cet auteur, pour ce qu'ils croient qu'il a écrit l'histoire de son temps parmi les folâtreries [...] Quand cela serait, [...] je serais d'avis que Rabelais eût fait une clef pour son livre, afin que la postérité y entendît quelque chose.
>
> Charles Sorel, *Le Berger extravagant*, 1628.

## Une œuvre énigmatique
•

La Bruyère, qui se montre plein de réserve, souligne pourtant le caractère énigmatique de l'œuvre.

> Marot et Rabelais sont inexcusables d'avoir semé l'ordure dans leurs écrits : tous deux avaient assez de génie et de naturel pour pouvoir s'en passer, même à l'égard de ceux qui cherchent moins à admirer qu'à rire dans un auteur. Rabelais surtout est incompréhensible. Son livre est une énigme, quoi qu'on veuille dire, inexplicable [...] C'est un monstrueux assemblage d'une morale fine et ingénieuse et d'une sale corruption. Où il est mauvais, il passe bien loin au-delà du pire, c'est le charme de la canaille ; où il est bon, il va jusques à l'exquis et à l'excellent, il peut être le mets des plus délicats.
>
> La Bruyère, *Les Caractères*, ch. I, § 43, 5ᵉ édition, 1690.

# RABELAIS AU SIÈCLE DES LUMIÈRES

Le XVIIIᵉ siècle reste fidèle au goût du Grand Siècle, et respecte les mêmes conventions littéraires. La critique officielle ne modifie pas le jugement porté sur Rabelais par le XVIIᵉ siècle. Voltaire se montre d'abord plus sévère encore que La Bruyère, mais reconnaît par la suite les mérites de l'écrivain, dont il apprécie surtout l'audace dans la satire.

> Rabelais, dans son extravagant et inintelligible livre, a répandu une extrême gaieté et une plus grande impertinence ; il a prodigué l'érudition, les ordures et l'ennui ; un bon conte de deux pages est acheté par des volumes de sottises ; il n'y a que quelques personnes d'un goût bizarre qui se piquent d'entendre et d'estimer tout cet ouvrage, le reste de la nation rit des plaisanteries de Rabelais et méprise le livre. On le regarde comme le premier des bouffons, on est fâché qu'un homme qui avait tant d'esprit en ait fait un si misérable usage ; c'est un philosophe ivre qui n'a écrit que dans le temps de son ivresse.
>
> Voltaire, *Lettres philosophiques*, XXIII, 1734.

> J'ai relu [...] quelques chapitres de Rabelais, comme le combat de frère Jean des Entommeures, et la tenue du Conseil de Picrochole (je le sais pourtant presque par cœur) ; mais je les ai relus avec un très grand plaisir, parce que c'est la peinture du monde la plus vive. Ce n'est pas que je mette Rabelais à côté d'Horace ; mais, si Horace est le premier des faiseurs de bonnes épîtres, Rabelais, quand il est bon, est le premier des bons bouffons. Il ne faut pas qu'il y ait deux hommes de ce métier dans une nation ; mais il faut qu'il y en ait un. Je me repens d'avoir dit autrefois trop de mal de lui.
>
> Voltaire, *Lettre à Mme Du Deffand*, 12 avril 1760.

> Son livre, à la vérité, est un amas des plus impertinentes et des plus grossières ordures qu'un moine ivre puisse vomir ; mais aussi il faut avouer que c'est une satire sanglante du pape, de l'Église, et de tous les événements de son temps. Il voulut se mettre à couvert sous le masque de la folie ; il le fait assez entendre lui-même dans son prologue.
>
> Voltaire, *Lettres à Son Altesse le prince de Brunswick*, tome 1er, 1767.

## LES ROMANTIQUES, LECTEURS DE RABELAIS

### Une admiration quasi unanime
•

Les romantiques, partisans de la « liberté dans l'art », témoignent d'une admiration enthousiaste pour Rabelais :

> Ce fut tout à la fois Érasme et Boccace, Reuchlin et Marguerite de Navarre ; ou plutôt de tous ces souvenirs, confondus, digérés et vivifiés au sein d'un génie original, sortit une œuvre inouïe, mêlée de science, d'obscénité, de comique, d'éloquence et de fantaisie,

*qui rappelle tout sans être comparable à rien, qui vous saisit et vous déconcerte, vous enivre et vous dégoûte.*

Sainte-Beuve, *Tableau de la poésie française au XVI<sup>e</sup> siècle*, 1828.

*Shakespeare est au nombre des cinq ou six écrivains qui ont suffi aux besoins et à l'aliment de la pensée : ces génies mères semblent avoir enfanté et allaité tous les autres. Homère a fécondé l'Antiquité [...], Dante a engendré l'Italie moderne [...], Rabelais a créé les lettres françaises ; Montaigne, La Fontaine, Molière viennent de sa descendance [...] De tels génies occupent le premier rang ; leur immensité, leur variété, leur fécondité, leur originalité les font reconnaître tout d'abord pour lois, exemplaires, moules, types des diverses intelligences, comme il y a quatre ou cinq races d'hommes, dont les autres ne sont que des nuances ou des rameaux. Donnons-nous garde d'insulter aux désordres dans lesquels tombent quelquefois ces êtres puissants.*

Chateaubriand, *Essai sur la littérature anglaise*, seconde partie, 1836.

*Et voilà les prêtres du rire [...]*
*Entre Démocrite et Térence,*
*Rabelais, que nul ne comprit ;*
*Il berce Adam pour qu'il s'endorme,*
*Et son éclat de rire énorme*
*Est un des gouffres de l'esprit !*

Victor Hugo, *Les Contemplations*, VI, 23, 1856.

*Rabelais. Quel homme et qu'était-il ? Demandez plutôt ce qu'il n'était pas. Homme de toute étude, de tout art, de toute langue, le véritable Panourgos, agent universel dans toutes les sciences et dans les affaires, qui fut tout et fut propre à tout, qui contient le génie du siècle et le déborde à tout instant.*

Michelet, *Histoire de France*, 1855-1867.

## Une exception : Lamartine
•

Lamartine, qui ne peut s'accommoder de la grossièreté rabelaisienne, fait exception.

*Nous ne parlerons ici de Rabelais, le génie ordurier du cynisme, le scandale de l'oreille, de l'esprit, du cœur et du goût, le champignon vénéneux et fétide, né du fumier du cloître du Moyen Âge, le pourceau grognant de la Gaule, non le pourceau du troupeau d'Épicure [...] Rabelais, selon nous, ne représente pas le plaisir, mais l'ordure ; il enivre, mais en infectant. La jeune école littéraire du réalisme, qui s'évertue aujourd'hui à le réhabiliter, ne parviendra qu'à salir l'imagination sans parvenir à le laver.*

Lamartine, *Cours familier de littérature*, 1856.

# LES INTERPRÉTATIONS MODERNES
# DE RABELAIS

Le $xx^e$ siècle ne remet plus en cause la valeur de l'œuvre de Rabelais, mais l'apprécie pour des raisons très différentes. Elle suscite un renouveau d'intérêt :

> *Rabelais fut, sans le savoir, le miracle de son temps. Dans un siècle de raffinement, de grossièreté et de pédantisme, il fut incomparablement exquis, grossier et pédant. Son génie trouble ceux qui lui cherchent des défauts. Comme il les a tous, on doute avec raison qu'il en ait aucun. Il est sage et il est fou [...] Par le style, il est prodigieux et, bien qu'il tombe souvent dans d'étranges aberrations, il n'y a pas d'écrivain supérieur à lui, ni qui ait poussé plus avant l'art de choisir et d'assembler les mots.*

> Anatole France, article du Temps, 21 avril 1889,
> publié ensuite dans la Vie littéraire, 1892.

> *Comme penseur, il fonde ce qui avait déjà paru avec Jean de Meung, et qui ne pouvait recevoir toute sa force et tout son sens que de l'humanisme seul : il fonde le culte antichrétien de la nature, de l'humanité raisonnable et non corrompue. Comme artiste, il résume et dépasse de bien loin ces essais [...] ces timides esquisses de la vie morale, des formes et du jeu des âmes. [...] Mieux que la farce, il prépare l'éclosion de la comédie de Molière. Enfin, par son impartiale représentation de la vie, dont nulle étroitesse de doctrine, nul scrupule de goût, nul parti pris d'art ne l'empêche de fixer tous les multiples et inégaux aspects, il est et demeure la source de tout réalisme, plus large à lui seul que tous les courants qui se séparent après lui!*

> Gustave Lanson, Histoire de la littérature française, 1894.

> *Si l'on veut d'un mot définir ou caractériser l'œuvre de Rabelais, on n'en trouve pas d'autre, il n'y en a pas d'autre en français que celui de Poème. En vérité, c'est un poème que l'épopée bouffonne de Gargantua et de Pantagruel. Elle en a l'apparence et l'allure ; elle en a l'inspiration profonde ; elle en a le charme et la séduction du style : on pourrait dire, on doit dire qu'elle en respire encore et surtout l'enthousiasme.*

> Ferdinand Brunetière, Histoire de la littérature classique,
> tome I, 1904.

## La critique universitaire
•

Au début du siècle, la critique universitaire s'efforce de faire progresser la connaissance de l'œuvre en recourant à des méthodes scientifiques. Un travail patient est entrepris par

A. Lefranc et ses collaborateurs, en 1912. Il s'efforce de rassembler tout ce que l'on sait de source sûre sur Rabelais, laisse de côté toute préoccupation esthétique, et tend à prouver que l'œuvre de Rabelais serait tout entière réaliste, et d'inspiration rationaliste :

> L'auteur de ce livre a adhéré, au début de sa carrière littéraire, à la foi rationaliste [...].
> Le masque de la folie n'est qu'un moyen dont Rabelais a usé pour lancer à travers le monde les vérités et les négations qu'il lui était impossible de faire entendre autrement.
> A. Lefranc, Introduction au « Pantagruel », Albin Michel, 1922.

## La critique historique
•

Les thèses d'A. Lefranc ont été condamnées au nom de la critique historique par Lucien Febvre qui estime indispensable pour juger Rabelais de ne pas l'isoler du contexte contemporain et de le lire à la mesure de son époque :

> Historien, je voudrais situer Rabelais à sa place dans la vie commune des esprits de son temps – dire comment il reflète et traduit cette vie ; comment, s'il domine son époque de toute sa puissance, il en reste cependant étroitement solidaire. Capable de devancer ses contemporains et souvent de les dépasser par l'imagination, il ne l'est pas, il ne saurait l'être, de s'élever, seul, au-dessus de ce qu'ils savent, connaissent et croient. Il n'y a pas plus de miracles dans la vie des esprits que dans le cours normal de la nature.

Et il conclut :

> Prétendre faire du XVIᵉ siècle un siècle sceptique, un siècle libertin, un siècle rationaliste et le glorifier comme tel : la pire des erreurs et des illusions.
> Lucien Febvre, Le Problème de l'incroyance au XVIᵉ siècle,
> La religion de Rabelais, Albin Michel, 1942,
> nouvelle édition, 1962.

On voit plutôt en lui à présent un évangéliste contraint par prudence à l'hésuchisme (au silence) :

> Le Pantagruel et le Gargantua ont paru à une heure où l'évangélisme militait et triomphait : grand effort de renouvellement religieux, destiné à exalter le culte de l'esprit contre les abus de la lettre, le respect du texte de l'Écriture contre la superstition des gloses, la chaleur de la foi et de la charité contre tous les excès de formalités et de contraintes. [Mais] il est des cas [...] où la sagesse elle-même conseille d'attendre, et de remettre.

254

*Devant la répression violente qu'il observe, Rabelais n'en pense pas moins de la tactique que l'évangélisme menacé a pour devoir d'adopter maintenant. Se cacher, veiller, et attendre. Agir toutefois, mais non sans prudence.*

V.-L. Saulnier, *Le Dessein de Rabelais*, S.E.D.E.S., réimpr. 1983.

## La critique esthétique
•

Une autre tendance, celle de la critique esthétique, s'oppose à la tendance historique. Sensible à «l'antiréalisme» de l'œuvre, elle s'intéresse avant tout à l'étude du langage de Rabelais, plus digne d'attention, selon elle, que celle de sa pensée.

> *Toute l'attitude de Rabelais à l'égard du langage repose peut-être sur la vision d'une fécondité imaginaire dont le principe est inépuisable. Il crée des familles de mots, susceptibles de représenter des êtres fantastiques et horribles [...], qui n'ont de réalité que dans le monde du langage, règnent dans un monde intermédiaire entre réalité et irréalité, entre le redoutable « nulle part » et l'« ici » qui nous rassure...*
>
> *Ce sont chez Rabelais le rire cosmique, le comique mythique, la poésie de la langue, qui ont besoin d'études pénétrantes par les rabelaisants à venir, non pas les faux problèmes d'un historisme et d'un réalisme désuets.*
>
> Leo Spitzer, *Études de style*, Gallimard, 1970.

> *C'est d'une certaine manière oublier la substantifique moelle, revaloriser son écorce, si écorce il y a encore. À moins que l'on identifie les deux clés données par Rabelais en tête du Gargantua : le rire du dizain et la moelle du prologue. Que l'on fasse du jeu (du jeu pratiqué par Rabelais écrivant), du rire et de l'ivresse la moelle du roman...*
>
> Selon M. Butor et D. Hollier, *Rabelais, ou c'était pour rire*, Larousse, 1972.

## Vitalité de l'œuvre rabelaisienne
•

La diversité des points de vue de la critique moderne prouve du moins la vitalité de l'œuvre rabelaisienne autant que sa richesse.

> *Son œuvre se situe à un carrefour. Elle n'a paru un signe de contradiction qu'à ceux qui ne la comprenaient pas. En elle se rencontrent et se concilient le passé et le présent. Il est aussi facile de montrer que lui-même est tout Moyen Âge que de mettre en lumière son esprit Renaissance. En fait, il appartient aux deux*

255

*mondes. Il fait le lien entre eux. Par sa formation, ses obsessions,
par les contes qu'il utilise, par beaucoup de ses idées, par son
langage, il est du Moyen Âge ; par son ardeur à participer au
combat évangélique, à voir dans son siècle le début d'une ère
nouvelle, il se rattache à la Renaissance. Son roman contient ainsi
une bonne partie du savoir et du langage des deux civilisations. En
un sens, dans un siècle qui en vit tant, c'est une encyclopédie, un
« trésor » et presque une « somme », en même temps qu'une œuvre
d'art unique.*

Jean Larmat, *Rabelais*, Hatier, 1973.

### Rabelais au théâtre

•

Jean-Louis Barrault a créé, le 12 décembre 1968, un jeu
dramatique : *Rabelais*. « Son époque est la nôtre », affirme le
metteur en scène. Au XVIᵉ siècle comme au XXᵉ, de grandes
découvertes bouleversent les habitudes et les mentalités. Voici
ce que déclare l'orateur de la troupe dans le prologue :

*Quand on conserve en soi, comme Rabelais, assez d'enfance, de
familiarité religieuse et de foi en l'homme, les autres fournissent
un monde absurde, c'est-à-dire drolatique et, en nous, la surprise
de vivre procure une sensation bizarre que, faute d'un meilleur
nom, nous appellerons la joie. – La joie et l'absurde !*

Jean-Louis Barrault, *Rabelais*, Gallimard, 1968.

## LES TEMPS MODERNES ET L'HÉRITAGE DU PASSÉ

On a souvent vu en Rabelais le représentant typique de la Renaissance française, de l'aube de la Renaissance au moins. Sa vie (1483 ou 1494-1533) se situe exactement dans cette période de crise, crise de la conscience européenne autant que française, où vont triompher les valeurs nouvelles imposées par l'humanisme. L'accord exceptionnel d'un tempérament et d'une époque explique sans doute en partie la réussite de Rabelais, dont la pensée et l'œuvre sont étroitement liées aux milieux très divers qu'il a connus, aux expériences multiples tirées d'un vaste savoir et d'une vie très riche. Esprit lucide et généreux, tout acquis aux idées nouvelles, attentif à l'actualité, il est sensible à tous les mouvements intellectuels de son temps et s'engage ardemment dans le combat humaniste.

Pourtant, à bien des égards, Rabelais reste un homme du Moyen Âge. Né dans les «temps gothiques» qu'il a tant méprisés, il en reste l'héritier par sa formation, son passé, sa mentalité, ses archétypes, son langage, certains aspects de sa culture. Son œuvre se situe à un carrefour, au confluent de deux époques. Passé et présent s'y concilient et s'y fondent.

Lorsque paraissent les deux premiers livres, le *Pantagruel* (1532), puis le *Gargantua* (1534 ou 1535), l'auteur a la cinquantaine. Il est bien loin d'avoir consacré à ses romans toute son activité. Après une interruption de plus de dix ans, il revient à la littérature avec le *Tiers Livre* (1546) puis le *Quart Livre* (1546 et 1548-1552). L'œuvre se décompose ainsi en deux cycles de tonalité très différente et qui appartiennent à deux époques également différentes. L'ensemble des romans pantagruéliques (il faut y joindre le *Cinquième Livre*, posthume) date donc des vingt dernières années de sa vie. Comme il est naturel, l'évolution de l'œuvre épousera celle de l'auteur et du climat de l'époque. Aussi importe-t-il pour bien en saisir le sens et les intentions de situer dans le mouvement de leur temps les deux cycles du roman rabelaisien, que l'auteur envisagera comme un ensemble, le *Pantagruel*, quand il publiera, en 1552, les deux derniers livres.

## «LE BEAU XVIᵉ SIÈCLE» : L'HUMANISME, UN PHÉNOMÈNE EUROPÉEN

Les années 1530 semblent marquer le triomphe de l'humanisme. Comme le mot «Renaissance», le mot «humanisme» n'est pas apparu avant le XIXᵉ siècle. Il désigne d'abord le retour aux lettres par excellence, latines et grecques, la «restitution» des belles-lettres, que Rabelais nomme «lettres d'humanité». Amorcé dès le XIVᵉ siècle, par des érudits italiens, Pétrarque et Boccace notamment, passionnément désireux de connaître la civilisation antique à travers les auteurs latins, ce sont les premiers renaissants qui ont imposé le mythe de l'obscurantisme médiéval. Ils s'en prenaient surtout au Moyen Âge finissant, au dogmatisme et au formalisme scolastique, à l'érudition desséchante qui étouffe le texte sous la glose et en fausse l'interprétation pour annexer la pensée antique au profit de la foi chrétienne.

Les lettrés du Moyen Âge n'avaient pas méconnu la culture antique mais la mettaient au service de la théologie (cf. l'éloge du temps présent dans la lettre de Gargantua, *Pantagruel*, ch. 8).

## LE NOUVEAU SAVOIR

C'est en marge, non au sein de l'Université en France, centre officiel de la culture, en particulier dans certains collèges, que se développe surtout le mouvement de rénovation intellectuelle. La première des quatre facultés parisiennes, la faculté de théologie ou Sorbonne, est le bastion de la philosophie scolastique, formaliste et abstraite, fidèle aux traditions médiévales, et son syndic, Noël Beda, l'adversaire acharné des humanistes. Guillaume Budé (1468-1540), correspondant de Rabelais que son ami Érasme nomme le maître des études grecques et latines, voit en la philosophie un instrument de culture générale, apte à former les mœurs et à contribuer à la dignité et au bonheur de l'homme. Il favorise l'essor du grec, recommande le retour au latin classique, oublié ou déformé par les clercs du Moyen Âge. S'il n'a laissé aucun écrit en français, il encourage les traductions en langue vulgaire et travaille à «illustrer» celle-ci. Son initiative la plus heureuse fut d'obtenir du roi la création des lecteurs royaux (1530), le futur Collège de France, où l'on enseignait le grec, l'hébreu et le latin, en rompant avec des habitudes séculaires. Cette citadelle de l'humanisme qui dispensait un enseignement original, gratuit, ouvert à tous et échappait au contrôle des théologiens de l'Université fut aussitôt suspecte à «l'ignorante Sorbonne». On conçoit alors que Rabelais et ses amis aient fait de celle-ci le symbole du «temps ténébreux» qui a précédé, d'un monde sclérosé de valeurs vieillies qui n'accorde pas à l'homme sa vraie place et méconnaît sa dignité. Ils ont, eux, conscience d'appartenir à un âge nouveau de «clarté», de «lumière», qui voit s'élargir l'horizon intellectuel grâce au retour du savoir et de la pensée antique. Celle-ci fait de l'épanouissement de la personne humaine le but de la sagesse, à l'encontre du christianisme médiéval (cf. dans *Pantagruel* : lettre de Gargantua, ch. 8 ; dans *Gargantua* : ch. 14 : maître Thubal Holopherne ; ch. 15 : le jeune Eudémon, satire des théologiens, de l'ancienne éducation des «sophistes» ; éloge de la nouvelle, de la vraie éloquence et du latin cicéronien ; ch. 19-21 : les précepteurs sophistes).

## UNE NOUVELLE PHASE DE LA RENAISSANCE : LES RÉFORMES RELIGIEUSES

La sagesse humaniste, toute laïque et humaine, n'est ni païenne, ni hédoniste. La Renaissance a été une époque d'intense ferveur religieuse. Les efforts des humanistes pour revenir aux sources de la culture profane, et inviter à la réflexion critique, vont s'appliquer également aux textes sacrés. Érasme (1469-1536) leur applique les méthodes critiques utilisées pour les textes profanes et donne en 1516 la première édition grecque du Nouveau Testament, accompagnée d'une version latine. La *Vulgate*, traduction latine de la Bible, est mise en accusation par J. Reuchlin (1455-1522), qui revient au texte hébreu. J. Lefèvre d'Étaples traduit la Bible en français.
Un mouvement «évangélique» se constitue alors. Il naît de la volonté d'un retour aux sources du christianisme, du besoin d'une épuration de la foi, du refus des «abus», des superstitions, du formalisme des amas de la tradition (décisions des papes, des conciles, des docteurs), ce que Rabelais appelle les «constitutions humaines», qui ont, avec le temps, déformé, altéré, l'Ecriture sainte.
L'évangélisme, malgré son désir d'en épurer les mœurs et la doctrine, restait fidèle au catholicisme tout en préparant la rupture avec l'Église. Luther (1483-1546), excommunié et mis au ban de l'Empire en 1521, entraîne dans la Réforme les deux tiers de l'Allemagne, une partie de la Suisse, la Scandinavie. La première église réformée s'établit à Paris en 1523. Les humanistes favorables, dans les débuts, aux tendances réformatrices, sinon réformées, suspects à l'orthodoxie, comme le fut Érasme que Luther a longtemps espéré gagner à sa doctrine, furent, pour la plupart, hostiles à ce dernier, et, plus tard, à Calvin. Rabelais, très proche de l'évangélisme, devait naturellement être suspect aux théologiens de la Sorbonne, d'autant plus détestés qu'ils avaient le redoutable privilège d'exercer la censure et d'envoyer au bûcher les hérétiques. (Cf. dans *Pantagruel*, ch. 16 : le trafic des indulgences ; ch. 29 : la prière de Pantagruel ; ch. 30 : la papauté. Cf. dans *Gargantua*, ch. 19 :

les dangereux censeurs de la Sorbonne ; ch. 27 : rhétorique contre le culte des saints ; ch. 23, 57 : formation religieuse, lecture de l'Écriture sainte, refus des pratiques et des rites formalistes.)

## LA COUR DE FRANCE

En 1530, l'heure était à l'optimisme dans le camp des humanistes et des évangélistes. François I$^{er}$, roi-chevalier, féru de tous les exercices du corps et de l'esprit, poète lui-même, devient le mécène des écrivains, des savants, des artistes italiens (Vinci, Cellini) et français, qu'il attire à sa cour. « Père des lettres », acquis aux idées nouvelles, il est gagné à la cause de l'humanisme, encourage ses progrès et prend d'abord sa défense. Le rôle de sa sœur, Marguerite d'Angoulême, reine de Navarre, est plus efficace encore. Sa curiosité et son activité intellectuelles sont célébrées par tous les écrivains de son temps (Rabelais lui dédiera son *Tiers Livre*). Auteur d'une abondante œuvre poétique, et de l'*Heptaméron*, ouverte à toutes les tendances et à tous les mouvements de l'époque, elle prend une part active à la vie mondaine et aux affaires politiques. Avec cette protectrice des humanistes et des « bons prêcheurs », amie du groupe de Meaux animé par l'évêque Briçonnet, l'évangélisme semble bien près d'avoir gain de cause.

## L'HUMANISME MENACÉ
## ET LES CONFLITS RELIGIEUX

Mais le triomphe de l'humanisme évangélique n'était qu'apparent. Dès 1534, l'affaire des Placards (17-18 octobre) va modifier l'attitude de François I$^{er}$. Ces violentes déclarations contre la messe papale déterminent le roi à renoncer à sa politique de concorde et à la tolérance. Il décide de sévir contre des novateurs qui s'étaient voulus réformistes en matière de religion mais restaient fidèles à la Couronne. L'affront fait à la personne et à la majesté du roi lui fait redouter la sédition dans le domaine politique, aussi confesse-t-il publiquement sa foi catholique et déclenche-t-il la persécution à l'égard des évangélistes et des luthériens. Certains (vingt et un, dont plusieurs imprimeurs) sont traînés au bûcher, beaucoup s'exilent, dont Calvin. L'imprimerie, aussitôt frappée d'interdiction (la mesure est révoquée un mois après), reste suspecte et souvent dénoncée auprès des autorités religieuses et politiques.

Les oscillations de la politique royale, favorable en 1535 à une alliance avec les princes protestants d'Allemagne contre l'Empereur catholique, Charles Quint, contribuent à entretenir l'incertitude dans les esprits. François I$^{er}$, bientôt allié des Turcs, était-il farouchement attaché à l'orthodoxie religieuse ? Son intransigeance tenait d'abord au souci d'assurer son prestige et à la crainte d'un complot politique. Elle continuera à se renforcer dans les années suivantes, surtout lorsque le roi se rapproche de Charles-Quint à l'entrevue d'Aigues-Mortes (1548). La fin de son règne verra se multiplier les mesures répressives, tandis que s'installe en Europe un climat d'inquiétude.

Les humanistes ont très vite perdu la partie. Les années 1540 marquent une nouvelle étape dans la répression de l'hérésie (massacre des vaudois de Mérindol et de Cabrières en 1545). L'avènement d'Henri II renforce la répression (institution d'une chambre ardente (tribunal d'exception) en 1547 au parlement de Paris, de six autres en province). Les procès en hérésie sont assimilés aux autres procès criminels. La justice se fait l'auxiliaire de l'Église.

En 1551, l'édit de Châteaubriant (27 juin), destiné à « l'extirpation de la pernicieuse vermine » (l'hérésie), définit quarante-six articles contre les suspects.

L'espoir d'une concertation possible a désormais tout à fait disparu. Le durcissement dogmatique de part et d'autre prépare l'affrontement armé. L'humanisme est alors en crise. Par ailleurs, s'amorce une non moins grave crise économique.

## LA POLITIQUE GALLICANE ET LA PAPAUTÉ

Les premières années du règne d'Henri II seront également marquées par une politique gallicane. L'hostilité du roi envers le pape, accusé d'agir plus souvent en souverain temporel qu'en chef religieux, allait grandissant. Henri II, dont le catholicisme orthodoxe très rigide faisait l'adversaire des hérétiques et des novateurs, ne manifestait à l'égard du pape aucune hostilité sur le plan religieux, mais refusait son ingérence dans la nomination des évêques et la juridiction ecclésiastique française et s'indignait plus encore de l'importance des sommes d'argent envoyées à la curie romaine.

Après de mutuelles concessions, les relations devaient se rétablir entre le Saint-Siège et le roi de France. Ceux qui s'étaient montrés, comme Rabelais, défenseurs de la politique royale et adversaires de la papauté devenaient suspects et leurs écrits tombaient sous le coup de la censure.

Nourris de l'actualité et des problèmes de l'époque, le *Tiers Livre* et le *Quart Livre* appartiennent à la période d'oppression, *Pantagruel* et *Gargantua* à celle de l'espoir.

# FANTAISIE ET FANTASTIQUE

L'un des plus saisissants contrastes que présente l'univers de Rabelais, c'est l'alliance de la fantaisie et de la réalité, voire de l'actualité, dans ce conte de géants.

Les données de la tradition légendaire imposaient le recours au merveilleux. Les *Grandes Chroniques* relèvent de la littérature d'imagination. Rabelais, qui en tire la matière même de son récit dans les deux premiers livres, invite tout naturellement le lecteur à accepter tous les sortilèges d'un monde de contes de fées qui échappe à la logique.

## Un monde de géants
•

Ses géants ont des proportions démesurées. Pantagruel, personnage nouveau, de petit démon des mystères médiévaux qui assoiffe les gens en leur jetant du sel dans la bouche, est devenu géant. Il a, comme son père, et comme le Gargantua des *Grandes Chroniques*, un appétit prodigieux (il faut pour le nourrir le lait de quatre mille six cents vaches, etc.), une force démesurée : il met en pièces un ours venu près de son berceau ; soulève de terre « avec le petit doigt » la grosse cloche de Saint-Aignan à Orléans, qu'il remettra ensuite au clocher ; il va « à troys et un saut » de Valence à Angers ; il s'apprête au combat en se saisissant du mât de son navire et attache la barque à sa ceinture ; il peut, sous sa langue tirée « seulement à demi », abriter de la pluie toute son armée (ch. 32) ; dans sa bouche, qui enferme des mondes, Alcofribas peut évoluer à l'aise, et toute une troupe y entre pour lui nettoyer l'estomac. *Gargantua* n'est pas en reste ; son bréviaire pèse onze quintaux six livres (ch. 14), il avale six pèlerins en salade, fait tomber en se peignant des boulets d'artillerie, et ses exploits urinaires égalent ceux de son fils.

## Des exploits démesurés
•

On a souligné la survivance, dans la geste des géants rabelaisiens, d'une religion antérieure au christianisme (Gargan, dieu solaire, est-il un ancêtre de Gargantua ?), peut-être d'une religion néolithique. La toponymie garde des traces de ces mythes : la « pierre levée » de Poitiers transportée par Pantagruel, les quatorze sources thermales dont Pantagruel fit don aux hommes, la plaine déforestée de Beauce due au massacre des arbres par la queue de la jument de Gargantua (ch. 16), etc.

La généalogie de nos héros dévoile de terrifiants ancêtres, Goliath ou Polyphème. Mais si dans la tradition médiévale et, pour des raisons différentes, dans la littérature humaniste, les géants inspirent la crainte, les héros rabelaisiens sont des personnages débonnaires et bienveillants. Ce ne sont pas des ogres, et le motif de l'«avalage» par le géant est traité avec humour : Alcofribas explorant la bouche de Pantagruel ou les pèlerins sortant indemnes de la bouche de Gargantua. Rien de plus banal, dans le monde des *Grandes Chroniques* que ces exploits démesurés. Rabelais, lui, oublie ou feint d'oublier par endroits la grandeur de ses géants, instantanément ramenés à la taille du commun des mortels. Il s'en amuse et nous amuse. Grandgousier pleure, on a peur. Gargantua se rend à Paris sur une jument grande comme six éléphants, mais par la suite montera une vieille mule qui a servi neuf fois avant lui. Avec la même désinvolture, ce nouvel Hercule qui s'asseoit sur les tours de Notre-Dame et soulève des haltères de huit cent soixante-six tonnes circule sans peine dans les rues de Paris, entre à l'université et au palais, visite les ateliers des artisans.

### Élasticité du temps et de l'espace
•

Dans l'espace rabelaisien, en proie aux métamorphoses, le contenu peut être plus grand que le contenant, et la partie plus grande que le tout. Objets et personnages changent de dimensions selon les besoins du récit.

L'écoulement du temps et la localisation jouissent de la même élasticité. Gargantua, dans la célèbre lettre à Pantagruel (1532) affirme que dans sa jeunesse «le temps était encore ténébreux et sentant l'infélicité des Goths», alors qu'en 1534 sont décrites minutieusement les méthodes humanistes selon lesquelles il est formé. Pantagruel en 1532 est prince en Utopie (du côté de l'Inde), et Gargantua, en 1534, dans le Chinonais. Le chapitre 5 de *Pantagruel*, qui rapporte le transport de la «Pierre levée» de Poitiers, l'édification du pont du Gard et de l'amphithéâtre de Nîmes par Pantagruel dans un passé lointain, nous le montre visitant les universités contemporaines. L'éducation de Gargantua sous les précepteurs sorbonagres se situe dans les «temps des hauts bonnets», le XVᵉ siècle sans doute, mais celle dont le fait bénéficier Ponocratès porte la marque des temps modernes. Ainsi époques légendaires, passé récent ou non, présent sont-ils confondus dans l'histoire du fils et du père.

## Le burlesque des mots
•

L'invention dans le détail témoigne de la même fantaisie : noms burlesques (ceux des lieutenants de Picrochole ou des sophistes), précisions cocasses des chiffres, démesure d'une érudition qui appuie de façon spécieuse la véracité du récit, idées bouffonnes étayées sur de sérieuses références (prologue du *Gargantua*), étymologies imaginaires et explications de faits réels au moyen de la légende du héros (la plaine de Beauce), argumentations ingénieuses mais vides, discours inintelligibles, créations verbales, brusques changements de ton et de style. La fantaisie tient aussi à la fusion des éléments empruntés aux légendes populaires et au savoir humaniste (justification d'une grossesse de onze mois au chapitre 3 du *Gargantua*, emploi d'un vocabulaire médical dans la description des combats au chapitre 27, etc.).

# ACTUALITÉ ET RÉALITÉ

Cette fantaisie traditionnelle serait banale si elle n'était étayée sur la réalité. Rabelais a su faire entrer dans ce conte merveilleux tant d'allusions à la vie contemporaine qu'on a pu y voir un « feuilleton d'actualité ».

## L'actualité de l'Histoire
•

Dans le *Pantagruel*, déjà, sont évoqués certains faits d'histoire (la sécheresse de l'année 1532, les inquiétudes que les Turcs donnaient à la chrétienté, le pardon jubilaire octroyé par le pape à la France la même année). Mais ces allusions se multiplient dans le *Gargantua* (conflits qui opposent François Iᵉʳ à Charles Quint suggérés dans la guerre Picrocholine, rêves conquérants de Picrochole évoquant ceux des conquistadors du Nouveau Monde ou de l'Empereur, etc.).

Les aventures du héros se situent en France, dans le pays chinonais qui est celui de l'auteur. La Saulsaye, où il naît sans doute, est proche de La Devinière, qui dépendait de Seuilly, le village où se trouve l'abbaye de frère Jean. Les places fortes de Grandgousier sont des propriétés de la famille de Rabelais. A. Lefranc a même établi une carte de la guerre Picrocholine (entre Chinon et la forêt de Fontevrault) et l'on a vu, dans cette guerre, la transposition d'un procès entre les bateliers de la Loire et Gaucher de Sainte-Marthe, seigneur de Lerné (1528), qui avait installé des pêcheries gênantes pour les bateliers et les riverains. Un parent d'Antoine Rabelais, Jehan Gallet, prit leur défense et joua un rôle important dans l'affaire, à laquelle fut mêlé le père de l'auteur. Les légions de Grandgousier évoquent les troupes de François I$^{er}$ (organisées en 1534) ; quant à l'abbaye de Thélème, c'est un château de la Renaissance (Rabelais cite à son propos Chambord, Bonnivet, Chantilly).

Ce serait pourtant une erreur que de se fier aux précisions toponymiques du récit. Au mépris de toute vraisemblance, Rabelais s'amuse à faire manœuvrer d'immenses armées dans des espaces bien exigus. La description des lieux de la guerre a la sécheresse d'une carte d'état-major : point d'évocations pittoresques de villes, de monuments ou de paysages.

## La réalité du quotidien
•

Le réalisme de Rabelais, si réalisme il y a, ne se situe pas là. Si son œuvre restitue souvent l'impression du monde familier, c'est à sa curiosité pour tous les spectacles de la vie qu'il faut l'attribuer. Il a su admirablement faire revivre la France de son temps, villes et campagnes qui forment la toile de fond de l'œuvre, milieux sociaux les plus divers et leurs activités : soldats, écoliers, théologiens, gens de justice, médecins, assemblée de buveurs, foule parisienne, seigneurs et paysans. Le genre du conte fait une large part aux scènes de la vie quotidienne, que Rabelais sait rendre avec un sens très aigu du réel (portraits en action où sont évoquées d'étourdissantes activités physiques).

Il donne à ses personnages une présence et un relief saisissants, choisit le détail caractéristique : attitudes, tics, gestes, costume. Le portrait de frère Jean (*Gargantua*, ch. 27) est inoubliable. Ses héros ne sont pas des types. La vérité du trait en fait des individus caractérisés. Mais sa prédilection va aux scènes de groupe (buveurs, badauds de Paris, bergers et foua-ciers), aux scènes d'agitation intense (propos des « bien-ivres », grouillement des blessés dans le clos de Seuilly dans le *Gargantua*).

Si Rabelais sait l'art d'entraîner le lecteur dans le monde des plus épouvantables invraisemblances, il peut, avec humour, au même moment, tromper son attente ou lui faire reprendre pied dans la réalité pour lui révéler, à travers une facétie joyeuse, quelques saines vérités.

La descente d'Épistémon en enfer pouvait prêter à de fantastiques et terrifiants récits après sa résurrection par Panurge. Or qu'a-t-il rencontré dans l'au-delà ? Des personnages dont le rôle social est, pour l'éternité, à l'inverse de leur rôle sur terre :

les grands seigneurs y gagnent méchamment leur vie, les pauvres diables et les philosophes y sont grands seigneurs à leur tour (*Pantagruel*, ch. 30).

Lorsqu'Alcofribas explore les entrailles du géant Pantagruel et y découvre un autre monde, se retrouve-t-il dans un univers extraordinaire et déconcertant ? Point du tout. Ce monde ressemble en tout point au nôtre. Le narrateur y rencontre un planteur de choux, on y chasse le pigeon, on y meurt de la peste, les villes y évoquent de bonnes villes françaises, Lyon ou Poitiers, Rouen ou Nantes, les habitants sont des chrétiens. Ce monde, nouveau aux yeux du narrateur, est pour le planteur de choux « le plus ancien ». Belle leçon de relativisme, qui dégonfle du même coup les prestiges de l'exotisme ! (*Pantagruel*, ch. 32.)

On a vu en Rabelais tantôt un « auteur réaliste » (A. Lefranc), tantôt le maître inégalé de l'« irréalisme bouffon » (L. Spitzer). Il semble impossible de dissocier ces deux aspects de l'œuvre. C'est l'imagination même de Rabelais qui donne à sa pensée un caractère concret. Ses romans offrent une sorte d'image du monde à laquelle la fantaisie a donné son mouvement et sa vie.

## LA LANGUE FRANÇAISE

Les problèmes du langage ont été vivement débattus au
xvi<sup>e</sup> siècle. Ils tiennent une place très importante dans l'œuvre
de Rabelais. Un tiers des chapitres du *Pantagruel* met en cause
la langue et le *Gargantua* les aborde fréquemment.

Rabelais rédige en latin ses publications savantes, mais rédige
en français son roman, genre méprisé par les doctes, et ses
almanachs pour leur assurer une large diffusion et atteindre un
public peu cultivé, certes, mais aussi parce qu'il s'inscrit dans
le mouvement de défense de la langue française.

L'œuvre de Rabelais est contemporaine d'un grand fait de
l'époque, l'extension de la langue nationale. La variété des
dialectes parlés en France justifie ce plaidoyer en sa faveur. La
nationalisation des langues est d'ailleurs un phénomène européen. Autant que le culte des humanités grecques et latines,
l'enrichissement de la langue vulgaire, la nécessité d'en
répandre l'usage dans tous les genres littéraires paraissent
indispensables à la plupart des humanistes.

Du Bellay, dans la *Défense et illustration de la langue française*
(1549), exhorte, au chapitre 12 du livre II, les Français «à
écrire en leur langue» :

> *La même loi naturelle qui commande à chacun de défendre le lieu
> de sa naissance nous oblige aussi de garder la dignité de notre
> langue [...] Pourquoi donc sommes-nous si grands admirateurs
> d'autrui ? Pourquoi sommes-nous tant iniques à nous-mêmes ?
> Pourquoi mendions-nous les langues étrangères comme si nous
> avions honte d'user de la nôtre ?*

Ronsard travaille de même à introduire des «vocables nouveaux». Rabelais ne dédaigne pourtant pas le vieux parler,
comme les écrivains de la Pléiade, et puise largement dans le
lexique médiéval.

## LE FRANÇAIS LATINISÉ

Le latin est la langue internationale des lettrés et celle des
artistes (une poésie néo-latine se développe brillamment au
xvi<sup>e</sup> siècle). Le latin est aussi la langue de l'Université et de
l'Église, mais les écoliers usent d'un jargon latinisé pédant et
incompréhensible comme l'écolier limousin (*Pantagruel*, ch. 6)
ou très incorrect, du latin de cuisine comme celui que caricature le discours de Janotus (*Gargantua*, ch. 19).

Dans les collèges, l'enseignement est donné en latin, dès les
petites classes. Et les élèves ont l'obligation de parler latin
entre eux, même durant les récréations. Ce sont des textes
latins qu'on explique en classe, non des textes français, et c'est

d'après les traités des auteurs latins (Cicéron, Quintilien, etc.) que l'on apprend la grammaire et la rhétorique. Le latin parlé est un latin très incorrect. Rabelais, avec les humanistes, souhaite que l'on enseigne un latin classique, cicéronien et correct (celui du collège trilingue des lecteurs royaux).

À propos du jargon incorrect des théologiens, voici ce qu'écrivent Érasme et Montaigne.

## Érasme
•

*Je ne puis m'empêcher de rire quand je les vois se croire vraiment théologiens, surtout parce que le jargon dont ils se servent est parvenu au dernier degré de bassesse et de barbarie : quand je les entends balbutier des phrases si obscures et si embarrassées qu'il n'y a que des gens comme eux qui puissent y comprendre quelque chose... Ce serait avilir selon eux la dignité de la théologie que de la soumettre aux règles de la grammaire : et ils s'arrogent ainsi à chaque instant le droit de pécher contre la pureté du langage.*

Érasme, *Éloge de la folie*, 1509.

## Montaigne
•

*Mon vulgaire périgourdin appelle fort plaisamment « lettre ferits » ces savanteaux, comme si vous disiez « lettre-ferus », auxquels les lettres ont donné un coup de marteau, comme on dit. De vrai, ils semblent être ravalés [tombés], même du sens commun. Car le paysan et le cordonnier, vous leur voyez aller simplement et naïvement leur train, parlant de ce qu'ils savent ; ceux-ci, pour se vouloir élever et gendarmer de ce savoir qui nage en la superficie de leur cervelle, vont s'embarrassant et empêtrant sans cesse.*

Montaigne, *Essais*, livre I, ch. 25, « Du pédantisme », 1580.

## LES JEUX DU LANGAGE

### Un inventeur de mots
•

On a qualifié son œuvre de comédie du langage. Rabelais est d'abord un extraordinaire inventeur de mots. Il recourt aux vocabulaires techniques, régionaux, aux néologismes, aux mots « faits à plaisir » (cf. dans *Pantagruel* : sorbonagres [Sorbonne + onagros, âne], sorbonicoles, sorboniformes, etc.). Il use de jeux de mots et du jeu sur les mots, de calembours, ou même explore le langage privé de toute signification. Il fait entrer dans ses romans un nombre impressionnant de langues étrangères (Panurge s'exprime en treize langues, dont trois sont imaginaires) et de patois. Il s'intéresse aux langages secrets, codés (énigme des «Fanfreluches antidotées» et énigme en prophétie dans le *Gargantua*).

Il montre une prodigieuse imagination verbale : néologismes, «kyrielles» ou énumérations étourdissantes (accumulations de références, liste des livres de la bibliothèque de Saint-Victor, liste des deux cent dix-sept jeux de Gargantua, litanies d'épithètes), métaphores et images inattendues.

La verve rabelaisienne tient aussi au sens très sûr de la valeur sonore des mots (terminaisons savantes ou burlesques, rimes et refrains, allitérations), à l'introduction, dans la prose écrite, d'un style parlé qui donne à l'œuvre «sa saveur théâtrale» (R. Garapon). Monologues et dialogues ont, chez Rabelais, la vivacité de ceux de la farce. Il s'entend à mettre le lecteur dans le jeu, comme à transcrire la langue parlée, populaire ou savante, celle des paysans, des écoliers, des juristes (propos des «bien-ivres», de frère Jean, harangue incompréhensible de Janotus, discours des deux seigneurs dans le *Pantagruel*).

## Les styles de Rabelais
•

Il n'y a pas un style, mais des styles de Rabelais. Il emprunte en effet aux genres littéraires les plus variés : récits, romans de chevalerie, dialogues et monologues, discours, épopée, sermons. D'où la variété de registre des tons juxtaposés. Les modèles d'éloquence cicéronienne (discours de Gallet à Picrochole, *concion* de Gargantua) côtoient les parodies du style épique (*Pantagruel*, ch. 29) ou celles des charlatans de foire. Ces divers tons peuvent être en accord avec les intentions de l'auteur (emploi du style soutenu pour les passages sérieux) ou au contraire disconvenir au sujet dans un but parodique. Le contraste des tons est souvent systématique, entre des chapitres successifs (surtout dans le *Gargantua*), mais aussi à l'intérieur d'un même chapitre, voire d'un même paragraphe. On a mis tour à tour l'accent sur la profondeur de la pensée de Rabelais, sur son extraordinaire maîtrise du langage, qui aboutit à la création poétique d'un «univers de sons, à l'instar du peintre qui propose non des couleurs, mais des objets» (Manuel de Dieguez). Telle quelle, cette œuvre foisonnante s'apparente à l'art baroque. En ce génie tumultueux s'incarne toute une époque, celle du début de la Renaissance.

## Art de vivre
## et pantagruélisme
•

**Dans *Pantagruel* et dans *Gargantua* :** l'épisode de Thélème offre avec l'ensemble de l'œuvre un contraste frappant. Selon le désir de frère Jean, cette étrange abbaye est au rebours des autres. Rabelais n'a pas voulu en faire un antimonastère, mais il s'attache à décrire, en six chapitres, un monde clos dont l'accès est réservé à une élite, à une jeunesse aristocratique, riche et belle, qui a déjà reçu une saine formation intellectuelle, morale et religieuse, et reste soustraite à la contagion du monde extérieur.

Thélème n'est pas une « utopie », un modèle de gouvernement idéal conçu pour rendre le peuple heureux comme *Utopie* (étymologiquement *en aucun lieu*) de Thomas More. L'idéal de bonheur que Thélème propose apparaît comme une fantaisie originale, le rêve d'une vie de loisirs nobles dans un climat de luxe et de beauté. La découverte des Anciens et de l'Italie n'est pas seulement d'ordre intellectuel. C'est aussi celle de la douceur de vivre qui s'incarne dans le mythe de Thélème, la conception d'une vie plus aimable, plus souriante, qui s'ouvre à tous les plaisirs de l'esprit et des sens. Le bâtiment est un exemple du style franco-italien de la Renaissance, le costume masculin et féminin évoque le faste de la cour de François Ier. Des compagnies choisies, où la femme joue un rôle important, s'y adonnent aux débats, aux conversations raffinées et aux distractions traditionnelles des princes (fêtes, chasses, concerts). Le rêve de Thélème traduit une conception épicurienne de la vie qui n'a pas présidé à la formation de Gargantua. La vie des thélèmites reflète la vie des cours d'Italie et l'atmosphère courtoise d'un « séjour de dames » médiéval où l'idéal humain est celui du parfait courtisan, non celui du savant humaniste.

Le pantagruélisme est un art de vivre. Rabelais déclare en 1532 : « Vivre en paix, joie, santé, faisant toujours grande chère, tel est le fait des bons pantagruélistes. » La formule ne semble pas proposer un idéal bien élevé ; elle implique l'appétit pour tous les plaisirs simples de la vie, mais aussi, avec le droit à la paix, le refus des contraintes dans le domaine de l'esprit, le refus des routines intellectuelles. Le *Gargantua* porte en sous-titre : « Livre plein de pantagruélisme ». L'idéal de vie qu'il y présente est fait de savoir et de liberté, mais aussi de sagesse et de bonté. Plus tard le pantagruélisme s'établira comme une profession de foi d'un épicurisme élevé, fruit de la connaissance, de la soumission à la nature et de la confiance en la raison.

**Rapprochements :** Balthazar Castiglione, ami de Raphaël, décrit ainsi la petite cour italienne d'Urbino dans le livre qui fut, au XIIᵉ siècle, le bréviaire de la vie de cour :

> *Il advenait qu'ès joutes et tournois à piquer chevaux et même ès fêtes, jeux, en la musique, bref en tous exercices convenables aux gentilshommes, chacun s'efforçait de se montrer tel qu'il méritât être jugé digne de se trouver en si noble compagnie. Pareille amitié se démenait entre les femmes avec lesquelles on pouvait librement et honnêtement converser. Là oyait-on les doux propos et honnêtes contes, et au visage de chacun se voyait peinte une gaie réjouissance de manière que cette maison pouvait certainement être dite le propre séjour de liesse et plaisir...*
>
> *La noblesse ressemble quasi à une claire lampe qui fait voir les bonnes œuvres et incite les cœurs à la vertu... Les roturiers ne découvrant cette clarté de noblesse, le plus souvent défaillent et ne sont poussés par cet aiguillon.*

> B. Castiglione, *Le Parfait Courtisan*, 1528.

## Astrologie
•

**Dans *Pantagruel* et dans *Gargantua* :** Rabelais a rédigé en français cinq almanachs ou «prognostications», la *Pantagruéline Prognostication* (1533), l'almanach de 1533, ceux de 1535, de 1541 et de 1544. Ils sont signés tantôt Alcofribas, Serafino Calbartsi (autre anagramme de l'auteur), tantôt François Rabelais, «docteur en médecine et professeur en astrologie». Ce qui peut paraître déconcertant pour le lecteur du XXᵉ siècle ne l'est pas pour celui du XVIᵉ siècle. Une partie de l'art médical étudiait alors l'influence des astres sur le corps humain. L'astrologie, tenue pour une science, reposait sur une connaissance approfondie des planètes. Rabelais ne condamne pas l'astrologie, mais les «abus des fols prognostiqueurs». Deux de ses almanachs sont sérieux (indication de la position des signes du zodiaque, phases de la lune, périodes favorables pour prendre tel ou tel médicament, etc.). Mais trois autres sont bouffons : Rabelais y dénonce l'astrologie divinatrice, celle qui prétend faire connaître l'avenir. C'est pourquoi il recommande l'étude de l'astronomie (*Pantagruel* ch. 8, *Gargantua* ch. 23) dans les programmes d'éducation des géants, distinguée de l'astrologie divinatrice, qui n'est qu'«abus et vanité».

**Rapprochements :** Calvin, *Advertissement contre l'astrologie judiciaire*, 1549.

## Dignité de l'homme

•

**Dans *Pantagruel* et dans *Gargantua* :** l'amour de la vie, sous toutes ses formes, est le thème central autour duquel s'organisent les autres thèmes. La vitalité généreuse et active de l'auteur se retrouve chez ses héros de prédilection, Gargantua, frère Jean, Pantagruel. Le thème de la réhabilitation du corps, et de toutes les fonctions naturelles, sans distinction, en découle. L'hymne à la dignité de l'homme, à son savoir et à son pouvoir, ne s'adresse pas seulement à son esprit ou à son âme. En réaction contre l'ascétisme médiéval qui tient le corps pour la partie la plus basse et la plus méprisable de l'être, et veut en oublier les exigences, Rabelais admire le corps, cette « tant magnifique plasmature ».

Le moine, qui a souffert de l'austérité cléricale, le médecin, qui a étudié l'admirable complexité de la machine corporelle, s'unissent en lui pour protester contre une hiérarchie injuste, et restituer à la personne humaine son unité.

Par ailleurs, l'une des originalités de l'œuvre rabelaisienne tient à l'introduction de l'esprit populaire dans une œuvre littéraire (comme l'a fait remarquer M. Bakhtine). « Le bas corporel et matériel », que répriment les instances sociales et morales, est lié au rire populaire qui renverse les valeurs établies. L'insistance sur les manifestations de la vie du corps apparaissent donc comme une survivance médiévale, tout à la fois littéraire (les thèmes de la scatologie, de la nourriture, de la sexualité, sont repris fréquemment dans tous les genres : contes, fabliaux, farces, romans et même poésie lyrique) et populaire. Chez Rabelais, la volonté de mettre sur le même plan tous les besoins de l'homme, d'en parler sans contrainte ni dissimulation, tient à la conviction que rien de ce qui participe de sa nature n'est méprisable ou choquant. Mais si l'œuvre célèbre la satisfaction joyeuse de tous les instincts, l'auteur souligne la nécessité de modérer et de régler judicieusement les appétits pour réaliser le développement harmonieux et total de l'homme (prescriptions d'hygiène, de modération dans l'éducation de Gargantua, ch. 23).

**Rapprochements :** Pic de La Mirandole (*Discours de la dignité de l'homme*) vante la position privilégiée d'Adam « au centre de l'univers », auquel Dieu s'adresse en ces termes :

> *Toutes les autres créatures ont une nature définie contenue entre les lois par nous prescrites ; toi seul, sauf de toute entrave, suivant ton libre arbitre auquel je t'ai remis, tu te fixeras ta nature... Je ne t'ai fait ni céleste, ni terrestre, ni mortel, ni immortel ; d'après*

*ton vouloir et pour ton propre honneur, modeleur et sculpteur de toi-même, imprime-toi la forme que tu préfères.*

## Échange

•

**Dans *Pantagruel* et dans *Gargantua* :** le thème du banquet, si fréquent tout au long de l'œuvre, symbolise la sociabilité, l'amitié, et cette «compagnie d'homme» que Bacbuc affirme indispensable à la quête joyeuse de la sagesse. Si la nourriture et le vin tiennent un rôle central dans l'œuvre, c'est qu'ils impliquent le partage convivial, les plaisirs pris en commun de la réplétion corporelle, mais aussi de l'insatiable appétit de savoir.

L'action romanesque s'organise selon un système d'échanges : vol des cloches (*Gargantua*, ch. 17), querelle des fouaciers et des bergers (*Gargantua*, ch. 25), vols de Panurge (*Pantagruel*, ch. 16, 17), etc.

La paternité, exaltée par Grandgousier et par Gargantua, s'intègre dans ce système d'échanges puisqu'elle permet de «prêter à ceux qui ne sont pas encore nés et par ce prêt se perpétuer». Les pères, dont l'attention et l'affection se manifestent tout au long des romans, ont conscience qu'elle permet à l'homme, bien que mortel, d'acquérir une espèce d'immortalité (*Pantagruel,* ch. 8).

La loi de l'échange régit de même les rapports du narrateur et du lecteur. Le terme «pantagruélistes» désigne à la fois les personnages des romans, le narrateur et le lecteur invité à un dialogue. L'œuvre elle-même est «vécue comme une extraordinaire et grande paternité» (Manuel de Dieguez).

La mutation économique qui se produit au début des temps modernes en Europe et qui instaure de nouveaux procédés commerciaux et bancaires, un système d'échanges internationaux («lettres de change»), l'imprimerie qui fait du livre un objet de commerce et d'échanges, expliquent en partie l'importance dans l'œuvre de cette notion de l'échange, compris comme fondement de la solidarité.

Mouvement et renouvellement caractérisent ainsi l'univers rabelaisien et on peut appliquer à son créateur la formule qu'il prête à l'un de ses personnages «Je ne bâtis que pierres vives, ce sont hommes» (*Tiers Livre*, ch. 6).

### Géants (et thème gigantal)
•

**Dans *Pantagruel* et dans *Gargantua* :** pleine de contrastes, et parfois d'incohérences, l'œuvre de Rabelais possède un élément d'unité : *la famille des rois géants*, Grandgousier, Gargantua son fils, Pantagruel son petit-fils, dont les aventures emplissent les cinq livres du roman. Aussi le thème gigantal est-il celui qui frappe dès l'abord (le terme «gigantal» est employé par Rabelais). Ce thème a été emprunté aux *Grandes Chroniques* et aux épopées bouffonnes italiennes, les *Macaronées* de Folengo et le *Morgante Maggiore* de Pulci, à l'imitation des épopées cycliques du Moyen Âge.

Si le thème n'est pas original, Rabelais le met en œuvre de façon nouvelle. L'importance des liens familiaux dans la société féodale justifiait la succession des rois dans l'épopée. Celle des héros rabelaisiens illustre la continuité et l'unité nationales françaises.

Par ailleurs, la répartition du thème est très inégale dans les cinq ouvrages et dans les chapitres d'un même roman. Son importance, très grande dans *Pantagruel*, décroît dans *Gargantua* et se borne à trois ou quatre mentions dans le *Tiers Livre* et le *Quart Livre*.

Le thème fournit un cadre commode à l'action. Les souvenirs du roman médiéval sont nombreux dans *Pantagruel* : les exploits surhumains du prince évoquent ceux des chevaliers, l'intervention du merveilleux (massue-féée de Loup Garou, ch. 29, résurrection d'Épistémon et récit de son voyage en enfer, ch. 30) rappelle la littérature chevaleresque. Certains épisodes ressortissent en revanche à la tradition populaire, celle des *Grandes Chroniques* auxquelles Rabelais déclare donner une suite.

L'élément gigantal est beaucoup plus discret dans *Gargantua*. Certes, les dimensions du héros restent extraordinaires. Il monte une jument merveilleuse, enlève les cloches de Notre-Dame pour se les mettre à son cou, engloutit d'énormes quantités de nourriture, la durée de son éducation correspond à plusieurs générations humaines. Mais comme l'auteur lui-même, on oublie souvent ses proportions gigantesques.

La bonhomie était le trait le plus frappant des héros des chroniques populaires. Chez Rabelais, elle change de nature, elle devient une bienveillance réfléchie, et sera proposée au *Quart Livre* comme un idéal philosophique.

Leur nouveau rôle, enfin, affranchit nos héros de leurs modèles. Vassal dans les *Grandes Chroniques*, le géant devient chez Rabelais un suzerain. Il ne se réglera plus sur le code chevaleresque, sur les mœurs périmées du Moyen Âge, mais sur les mœurs chères aux humanistes de la Renaissance. Monarque éclairé, pacifiste, ennemi de la procédure et de la barbarie, il combattra l'erreur, imposera la vérité.

L'esprit et l'imagination de Rabelais se sont nourris à la tradition littéraire et populaire, mais l'auteur donne à son œuvre un sens tout différent. Le thème gigantal ne constitue que le cadre à l'intérieur duquel s'ordonne une œuvre d'art et une œuvre d'humaniste.

**Rapprochements :** chansons de geste et romans médiévaux mis en prose : *Fierabras*, histoire des exploits d'un géant sarrazin, adversaire de Charlemagne, un des plus célèbres romans populaires avec *Huon de Bordeaux* et *Les Quatre Fils Aymon*, etc.

### Glorification du temps présent

•

**Dans *Pantagruel* et dans *Gargantua* :** Rabelais a magnifiquement exprimé l'enthousiasme des meilleurs esprits du temps qui pensaient ouvrir une ère nouvelle de l'humanité, enthousiasme que justifie la métamorphose de la civilisation et de la culture au début du $XVI^e$ siècle. La lettre fameuse que Gargantua adresse à son fils (*Pantagruel*, ch. 8) pour l'encourager à l'étude est tenue pour l'hymne le plus vibrant au renouveau de la culture sous François $I^{er}$, le «manifeste d'une Renaissance s'enivrant des splendeurs qu'elle apporte» (L. Febvre).

Gargantua y formule l'une des affirmations capitales de l'humanisme : l'opposition entre «l'infélicité et calamité des Goths qui avaient mis à destruction toute bonne littérature» durant les temps barbares, et la fécondité des temps nouveaux, qui accèdent à un univers lumineux. Aussi l'abandon des disciplines médiévales est-il nécessaire à l'avènement du progrès dans le domaine des arts, des lettres et des sciences.

La lettre dresse un bilan précis des apports du siècle et de leurs conséquences : création du «collège des lecteurs royaux», invention de l'imprimerie, qui accroît la diffusion du livre, établissement de «librairies» (François $I^{er}$ avait confié à Guillaume Budé l'organisation de la bibliothèque royale, ouverte aux savants, et inauguré l'institution du dépôt légal). Cette diffusion de la culture s'étend aux classes défavorisées, et aux femmes. Affirmation inexacte et trop enthousiaste, mais l'exemple de Marguerite de Navarre et des poétesses de l'école lyonnaise donne la mesure de cette promotion de la femme dans l'acquisition du savoir.

L'admiration inconditionnelle des Anciens va de pair avec le sens du progrès, la foi en l'avenir, c'est-à-dire la foi dans les ressources de l'esprit humain.

L'accent de la lettre indique que cette ferveur intellectuelle est inséparable d'une exaltation sentimentale partagée par les premiers renaissants à la perspective de l'âge «qui promet d'être un âge d'or», selon Érasme. Optimisme excessif sans doute. Les luttes du siècle devaient décevoir bien des espérances humanistes, et la culture restera longtemps encore le privilège d'une élite.

**Rapprochements :** Budé, comme Gargantua, a eu successivement deux éducations et a repris ses études, conscient, lui aussi, de la rupture entre la culture ancienne et la culture nouvelle. Aussi envie-t-il son fils, qu'il exhorte à s'instruire, dans une lettre à celui-ci (Dreux, 8 mai 1519).

Lettre de Jean Racine à son fils (Lanson, *Choix de lettres du XVIIe siècle*, Hachette, pp. 436-444). Premières pages de *Simon le pathétique* de Jean Giraudoux.

## Guerre

•

**Dans *Pantagruel* et dans *Gargantua* :** la guerre, fléau redouté des populations civiles qui en supportent toutes les misères : violences, sacs des villes, pillages, butin accordé aux mercenaires comme un droit (et souvent comme un paiement de la solde), déclenchée par des conflits entre princes ou des luttes religieuses, a été condamnée fortement par les humanistes. Les deux premiers romans rabelaisiens lui font une large place. Le schéma traditionnel du roman de chevalerie imposait l'épisode des exploits guerriers du héros. Rabelais refuse la guerre de conquête, ou de prestige, inadmissible pour des chrétiens. Au contraire d'Érasme, totalement pacifiste, il admet la guerre défensive, celle où sont engagés ses héros, Pantagruel et Gargantua, pour défendre leurs sujets.

Mais la campagne contre les Dipsodes et la guerre Picrocholine sont traitées dans un esprit très différent. Si les massacres, dans les deux romans, parodient l'épopée médiévale, Pantagruel se conduit en guerrier ardent au combat selon la tradition, prêt à mettre à sac les villes qui refuseraient de se rendre, cependant que son père Gargantua, partisan de la conciliation, est prêt à «acheter» la paix. Conscient de ses devoirs de roi, il se résigne à entreprendre la guerre pour protéger son peuple, après avoir tout tenté pour l'éviter. Il se montre clément envers les vaincus après la victoire, ferme à l'égard des responsables.

Le récit (27 chapitres) est beaucoup plus chargé de signification que dans la narration parallèle du *Pantagruel*, et les conceptions politiques, plus largement développées, se ressentent d'un humanisme civique certain. Au travers de la convention romanesque, Rabelais fait écho aux problèmes de son temps.

**Rapprochements :** Érasme, *Plaintes de la paix*, *L'Institution du prince chrétien* ; La Bruyère, *Caractères* (X) ; Voltaire, *Candide* (ch. 4, 8, 11, 15, 26) ; Hugo, *Les Misérables* (II-2) ; Zola, *La Débâcle* ; Barbusse, *Le Feu* ; Malraux, *La Condition humaine*, *L'Espoir*, etc.

### Justice
•

**Dans *Pantagruel* et dans *Gargantua* :** en accord avec les juristes humanistes qui préconisent un retour au droit romain, Rabelais plaide en faveur d'une justice simplifiée et humanisée, moins formaliste, qui renoncerait aux formules incompréhensibles, aux procédures compliquées, et au latin dans les procès. Il met en action ses griefs contre les gens de justice, leur avidité, contre la lenteur et les complications de la justice : procès coûteux dont l'arrêt est reporté aux calendes grecques (*Gargantua*, ch. 21), plaidoyers inintelligibles de Baisecul et Humevesne (« controverse merveilleusement obscure et difficile »).
L'entrée de Thélème est interdite aux « basochiens mangeurs du populaire ».
Dans les derniers livres, la satire se fait plus directe et plus âpre encore (*Tiers Livre*, ch. 39 ; *Quart Livre*, ch. 48).

**Rapprochements :** l'ordonnance de Villers-Cotterêts (1539) stipule que tous les actes officiels se feront désormais en langue vulgaire, non en latin.
La satire des juges est fréquente dans les farces médiévales, cf. également *Les Plaideurs* de Racine, *Le Légataire universel* de Régnard, *Turcaret* de Lesage, *Le Mariage de Figaro* de Beaumarchais.

### Naturalisme
•

**Dans *Pantagruel* et dans *Gargantua* :** la foi en l'homme et l'amour de la liberté fondent le naturalisme de Rabelais. Convaincu que « gens libères, bien nés, bien instruits, conversants en compagnies honnêtes, ont par nature un instinct et aiguillon qui toujours les pousse à faits vertueux et retire de vice » (*Gargantua*, ch. 57), Rabelais peut fonder la morale des habitants de Thélème sur le principe fameux « Fais ce que voudras ». Lorsque la nature n'est ni contrainte, ni mutilée, ni déviée, l'homme qui suit ses enseignements peut atteindre au bien et à la vertu. Mais la morale de Rabelais, comme celle de Montaigne, est une morale de l'effort. Cette vie selon la nature suppose le sain exercice de la raison. L'optimisme rabelaisien n'est pas aveugle. Il n'accorde ce privilège qu'à une élite bien douée et bien formée, et cherche à concilier humanisme et christianisme.

**Rapprochements :** vivre « selon la nature » est la règle de presque toutes les morales antiques.
Érasme écrit à propos de la bonté naturelle de l'homme :

> *J'affirme que, dans certains esprits bien nés et bien éduqués, il n'y a pour ainsi dire aucun mal. La propension au mal vient pour la plus grande part, non de la nature, mais d'une mauvaise éducation et de fréquentations fâcheuses.*
>
> Érasme, *Hyperaspistes*, 1527.

Montaigne écrit :

> *J'accepte de bon cœur, et reconnaissant, ce que Nature a fait pour moi, et m'en agrée et m'en loue. On fait tort à ce grand et tout-puissant donneur de refuser son don, l'annuler et défigurer. Tout bon, il a fait tout bon [...] Nature est un doux guide, mais non pas plus doux que prudent et juste [...] Je quête partout sa piste : nous l'avons confondue de traces artificielles ; et ce souverain bien académique et péripatétique qui est vivre selon icelle devient à cette cause difficile à borner et exprimer ; et celui des stoïciens, voisin à celui-là, qui est consentir à Nature.*
>
> Montaigne, *Essais*, III, 13, 1580.

Le mythe du « bon sauvage » au XVIIIe siècle naît de la même foi en la bonté de la nature. Si elle n'est ni contrainte ni déformée (cf. les Bons Troglodytes des *Lettres persanes* de Montesquieu, etc.).

## Nouveau savoir et éducation
•

**Dans *Pantagruel* et dans *Gargantua* :** Rabelais, renaissant typique, partage avec sa génération la conviction d'inaugurer une ère nouvelle de l'humanité.
L'enthousiasme humaniste, justifié par la métamorphose de la

culture et de la civilisation au début du XVIᵉ siècle, anime l'œuvre entière, qui manifeste un insatiable «appétit de savoir toujours et toujours apprendre» (*Tiers Livre*, ch. 16). Comme ses héros, Rabelais parcourt «le vrai pays et abîme Encyclopédie». Son érudition est prodigieuse, souvent intempérante, et puise aux sources les plus variées, antiques, médiévales, modernes.

Ce serait fausser la pensée de Rabelais que de la constituer en système. Mais dès le *Pantagruel* (ch. 8), il pose les principes et indique le programme de l'éducation humaniste. Dans le *Gargantua*, il fait le procès des méthodes médiévales qu'il juge périmées et en brosse une vivante caricature (ch. 13, 14, 15) à travers le portrait de maîtres ignares et ivrognes et de l'élève qu'ils ont rendu «niais, tout rêveux et rassoté». Par contraste, il vante les méthodes nouvelles et l'excellence de leurs résultats (ch. 23). L'originalité de la formation qui vise à faire de l'élève un «abîme de science» (*Pantagruel*, ch. 8), c'est d'allier deux types de savoir, la «chevalerie» et la «clergie», le savoir du chevalier (entraînement physique, civilité) et celui du clerc (savoir intellectuel), distincts au Moyen Âge. Après celles des «arts», le prince acquiert les connaissances enseignées aux trois facultés, théologie, médecine, droit, mais il apprend aussi les langues, pour entrer en contact avec les civilisations du passé. Le livre entretient la curiosité pour toutes espèces de savoir caractéristique de l'esprit humaniste, mais le met en rapport avec le réel quotidien.

La pédagogie de Rabelais est celle d'un médecin et d'un humaniste : elle vise à un développement harmonieux du corps et de l'esprit, ménage des moments de détente utile, et supprime toute perte de temps. L'évangéliste se soucie aussi de donner une solide formation morale et religieuse. Celle-ci repose sur la lecture et la méditation de la Bible (Ancien et Nouveau Testament), qui remplacent les pratiques extérieures de piété.

Un précepteur avisé veille toujours sur l'élève dont il a la confiance et entretient son enthousiasme et sa curiosité sans faire peser sur lui une autorité contraignante. S'il recourt à des méthodes concrètes et vérifie par des applications pratiques et de fréquentes répétitions que la leçon a bien été comprise, l'apport des connaissances livresques et la part de la mémoire restent essentiels, comme dans la pédagogie scolastique. En dépit de ses lacunes (danger de surmenage ; absence d'esprit critique, que l'élève n'a guère le loisir d'exercer ; absence de formation politique dans cette éducation de prince), les principes et les méthodes de cette pédagogie sont stimulants. Il s'agit, bien sûr, d'une éducation aristocratique destinée au fils d'un roi, à une élite en tout cas, élite de la naissance et de la fortune, douée surtout d'un heureux naturel. Par la suite, Gargantua concevra l'organisation de Thélème, où vit dans le loisir une société raffinée, éprise de culture, et qui ignore toute contrainte. Mais la vie des thélémites ne correspond pas à l'éducation exigeante, active, qu'a reçue ce fils de roi préparé à affronter toutes sortes de luttes.

**Rapprochements :** un enthousiasme du même ordre pour toute forme de nouveau savoir animera les philosophes du xviiie siècle. L'*Encyclopédie* voudra abattre les préjugés pour faire triompher la raison. À l'idée religieuse de l'humanité déchue, les Encyclopédistes opposent la volonté optimiste d'assurer le bonheur humain par le progrès de la civilisation. Voir le *Discours préliminaire* de d'Alembert, l'article «Philosophe» de Diderot.


# Religion
•

**Dans *Pantagruel* et dans *Gargantua* :** les idées religieuses de Rabelais ont provoqué les controverses les plus vives. En une époque d'intolérance, où les bûchers s'allumaient si facilement, il était difficile d'afficher clairement ses convictions lorsqu'elles n'étaient pas orthodoxes. Rabelais lui-même prévient le lecteur qu'il est prêt à les défendre comme son personnage, «jusqu'au feu exclusivement» (prologue du *Pantagruel*). On a vu parfois en lui un précurseur du rationalisme (A. Lefranc), rétorqué au contraire qu'au xvie siècle l'incroyance était inconcevable (L. Febvre) : Rabelais à coup sûr ne cache pas ses sympathies pour les évangélistes. Soucieux de ramener l'Église à la pureté du christianisme primitif, il refuse les rites vidés de sens et les pratiques superstitieuses.

Il dénonce la sottise des pèlerinages, le culte des saints, raille la croyance aux miracles (*Pantagruel*, ch. 30), le scandale des indulgences (*Pantagruel*, ch. 17), la récitation mécanique des prières et l'assistance à d'innombrables messes (*Gargantua*, ch. 21). Ce sont là des «constitutions humaines», selon le terme de Pantagruel, matières de foi étrangères à l'Évangile, qui, prêché «purement et simplement», fonde la foi profonde de Rabelais. Surtout il s'en prend avec virulence aux théologiens de la Sorbonne, dont maître Janotus devient le symbole ridicule. L'épisode de Thélème, un de ceux auxquels Rabelais tenait le plus, est révélateur à cet égard. Cet antimonastère, cette apologie de la liberté traduisent tout à la fois ses rancunes et ses rêves.

Mais aucun des deux livres ne permet d'affirmer que Rabelais était incroyant ou sceptique. Dans les deux textes du *Pantagruel* où se définit une prise de position religieuse (lettre de Gargantua au chapitre 8 et prière de Pantagruel au chapitre 29), Rabelais se montre respectueux des Écritures, évangéliste certes, mais non partisan de la Réforme. Il s'en éloigne par un optimisme foncier, par la confiance en la bonté de la nature. Rabelais a d'ailleurs manifesté son hostilité à la Réforme, «triste fruit d'Antiphisie», et à l'égard de Calvin, qu'il traite d'«imposteur et séducteur», confondant dans une même haine les hypocrites, les «bigots et les cagots», les pharisiens de la pire espèce, les «imposteurs de Genève», et «tous les autres monstres difformes et contrefaits en dépit de Nature».

Dans le *Gargantua*, nombreuses sont les protestations de foi des personnages, leurs prières, l'appel à Dieu ou à sa providence, et les marques de sympathie pour les évangélistes, qui sont les bienvenus à Thélème. Il serait donc hasardeux, si l'on s'en tient aux textes, de définir avec exactitude les opinions religieuses de Rabelais. Tout au plus pourrait-on souligner que sa foi optimiste dans la bonté de la nature humaine, lorsqu'elle est bien dirigée, dans cet «instinct et aiguillon» qui pousse les thélémites à «faits vertueux», a pu paraître bien païenne. Elle n'est pourtant pas incompatible avec un christianisme sincère. La grande originalité de l'époque a été sa volonté de concilier la connaissance des textes sacrés avec la sagesse gréco-latine. Si la pensée religieuse de Rabelais lui est personnelle, il cherche, comme les autres évangélistes, à réconcilier sagesse antique et christianisme, foi dans la nature et amour de Dieu.

**Rapprochements :** Érasme, colloque «Le Naufrage»; Calvin, *Traité des reliques* (1545).

### Rire thérapeutique et comique
•

**Dans *Pantagruel* et dans *Gargantua* :** Rabelais a insisté dans tous ses prologues sur son intention de divertir le lecteur. Le narrateur du *Pantagruel* se contentait d'annoncer un livre plein de «folâtreries et menteries joyeuses». Le *Gargantua* s'adresse aux «buveurs très illustres», mais aussi à tous les affligés, aux «vérolés très précieux», aux pauvres «goutteux», aux malades, auxquels il se propose de venir en aide. Le dizain «Aux lecteurs» indique cette intention de pratiquer une thérapeutique du rire et invite à se divertir sans arrière-pensée et sans remords. Le remède ne manque pas de dignité puisque «rire est le propre de l'homme». La formule, qui remonte à Aristote, est empruntée à Galien. Et le prologue invoque l'exemple de Socrate, «toujours riant», qui est à la fois objet de risée et maître du rire.

Si frère François a appris, lors de son passage chez les franciscains, l'art de mêler les plaisanteries souvent grossières à la prédication populaire, la médecine humaniste confirme sa confiance dans *les vertus thérapeutiques du rire*. Elle s'appuie sur les principes de Galien et d'Hippocrate pour accorder une importance décisive à l'action psychologique du médecin sur le malade. La foi dans l'art médical pour soutenir la nature s'allie à la certitude que l'âme domine le corps. D'où la nécessité de soigner l'âme avant le corps pour débusquer les passions cachées derrière les maux physiques. Mais son dessein premier est d'affirmer par le rire la dignité de l'homme. Sa verve comique s'empare des données de la réalité sociale, du savoir des érudits, des problèmes de l'actualité politique et religieuse, de la culture et du langage traditionnels pour nous en libérer par le rire.

Le rire est preuve de santé et d'aptitude à la vie. Les héros rabelaisiens sympathiques sont joyeux ; les méchants, les «agelastes» (ceux qui ne rient pas), sont tristes. Le rire de Rabelais peut être féroce, quand il fustige des sots ou des méchants dangereux. Mais il est inséparable d'une bonne humeur qui fait rire la victime elle-même, sans l'humilier (Janotus, *Gargantua*, ch. 19), il n'est jamais avilissant.

Le rire est libération. C'est une revanche prise sur les contraintes sociales et la peur, selon Bakhtine, à la fois défense et remède : il neutralise ceux qui terrorisent en les ridiculisant, il permet de prendre conscience de la vanité des agitations humaines. Pour Rabelais, la conception du rire se fonde sur une philosophie. Si Dieu lui a fait don du rire, c'est que la joie est pour l'homme le souverain bien dans la vie terrestre.

La verve rabelaisienne recourt aux procédés les plus divers : effets de surprise et contrastes (Gargantua riant et pleurant tour à tour devant sa femme morte et son fils nouveau-né), disconvenance des conditions et des propos (le moine frère Jean et ses propos gaillards ou grossiers ; gravité et sagesse des rois, grands buveurs et joyeux compères), caricatures poussées au grotesque (les théologiens), invraisemblances du grossissement gigantal oublié brusquement avec désinvolture, absurdités manifestes. L'utilisation de divers procédés à la fois renforce le comique. La parodie enfin conduit à la satire, souvent virulente, mais sans aigreur ni cruauté.

Le goût de la mystification est fréquent. Il y a du Panurge en Rabelais. Il se moque de son lecteur dans le prologue du *Gargantua* en l'invitant à chercher une pensée profonde, puis à ne pas le prendre au sérieux. Il appuie de graves références les argumentations les plus fantaisistes, donne des précisions excessives pour justifier une invraisemblance manifeste. L'érudition devient souvent alors un moyen de mystifier, ou de faire rire.

**Rapprochements :** la formule du dizain «Aux lecteurs» implique une définition de l'homme distingué des animaux par le rire, plus que par la parole, définition préférée par Érasme. Comme Rabelais, Laurent Joubert, chancelier de la faculté de médecine de Montpellier, médecin du roi Henri III, estime que le rire «est une des plus admirables actions de l'homme, si on veut bien y regarder». Il a écrit un *Traité du ris* (1579) où il donne des exemples de la thérapeutique par le rire.

## Roi et royauté
•

**Dans *Pantagruel* et dans *Gargantua* :** avec la plupart des humanistes de son temps, Rabelais reprend la formule de Platon : «les Républiques (États) seraient heureuses quand les rois philosopheraient ou les philosophes régneraient.»
Les trois princes qui figurent dans les deux romans, Grand-gousier, Gargantua, Pantagruel, proposent l'idéal du monarque pacifique, soucieux du bonheur de ses sujets, opposé au type du conquérant et du tyran (non l'usurpateur, mais celui qui veut son «arbitre tenir lieu de raison»). Son rôle est de protéger, par «droit naturel», ses sujets (plus encore qu'en vertu d'un contrat avec son peuple, selon l'avis de certains théoriciens). Le peuple entretient le souverain, et celui-ci le défend (*Gargantua*, ch. 28). Il y a donc réciprocité de services. Le roi doit «sauver, garder, régir et administrer ses propres terres». Anarche et surtout Picrochole, les mauvais rois, n'envisagent plus leur fonction comme un service, mais comme le moyen d'assouvir leur volonté de puissance.
Grandgousier n'est ni un roi de droit divin, ni un roi constitutionnel. Charitable envers l'ennemi, conscient de ses devoirs envers ses sujets, il personnifie l'idéal humaniste du roi philosophe, de mœurs simples, sans ambition, véritable père de son peuple. Mais la personne royale n'est pas sacralisée. Rabelais insiste sur l'humble origine de certains empereurs, rois ou papes, tandis que des «gueux de l'hospice» descendent de la race des rois (ch. 27). Le caractère héréditaire du pouvoir royal n'est pas mis en question (le royaume de Picrochole demeure à son fils, après sa fuite).

Le roi est nécessairement un roi chrétien, soumis à la même morale que ses sujets, il doit veiller à la faire respecter. Il lui faut gagner leur confiance, leur cœur, et faire régner la vraie religion évangélique (il chasse les «faux prophètes»).

Le roi est aussi le chef des armées. Il doit être vaillant au combat, bon stratège et bon orateur. S'il ne songe qu'à faire régner la paix, il lui faut être prêt à se défendre. Les légions de Grandgousier, financées par des «pactes» conclus avec ses confédérés, sont conçues sur le modèle des légions créées en 1534 par François I$^{er}$. Elles constituent une force moderne, bien organisée face aux soldats désordonnés de Picrochole et emportent aisément la victoire.

Rabelais n'a pas cherché à proposer un régime idéal dans un État imaginaire, comme nombre des utopies de son temps. Il accepte l'ordre établi. Sa pensée politique s'accorde avec les théories humanistes et les aspirations de la bourgeoisie française.

**Rapprochements :** G. Budé a rédigé une *Institution du prince*, Érasme une *Institution du prince chrétien*.

Thomas More écrit :

> Dès qu'Utopus fut victorieux et maître, il se hâta de décréter la liberté de religion. Cependant, il ne proscrivit pas le prosélytisme qui propage la foi au moyen du raisonnement, avec douceur et modestie ; qui ne cherche pas à détruire par la force brutale la religion contraire, s'il ne réussit pas à persuader : qui enfin n'emploie ni la violence ni l'injure.
>
> Thomas More, L'Utopie, 1516.

Machiavel, dans *Le Prince*, affirme :

> Un prince ne doit avoir d'autre objet ni d'autre pensée ni choisir d'autre chose quant à son métier, hors de la guerre, des institutions et de la discipline militaire. [...]
>
> Il ne doit donc jamais détourner sa pensée de cet exercice de la guerre et durant la paix il doit s'y exercer davantage que durant la guerre [...], soit par les actions, soit par l'esprit.
>
> Machiavel, *Le Prince*, ch. 14 : «Ce qu'il convient au prince de faire en matière d'armée», 1513.

Voir l'*Encyclopédie*, article «Philosophe».

## Satire anticléricale

•

**Dans *Pantagruel* et dans *Gargantua* :**
– Les moines
Faire des textes saints matière à calembours ou à parodies burlesques est monnaie courante durant le Moyen Âge, qui n'y voit pas une preuve d'impiété. La satire des moines est traditionnelle dans la littérature médiévale qui raille leur ignorance, leur paresse, leur saleté, leur goinfrerie et leur paillardise souvent voilée d'hypocrisie. Rabelais, qui a eu l'expérience de la vie monastique, en dénonce joyeusement les faiblesses et les tares et le thème des moines est abondamment traité dans son œuvre. Il est plus neuf et plus hardi de reprocher aux moines d'être inutiles au monde dans leurs cloîtres.
Frère Jean, l'une des figures les plus sympathiques du roman, fait exception. Sa vitalité, son activité font oublier ses défauts, dont la plupart sont des réactions aux défauts habituels des moines. C'est dans sa bouche que Rabelais met l'essentiel de sa diatribe contre les couvents, dépassant la critique conventionnelle, qui s'en prenait aux hommes sans atteindre l'institution.
– Les théologiens
Ceux de la Sorbonne sont attaqués avec virulence. Ils portent la responsabilité de la routine absurde maintenue dans l'éducation : les premiers «régents» de Gargantua le prouvent (ch. 21). Emplis d'une science creuse, stérile, enflés de vanité, ils ne forment que des sots. Maître Janotus de Bragmardo (*Gargantua*, ch. 19), vieux tousseux abruti et ivrogne, devient le symbole grotesque de ces théologiens détestés qui détiennent le pouvoir d'envoyer au bûcher ceux qu'ils décrètent hérétiques. L'entrée de Thélème sera interdite aux «bigots», aux pauvres mendiants («gueux mitouflés» c'est-à-dire moines mendiants).

**Rapprochements :** Érasme, moine augustin, lance les mêmes attaques contre la vie monastique dans l'*Éloge de la folie*.
Marguerite de Navarre, dans l'*Heptameron*, consacre plusieurs nouvelles (III-2, III-27, etc.) à dénoncer l'hypocrisie et la paillardise des moines.

## Vin

•

**Dans *Pantagruel* et dans *Gargantua* :** le thème de la soif et du vin symbolise la curiosité pour toutes les formes du savoir et de l'activité humaine. « Trinch » est le « mot » de la Dive Bouteille (au *Cinquième Livre*). Peut-être prend-il une valeur allégorique, sinon celle de la communion, du moins celle de la fréquentation de Dieu au *Quart Livre*, qui s'ouvre et s'achève sur une scène de bien-boire en commun et où le vin constitue le meilleur remède contre les périls de la mer.

Quant au vin que l'auteur tire de son « tonneau inépuisable » (*Tiers Livre*), il désigne métaphoriquement la création de son univers romanesque.

**Rapprochements :** le *Cinquième Livre*, posthume, dont on pense que l'authenticité est partielle (utilisation de brouillons laissés par Rabelais), a fait du thème du vin la clé de l'œuvre entière : le vin devient symbole de vérité et d'encouragement à l'action.

On a souvent rapproché le cri de Gargantua à sa naissance (*Gargantua*, ch. 7) de la fameuse réponse de la Dive Bouteille au *Cinquième Livre*. Cet oracle « Trinch » et l'exclamation du chapitre : « À boire ! » peuvent s'interpréter comme une invitation à s'enivrer du vin du savoir. La pontife (prêtresse) Bacbuc offre une large rasade de vin à Panurge, qui demande la signification de « Trinch ».

> Trinch *est un mot panoraculaire et compris par toutes les nations, et il signifie pour nous : Buvez.* [...]
>
> Rabelais, *Cinquième livre*, ch. 45, 1564.

> [...] *Ami, rendez grâces aux cieux, la raison vous y oblige : vous avez rapidement eu le mot de la Dive Bouteille. Je dis le mot le plus joyeux, le plus divin, le plus évident que j'aie jamais entendu d'elle depuis le temps que j'assure ici le ministère de son Oracle très sacré.* [...]
>
> Rabelais, *Cinquième livre*, ch. 44, 1564.

> [...] *maintenons que ce n'est pas rire, mais boire, qui est le propre de l'homme ; je ne dis pas boire simplement et absolument, car les bêtes boivent aussi bien ; je dis boire du vin bon et frais. Notez, amis, que de vin divin on devient, et qu'il n'y a pas d'argument aussi sûr, ni d'art de divination moins fallacieux.* [...] *Dans le vin est cachée la vérité. La Dive Bouteille vous y envoie, soyez vous-mêmes interprètes de votre entreprise.*
>
> Rabelais, *Cinquième livre*, ch. 45, 1564.

**à, au, de, par :** ces prépositions ont souvent un emploi très vague au XVIᵉ siècle. Elles tendent à remplacer beaucoup d'autres prépositions et marquent les rapports les plus divers.

**aucun :** valeur positive. En ancien et moyen français, *aucun* avait un sens positif dans une phrase positive, alors que, dans la langue moderne, *aucun* ne s'emploie plus qu'avec une négation, sauf dans la locution *d'aucuns* (*quelques-uns, certains*) qui est précisément un vestige de l'ancienne langue.

**aucune :** une. *Aucune,* dans une phrase positive, garde son sens positif étymologique (*une certaine*).

**ayants, concernants, conférants, conversants, laissants, oyants, pesants, retournants :** Le participe présent s'accorde souvent en genre et en nombre au XVIᵉ siècle. Il peut également garder, comme le participe latin dont il dérive, la même forme au féminin et au masculin. L'Académie le proclame invariable en 1679.

**baillez :** subjonctif : *bailliez.* C'est encore, à l'époque de Rabelais, une forme normale de subjonctif présent, héritée de l'ancien français.

**cabinet :** petite chambre, ou petit meuble où l'on enferme ce qu'on a de plus précieux ; se dit aussi d'un bureau particulier.

**dont :** adverbe relatif : de quoi, à la suite de quoi, d'où. Emploi latinisant du pronom relatif au XVIᵉ siècle : il sert à rappeler la phrase précédente, là où la langue moderne se contente du démonstratif. Peut remplacer *d'où,* dans ce cas, il est originellement adverbe de lieu, interrogatif et relatif.

**écorcher le renard :** vomir (expression populaire).

**ès :** contraction de *en les;* mais Rabelais l'emploie aussi parfois comme équivalent de *aux.*

**fouace :** galette de beurre aux œufs, cuite au four.

**gard** ou **gart :** subjonctif présent de l'ancienne langue.

**libères :** libres (par opposition aux esclaves : latinisme).

**on :** est le singulier de *ès* (et signifie *au, en le, en les*).

**que :** qui. *Que* relatif pluriel masculin en fonction de sujet, remplacé par *qui* au XVIIᵉ siècle, s'emploie surtout quand l'antécédent est le pronom neutre *ce* ou un nom de chose : *ce que fut faict* (Rabelais, *Quart Livre,* ch. 2) ; mais on le trouve aussi avec des noms de personne pour antécédent. Ce *que* a subsisté dans quelques locutions : *ce que bon vous semble, advienne que pourra.* Ce n'est qu'au XVIIᵉ siècle que *qui* deviendra la forme unique de relatif sujet.

**rendez :** subjonctif : *rendiez* (v. *baillez*).

**trop mieux :** beaucoup plus. *Trop* n'implique pas une idée d'excès.

**trouvez :** subjonctif : *trouviez* (v. *baillez*).

### Autres éditions de Rabelais

*Pantagruel* et *Gargantua*, introduction et notes par Gérard Defaux, Le Livre de Poche, coll. «Bibliothèque classique».

### Ouvrages sur Rabelais

Manuel de Dieguez, *Rabelais par lui-même*, Paris, Éditions du Seuil, 1960.
Madeleine Lazard, *Rabelais l'humaniste*, Hachette, 1993.
Daniel Ménager, *Rabelais*, Bordas, 1989.
Jean Plattard, *François Rabelais, l'homme et l'œuvre*, Boivin, 1933.

### Ouvrages sur *Pantagruel* et sur *Gargantua*

Y. Giraud et M.-R. Jung, «François Rabelais», in *Littérature française. La Renaissance (1480-1548)*, Arthaud, 1978, pp. 243-259.
M. Roques, «Aspects de Panurge», in *François Rabelais*, Droz, 1953, pp. 120-130.
Daniel Ménager, *Pantagruel, Gargantua*, Hatier, coll. «Profil d'une œuvre», 1978.

Achevé d'imprimer en France par la Nouvelle Imprimerie Laballery – 58500 Clamecy
Dépôt légal : juillet 2015 - Collection n° 65 - Edition 05 - N° d'impression : 505235
**16/9384/5**

La Nouvelle Imprimerie Laballery est titulaire de la marque Imprim'Vert®